名家谈诗词

叶嘉莹 主编
陈斐 执行主编

一代宗师、方家泰斗
讲给大家的诗词课

诗的活力与新原质

林庚 著
葛晓音 编选 导读

生活·讀書·新知三联书店 生活書店出版有限公司

图书在版编目（CIP）数据

诗的活力与新原质 / 林庚著；葛晓音编选、导读. — 北京：生活书店出版有限公司，2022.4
（名家谈诗词. 林庚卷）
ISBN 978-7-80768-332-2

Ⅰ. ①诗… Ⅱ. ①林… ②葛… Ⅲ. ①诗词研究－中国 Ⅳ. ①I207.2

中国版本图书馆CIP数据核字(2020)第185335号

责任编辑　程丽仙
特邀编辑　乔姝媛
装帧设计　罗　洪
责任印制　孙　明
出版发行　生活書店出版有限公司
　　　　　（北京市东城区美术馆东街22号）
邮　　编　100010
印　　刷　三河市腾飞印务有限公司
版　　次　2022年4月北京第1版
　　　　　2022年4月北京第1次印刷
开　　本　880毫米×1230毫米　1/32　印张11.25
字　　数　242千字
印　　数　0,001—3000册
定　　价　58.00元
（印装查询：010-64052612；邮购查询：010-84010542）

编 委 会

名家谈诗词

第一辑十种

总序

叶嘉莹

我从小喜欢读诗、背诗，1945年大学毕业后就开始登上讲台教授古典诗词。我所以一生以诗词为伴，不是出于对学问的追求，而是古典诗词生发的精神力量对我的感动和召唤，这一生命感发蓄积着古代伟大诗人的心灵、智慧、品格、襟抱和修养。我一生经历很多苦难和挫折，在外人看来，我一直保持乐观、平静的态度，这与我热爱古典诗词实在有很大关系。

诗歌价值在于滋养精神和文化。中国古代伟大诗人往往是用生命谱写诗篇、用生活实践诗篇，他们把自己内心的感动写了出来，千百年后的我们依然能够体会到同样的感动，这就是中国古典诗词的生命力。古典诗词凝聚了中华文化的理念、志趣、气度、神韵，是我们民族的血脉、中华儿女的精神家园。

读诗、讲诗有三个层次。第一个层次是直觉的、感性的。比如李商隐“无题诗”到底说些什么，你可能不懂，可是你一读，觉得它意象很美，声音也很美，这就是你对一首诗的直觉感受。第二个层次是知性的、理性的，即考察一首诗的历史、背景、思想。第三个层次则完全从读者接受角度来读，我们对一首诗的诠释不一定是作者原来的意思。意大利学者墨尔加利就曾经提出来一个术语“创造性背离”，即我们对一个作品的阐释有自己的创造，这个创造很可能不同于作者原意。像王国维在《人间词话》中以古人写爱情的小词说明“成大事业大学问”的三种境界，就是这样一个例子。也就是说，当你在读诗或词时，不仅探讨作者原意，更读出一种真正属于你自己的、从你内心兴发出来的东西。

其实这就是中国古老的、孔子说诗的方法。孔子说诗可以“兴”，是说诗可以给读者兴发感动，引起读者更多感发和联想——这样的感发正是诗歌强大的生命力所在，这样讲诗词才是真正的诗教传承。

我一向认为，“兴”是中国诗歌精华所在，使你内心涌动生生不已的活泼的生命。几千年来，中国有这么多伟大诗人留下这么多诗篇，让千古之下的我们读过之后内心震动，从而豁然兴起，这是一件多么美好的事情！

今天我们诵读诗词，如果只为能背会写，无异于买椟还珠。诵诗读诗，重要的是体会一颗颗诗心，与古人生命情感发生碰撞，进而提升自己当下修为。我的老师顾随先生也曾经讲过“中国说‘诗教’，不是教作诗，是使做好人”。今天我们提倡中华诗教，就是要透过诗词，用今人的生命体悟和古人交流，用诗人的生命品格滋养今人的生命质地，这个过程本身将产生强大的感发作用，使作者、讲者与听者都得到生生不已的力量。在这种以生命相融会、相感发的活动中，自有极大的乐趣。

这些年有关部门和机构推进《中国诗词大会》、“中华经典诵读工程”，2019年开始举办“迦陵杯·诗教中国”诗词讲解大赛。比赛以我的别号命名，专门面向全国中小学语文教师，鼓励古典诗词的读诵与讲解。去年暑期，虽然我还在病中，但仍然和决赛选手们在南开大学见面，与大家一同齐声高诵我的小诗：“中华诗教播瀛寰，李杜高峰许再攀。喜见旧邦新气象，要挥彩笔写江山。”我衷心希望这个大赛能选拔出一批优秀语文教师，大家一起把古典诗词薪火传续下去。如闻一多先生指出的：“诗人对诗的贡献是次要问题，重要的是使人精神有所寄托”，我们这些诗教传薪者的使命，就在于发掘古典诗词中的感发力量，让中国古典诗词成为更多人生命中的指路明灯。每一代人有每一代人的责任，学人文科学的人更应该担当起传承民族精神命脉的责任。

此时此刻全球抗疫，不知道有多少人可以从中华诗词中获得慰藉和勇气。作为一位96岁的老人，我一生经历过很多苦难。记得2007年冬季我因肺炎住院，病愈后曾写过一首和友人的小诗：“雪冷不妨春意到，病痊欣见好诗来。但使生机斫未尽，红蕖还向月中开。”数千年来，中华优秀传统文化代有承传，千百年来传诵的古典诗词也必将滋养一代代中华儿女的精神世界。

（本文由南开大学文学院教授张静整理，原题为《红蕖还向月中开》，初刊于2020年3月20日《人民日报》。经叶老授意，作为本丛书总序。）

附记：

余初学诗，读叶嘉莹先生以兴发感动解说诗词的论著，甚为心契。后来读顾随、俞陛云等先生的说诗文字，读《唐诗解》

《山满楼笺注唐诗七言律》等明清诗解、诗说，才慢慢明白，由叶嘉莹先生发扬光大并注入新质的说诗理路，在我国由来已久。当我自己也走上诗词研究之路、对学界状况有所了解后，又恍然觉得：这种真正能够接续中华诗词命脉的说诗理路，在当下面临着严峻的传承危机。盖说诗和引诗不同，引诗可以断章取义、各取所求，说诗则必须符合诗词自身的表意规则及互文语境。诗词表意具有含蓄性、暗示性和跳跃性，“语码”系统更为独特，不像散文语言那样直白、连贯、易解，更与日常生活中使用的社会话语相去甚远。《文心雕龙·知音》云：“夫缀文者情动而辞发，观文者披文以入情。”作诗是抒志摛文、将情志外化为文字的“编码”过程，而说诗则是沿波讨源、通过文字探求情志的“解码”过程。现代学术将“研究”与“创作”断为二事，部分学者的国学功底相对比较浅狭，且缺乏创作体验，对诗词这套独特的“语码”系统不甚了解，难以还原互文语境，故其说诗，难免隔靴搔痒、支离破碎。而一切研究，不管选题、理论、方法如何，都应该奠基于对文本的准确解读之上，否则无异于空中楼阁。欲提高对诗词文本的感悟力和解读力，除了学习写诗丰富创作体验外，揣摩擅于说诗的名家的理路、方法，亦必不可少。

我把自己的这个“杞忧”说给叶嘉莹先生和三联书店的郑勇先生，并提议编选一套“名家谈诗词”丛书，对近代以来国学功底深厚且研究与创作兼擅的名家的诗词研究成果进行梳理、总结，得到了他们的鼎力支持。具体来说，“名家谈诗词”丛书拟分辑陆续推出，每辑十家，每家一本。每一名家，均邀请对其治学比较熟悉的门生弟子或与其研究领域相近的领军学者进行编选：从该名家的所有说诗文字中撷取精华篇章都为一集，以普及性为主，兼顾学术性和代表性。每本卷首，由编选者撰写一篇“导读”，介绍该名家的生平和说诗理念、方法、特点、成就、影响等。整体而言，“名家谈诗词”丛书既由点成线，串联起了近代以来诗词研究的学术史，同时也撷英采华，凝聚了近代以来诗词研究的成果精华，非但普通读者可藉此走近、了解中华诗词的“正脉”，专家学者也能由此揣摩路数，提高感悟力和解读力。

“名家谈诗词”丛书从动议到编选都受到叶嘉莹先生的关心、指导。王兆鹏、刘跃进、陈水云、蒋寅四位先生欣然出任丛书编委并进行把关。葛晓音、罗时进、张伯伟、彭玉平、戴伟华、曹辛华、缪元朗等先生愉快地接受编选邀请，他们不仅在选目上精心斟酌，而且撰写了精彩的“导读”。这些“导读”，既通俗扼要，亦不乏学术洞见，有些已先期在《文学遗产》《清华大学学报》等重要学术期刊上发表，颇受好评。丛书策划动议与三联·生活书店一拍即合，郑勇、廉勇等先生为丛书的出版费心费力，他们不放过任何细节、精益求精的精神令人感动。对于以上诸位先生的支持与付出，谨致以诚挚的谢意！

好诗凝聚了人生最美好的心志和情感，读诗可以变化气质、涵养灵魂。中华诗教也就在这“好峰随处改”的快意阅读中传承、光大，社会风气也就在这“润物细无声”的陶冶煦育中好转、净化。希望大家喜欢这套多方殊胜因缘共同襄赞而成的“名家谈诗词”丛书，一起欣赏好诗，共同创造美好的人生和世界！

陈 斐

2020年8月

1935年，林庚先生与夫人王希庆合影。

林庚先生晚年留影　　　　　　　　　　金宁　摄

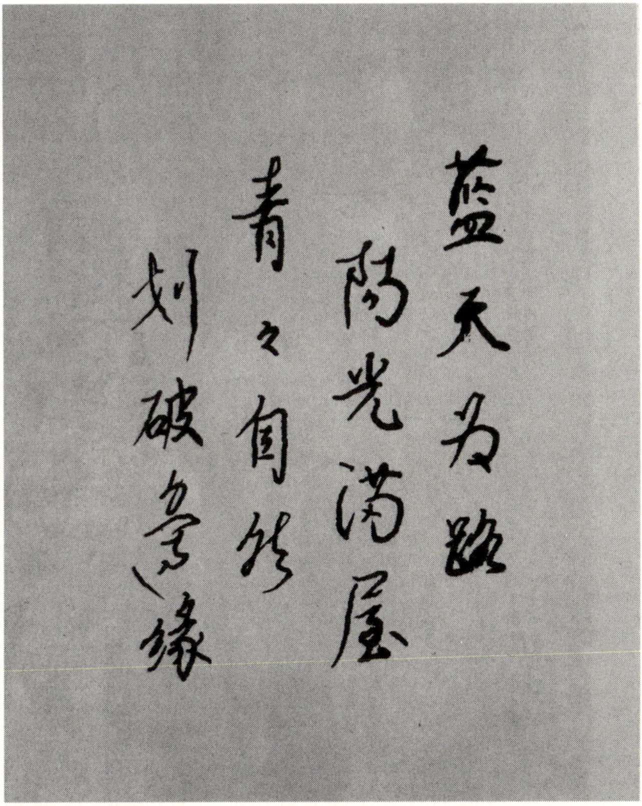

林庚先生手迹

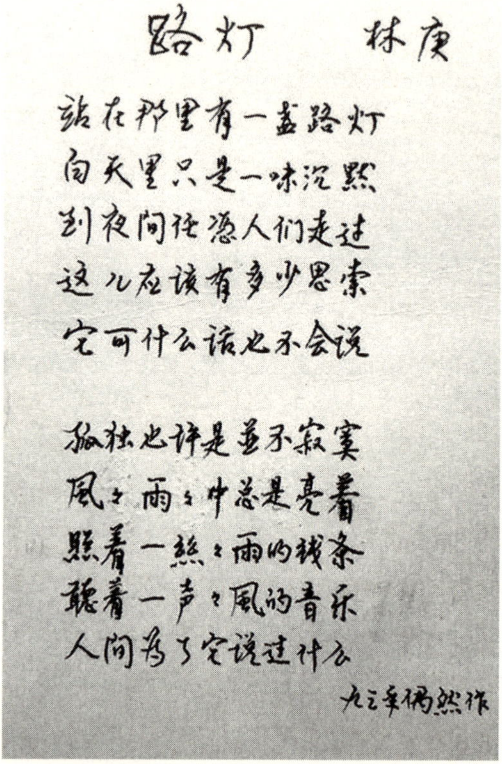
路灯　　林庚

站在那里有一盏路灯
白天里只是一味沉默
到夜间往来人们走过
这儿应该有多少思索
它可什么话也不会说

孤独也许是並不寂寞
風々雨々中总是亮着
照着一絲々雨的线条
聽着一声々風的音乐
人间为了它说过什么

九三年偶然作

《路灯》手稿

目　录

唐诗远音

谈诗稿

新诗探索

导读

葛晓音

林庚先生是诗人，也是研究诗歌的学者，更是20世纪时代风雨所造就的哲人。他的诗歌、学问、哲思和为人是浑然一体的。虽然经历了将近百年的社会巨变，但是他那种昂扬的意气、傲兀的风骨、超脱的心态，始终没有改变。他将自己的思考和精神写进了《夜》《春野与窗》《北平情歌》《冬眠曲及其他》《问路集》等自由体新诗和独创的新格律诗，写进了《诗人屈原及其作品研究》《诗人李白》《天问论笺》《唐诗综论》《西游记漫话》《新诗格律与语言的诗化》《中国文学简史》等影响深远的学术专著之中。无论是诗歌还是学术，都是诗性与理性相融合的完美体现。

林先生最初爱好古典诗词。1928年考入清华大学后，曾参与创办《文学月刊》。九一八事变发生后，他参加赴南京请愿团，要求出兵抗日，一度绝食于南京，返校后才决心写新诗，并不断发表新作。1933年秋，留在清华大学任助教，后协助郑振铎先生创办《文学季刊》，负责新诗一栏的组稿工作。1934年夏，林先生在北平民国学院任讲师，又在北平大学女子文理学院、北京师范大学两校中文系兼课，同年，出版《夜》《春野与窗》两部自由体新诗集。1934年后，他作为一个自由体新诗人又开始尝试新的格律体，1936年出版了《北平情歌》和《冬眠曲及其他》。这些诗集奠定了他在三十年代诗坛上的地位。七七事变后，林先生南下，在厦门大学任教。1941年任厦门大学中文系教授。1947年，离开厦门大学回到北平，任燕京大学中文系教授。1952年因院系调整，担任北京大学中文系教授直至逝世。在担任教授期间曾开设了中国文学史、历代诗歌选、楚辞、庾信、李商隐、文学批评、新诗习作等课程。林先生虽然始终不曾中断新诗创作，并在各报刊上陆续发表新作，到晚年结成《问路集》，但他把主要精力和时间投入教学和科研，逐渐从一个专业的诗人转变为一个专业的学者。

一

林先生的诗歌研究领域可分为古代诗歌和新诗两个方面。他从创作新诗的目的出发研究古诗，在探寻古今诗歌创作规律的同时，开创了中国古典诗歌研究的新局面。

他的古诗研究，成就最为突出的是楚辞和唐诗。研究楚辞，很难绕开关于屈原生平及其作品的考辨。但是由于楚辞研究的原始资料太少，注家之间分歧较多，不少研究者在文字训诂上转弯抹角，曲为之解，很难取得可以成为定论的意见。林先生的研究方法是从理解屈原的作品出发，只取最早的可信的文献记载为依据，同时联系天文、地理、历史、文字学等多种知识，努力寻找最直捷明了的答案。他对句、词的解释也从不脱离对作品贯通的理解以及对屈原思想的准确把握，因而有许多重要的创获。尤其是对《天问》的研究，他从全诗整体布局和史实的排列顺序着眼，与《左传》《离骚》《史记》《山海经》等最原始的资料进行对勘，谨慎地考虑错简和错字的局部影响，辅之以对关键字句的精审考证，使《天问》的结构得到合理的解释，并勾出了关于夏王朝的历史传说的轮廓，搞清了吴民族的渊源，考出了有关秦民族的历史传说，以及帝舜传说与吴楚民族和秦民族的渊源关系。

林先生在楚辞体裁的研究方面，最重要的论点是句法和“兮”字与节奏的关系。例如《〈楚辞〉里“兮”字的性质》一文将《诗经》和《楚辞》相比较，通过仔细辨析二者用“兮”的几种不同形式，指出《诗经》里的“兮”主要起表情作用，而楚辞创造了一种置于句中使句法上下对称的“兮”，这个“兮”本身并无意义，“似乎只是一个音符，它因此最有力量能构成诗的节奏”[1]，实际上也就是一个半逗律的逗号。同时在《从〈楚辞〉的断句说到〈涉江〉》一文中，指出楚辞可以根据“兮”在句中断句，而这种表面形式是由其内在的形式决定的。这内在的形式便是：楚辞的基本句法为两个对偶句连接，而每个半句的结构都是散文句。这太长的句子仅在句尾断句还不够，必须在半句上也有一逗，才能上口。因此“兮”字移到句中，便使得散文的形式有了诗的节奏。以往的楚辞研究，多重在“兮”的语法意义，林先生则较早注意到它的节奏作用，这些论点为后人进一步研究楚辞节奏奠定了基础。

在研究唐诗方面，林先生所提出的最著名的论点，就是“盛

[1] 林庚：《诗人屈原及其作品研究》，上海古籍出版社1981年版，第120页。

唐气象”。在严羽《沧浪诗话》等古代文论中，“盛唐气象”一词主要偏重于对诗歌格调和神韵的理解。林先生则将它扩大到对盛唐时代风貌的认识，指出：“盛唐气象所指的是诗歌中蓬勃的气象，这蓬勃不只由于它发展的盛况，更重要的乃是一种蓬勃的思想感情所形成的时代性格。”同时，林先生还首次揭示了盛唐气象的形成与建安风骨的内在联系，认为建安风骨乃是具备在盛唐气象之中的，它是盛唐气象的骨干；没有这个骨干，盛唐气象不可能出现。在超越前人认识的基础上，林先生以诗一般的语言对“盛唐气象”的总体特征做出了精彩的概括：“盛唐气象最突出的特点就是朝气蓬勃，如旦晚才脱笔砚的新鲜，这也就是盛唐时代的性格。……盛唐气象是饱满的、蓬勃的，正因其在生活的每个角落都是充沛的，它夸大到‘白发三千丈’时不觉得夸大，它细小到‘一片冰心在玉壶’时不觉得细小……它玲珑透彻而仍然浑厚，千愁万绪而仍然开朗，这是植根于饱满的生活热情、新鲜的事物的敏感。”“它带来的如太阳一般丰富而健康的美学上的造诣，这就是历代向往的属于人民的盛唐气象。”[1]

与“盛唐气象”的著名论断紧相连结的，是林先生对盛唐诗歌的又一艺术概括——“少年精神”。他认为盛唐诗体现了一种“开朗的、解放的”“实是以少年人的心情”作为骨干的“少年精神”，这种精神，充满了“青春的气息”“乐观的奔放旋律”。盛唐的时代条件决定了唯在盛唐气象之下才可能出现少年精神。毫无疑问，“盛唐气象”和“少年精神”是林先生对盛唐诗歌所做

[1] 林庚：《盛唐气象》，《唐诗综论》，人民文学出版社1987年版，第26、43、47、48页。

出的两个极为传神的概括，它抓住了盛唐诗歌的精髓，是不同凡响的创见。

林先生的唐诗研究较多地将注意力放在具有浪漫风格的诗人及其作品上。而这些研究又无不与对盛唐诗的整体观照紧密地联系在一起。如《陈子昂与建安风骨》一文认为建安风骨的精神实质是富于理想的，高瞻远瞩的，具有浪漫主义的特征。陈子昂提倡的汉魏风骨，也正是这样一个传统。陈子昂《感遇》集中表达的是雄图壮志，以及因追求理想而激起的不平。《诗人李白》在分析了李白诗歌的现实性以后，更以诗人的热情赞美了李白诗歌的浪漫气质，以及李白使盛唐诗歌达到高潮的伟大贡献。

林先生之所以特别推重盛唐诗和浪漫派诗人，原因在于他特别重视诗的活力与诗的新原质，他说诗的内容，原是取之于生活中最敏感的事物；新的诗风最直接的，莫过于新的事物上新的感情，这便是诗的原质。诗又必须寻求其草创力。它是一种生命的呼唤，应当“使一切缺少生命的都获得那生命的源泉，在一切最无情趣的地方唤醒那生命的感情”。而唐代正是诗的新原质发现得最多的时期。

林先生研究唐诗，还特别重视语言的诗化过程。他认为诗歌是最精炼的语言艺术，它需要从日常的生活语言中不断地进行诗化。诗坛的繁荣，乃是建立在这语言充分诗化的普遍基础上，而不在于偶然出现一两位杰出的诗人。语言诗化的过程包括形式、语法、词汇等各个环节的相互促进，使语言更富于飞跃性、交织性、萌发性，自由翱翔于形象的太空。从先秦到唐代，文学语言正是沿着这一诗化的道路发展着。他在《略谈唐诗高潮中的一些标志》《唐诗的语言》《唐诗的格律》等论文中，充分阐述了这一诗化的过程至唐代完成才出现唐诗高潮的事实。而唐诗高潮最重要的标志，便是绝句登上诗坛，“这乃是艺术上的归真返朴、语言上的真正解放”。此外，“七古正如绝句，也都是到了盛唐诗歌高潮的到来，才一跃而为诗坛的宠儿”。“律诗也是唐诗走向高潮中形成的一种诗体”，同时“整个诗坛的高潮乃是以绝句与七古的自然流露的特色为基调的”。

所有这些论文虽然角度各异，但自成系统，体现了林先生研究盛唐气象的代表性观点，在学术界产生了很大的影响。不少学者甚至在提到林庚先生的名字时，会很自然地联系到“盛唐气象”。

二

林先生论古代诗歌，还有一个突出的特点，即善于将诗人特有的艺术敏感，运用于对作品的具体分析之中。这种分析往往能参透深邃的艺术哲理，使读者品味再三，仍觉余味不尽。尽管这类文章数量不算多，却最能体现林先生极高的悟性和审美眼光。

说诗之难，不在分析技巧的复杂巧妙，而在说清那没有技巧可言的浑成之美，林先生特别重视这类作品。一些最难讲的名作，总能被林先生以几句话就揭出美的奥秘，点醒读者朦胧的感觉。而且由微知著，由一首诗而谈及创作方法、诗歌的特征和魅力，进而概括古代诗歌创作中的某些规律，而其文笔又体现了林先生固有的神采飞扬的特点。

如说孟浩然的《春晓》:“一种雨过天青的新鲜感受，把落花的淡淡哀愁冲洗得何等纯净！花总是要落的，而落花也总是有些可惜。春天就是这样在花开花落中发展着。怎样认识这样一个世界呢？这就仿佛是一个新鲜的启示。唐诗的可贵处就在于它以最新鲜的感受从生活的各个方面启发着人们。它充沛的精神状态、深入浅出的语言造诣，乃是中国古典诗歌史上最完美的成就。”

又如说王之涣《凉州词》中的“羌笛何须怨杨柳，春风不度玉门关”两句:“我们不妨把这两句话的逻辑翻过来想想，那就是说：既然羌笛还在怨杨柳，春风岂不是已到了玉门关吗？这就出现了语言上的奇迹，说‘春风不度玉门关’，而悄悄里玉门关却透露了春的消息；然而诗中究竟说的是‘不度’，这就又约制了尽情度过，仿佛春风在‘关’上欲度未度的当儿。这乃是一个边塞之春，而边塞的春天愈少，一点的春意就更觉得令人向往。”

再如说王昌龄的《出塞》:“而‘秦时明月汉时关’之‘月’却照得那么分明，那么壮观，仿佛是要从秦汉直照到唐代，这才有了‘万里长征人未还’这一句一泻千里的气势；那长征之长，也简直是长到要飞跃汉唐之间。这是历史的画面，又是历史的感情，前者如雕塑般地屹立于千古，后者乃流水般地迸出旋律，那力量全在这开门见山的第一句。”这些灵动的文字准确地把握住每首名作中蕴含的艺术哲理：花开花落的无限启示、春风“度”与“不度”的辩证关系、雕塑画面的定格配合抒情旋律的流泻，使读者在恍然悟出其中奥秘的同时又引起丰富的联想。

林先生不但善于以优美的文笔说清诗歌的浑成之美，而且能在行文中将其内在的道理一起透发无余。如讲《诗经·君子于役》："落日下山，而羊牛也自山坡走下""这里借着山坡羊牛的景致，把我们带到更苍茫的暮色里去"。诗里的女主人公"之所以想念起远人，乃不由于悲哀，而由于暮色里的一片安息之感，才想起了辛苦在外的人，才想起要与那人分享这喜悦"。在与后代各种写暮色和牛羊的诗歌比较之后，他又进一步指出这"是一点最平实的爱"，"诗贵于平实，而其难又不在平实，平实而能有不平实的情致，所以是两难。古人的诗长于平实而短于修饰，后人的诗长于不平实，便缺少了浑然之感。"

又比如讲汉乐府的《步出城东门》："前日的路上已完成了一个故人的归去，这条路在完成了这人的归去后，便也随着那行人足迹的消失而消逝。至于今日的路呢？则还在未可知之数。所以'前日风雪中'正是连路都埋在飘飘的积雪之中了。""过去的总是过去了，却留下了这一点难忘的因缘；那么今日之路，还空在那里，怎能不令'我欲渡河水'呢？"早期民歌风格朴素，如分析技巧只会把诗歌讲死，林先生把这首诗平平淡淡的语言中深藏的感情逻辑揭示出来，道出了那条风雪中的"江南路"引起诗人无限遐想的原因，也就点透了诗的好处所在。

林先生的妙悟和敏锐眼光还体现在他善于发现一般选诗者所不注意的好诗。例如讲庾信《昭君辞应诏》："昭君的出塞则是注定了一去不复还的，相形之下，这里将产生多么复杂的矛盾心情。这既非一个'怨'字所能概括，而这首诗也并没有把这些复杂矛盾铺开来写，却突然地把这千言万语凝结为一个无言之美，让昭君的血肉之躯升华到一个通明透彻的光辉形象，化为无尽的言说，这便是全诗最精彩的几句：'冰河牵马渡，雪路抱鞍行。

胡风入骨冷，夜月照心明。’”“于是‘夜月照心明’终于一刹那间把昭君的内心世界照得通明透亮。在那晴空万里、皓月高悬、冰雪无垠的原野上，一切晶莹洁净，一个弱女子，形影相吊，向着未来的命运在迸发，这时只有那一轮皎洁的明月才成为她寂寞中的唯一相知，才能揭开她那美好无私的单纯心灵，来面对一切而无愧！这便是‘夜月照心明’句所以力透纸背，成为全诗高峰的缘故。”这首诗在庾信诗里向来不受重视，林先生不但充分发掘出此诗不同于一般昭君诗词的精彩之处，而且一步步引导读者理解了“夜月照心明”成为全诗亮点的原理。

林先生讲诗，特别注意诗歌中某些常见语词的艺术感觉和丰富意蕴。比如《说“木叶”》一篇分析“木叶”为何成为诗人们笔下钟爱的形象，他首先指出“木”与“树”的不同在于“木”本身就含有一个落叶的因素，其次指出“木”在触觉上是干燥的而不是湿润的，“于是‘木叶’就自然而然地有了落叶的微黄与干燥之感，它带来了整个疏朗的清秋的气息。”“‘木叶’所以是属于风的而不是属于雨的，属于爽朗的晴空而不属于沉沉的阴天”，是“一个典型的清秋的性格”。由此说明“木叶”与“树叶”虽然只是一字之差，但“到了艺术形象的领域，这里的差别就几乎是一字千金”。

又如《青与绿》一文，指出“绿与青原是相近的颜色”，但是二者又有区别，“大概由于绿指的是具体的、现实的世界，而青则仿佛带有某种概括性的深远意义”。“绿原是一种谐和的色调”“而青则更为单纯、凝净、清醒、永久”。在《青青子衿》《青青河畔草》《春晚绿野秀》等篇中，他又进一步发挥了这一论点，指出青与绿的差别“不在颜色的深浅上，而在它基本的性质的不同”，“青的永恒与凝净，使得一切流动的变化都获得停留与凭借”，“绿的本色所以便正在于笼罩万有而又新鲜得不着痕迹”。

根据这类分析，林先生还指出读诗不要过求甚解的一个重要原理：陶渊明主张“不求甚解原是艺术的态度，因为一切艺术的语言原不是逻辑的语言所能尽的，艺术把人带到原始的浑然的境界，才与生命更为接近”。林先生的高明就在于既准确地说清了古诗中这类词语给人的深微感觉，同时又始终不脱离诗歌的浑成之美。

类似这样的美文，在他的《唐诗综论》的“唐诗远音”和“谈诗稿”两编中，还有不少。那些一两千字的短章几乎每篇都蕴含着深刻的道理，说诗的小品本身就是令人激赏的精美文字。林先生在这方面的独到成就，可说是海内罕有其匹，向来享有“海内一大家”[1]的盛誉。

三

林先生终其一生都在不懈地探索着新诗的形式，而他对古诗形式的理论思考，也因为建基于这一基本目的而闪耀着哲思的灵光。

林先生一向主张现代人不应在古代文化的遗产面前变成化石，而是应该“在新诗与古诗的不同上获得它们更内在的相

[1] 原南京大学著名教授程千帆先生的评价。

同”[1]。可见他研究古诗和探索新诗形式的终极目的，是与延续我们民族的文化特色、创建未来的使命感联系在一起的。这样一种高瞻远瞩的眼光，决定了他的诗歌形式研究能以其思考的透辟和论述的犀利独树一帜。

林先生对诗歌形式的探讨，建基于他对诗歌本质的深刻理解之上，与一般学者偏重于声韵、格律等外在的规则不同。他对形式的考虑始终与“什么是诗”“诗的目的是什么”这些基本问题联系在一起：“一切艺术的目的，都在追求一种无限之境，而我们的概念却是有限的；艺术的境界，因此便在那无限之上”，而这种目的，在诗里表现得“最为单纯，也就最为显露”。也就是说，人类认识世界、感受生活的理性概念是有限的，而艺术，特别是诗，则能够充分调动人们的感觉、情绪和想象，超越概念的局限，表现出语言所不能穷尽的境界。诗的优越，在于它能比其他艺术将这种境界表现得更单纯，更明朗。无论新诗还是旧诗，其目的都是一样的。

那么怎样达到诗的目的呢？林先生着重从诗和语言的关系，以及诗和形式的关系这两方面思考了这个根本问题。

诗歌和语言的关系成为林先生思考新诗建构的焦点，因为“诗歌是一种艺术的语言，或者说属于语言的艺术”，而语言只能从当代的生活语言中来。但语言又具有概念性的特点，人类凭借语言构成的概念来认识世界、表达世界。那么诗歌语言如

---

[1] 林庚：《漫话诗选课》，《新诗格律与语言的诗化》，经济日报出版社2000年版，第27页。

何做到既凭借生活语言，又能超越概念和逻辑的局限呢？林先生认为“诗歌的艺术性就在于能充分地发挥语言的创造性来突破概念，获得最新鲜、最丰富的感受”，唤起人们对生命的原始的醒觉。诗歌要突破它本身表现感性不如音乐和绘画来得直接的局限，能最大程度地给人以新鲜丰富的感受，这就是“言有尽而意无穷”的“艺术的语言”，“既是这种无尽的语言，所以便非日常的语言所可范围”。

由此，林先生提出了“语言的诗化”这一命题，诗歌语言如何超越生活语言的日常性，以及概念思维的逻辑性，成为贯穿于林先生思考古今诗歌语言和形式建构的一条主线。

至于诗歌和形式的关系，林先生认为“形式并不等于艺术，它不过是一种手段或工具，但一个完美的诗歌形式却可以有助于艺术语言的充分解放与涌现”。形式对于诗的本质和目的而言是次要的：“一切艺术形式都因为它有助于特殊艺术性能的充分发挥而存在，否则就都是不必要的。”他将旧诗和新诗比较，指出缺乏诗意的旧诗脱离了诗的目的，实际只剩下一个形式。如果有助于诗意的表达，那么“形式的存在因此也必正是一种便利而不是束缚”。语言是诗歌的本质，形式只是诗歌的手段或工具，那么形式对于诗歌语言有何意义，又如何有助于发挥诗的艺术特性呢？林先生指出，“诗的语言在离开诗的形式时，便必然落于散文的形式……诗因此与诗的形式乃成为不可分的两件事；在诗的形式上诗说着散文所不能说出的话”。

为什么诗的形式能使诗避免散文化的语言呢？林先生进一步从语言的诗化要求飞跃性的特质来思考这个问题：“诗歌语言在整

个文学语言中比一般逻辑语言乃是更灵活更富于飞跃性的语言，这就是诗歌这一语言艺术的特征。”他通过比较自由诗和古诗语言的不同诗化途径，指出古代五、七言诗是从当时的日常散文中提炼出来的，而它又不同于作为日常生活基础的语言。诗歌语言除了要求词汇提炼的丰富性、形象性和普遍性以外，还具有飞跃性，这些都是诗歌语言能够超越生活语言的特性。而诗歌形式最基本的特点是节奏，这正是保证语言飞跃性的重要手段。古典诗歌在形式上具有鲜明的节奏性，这“是为了有利于摆脱散文与生俱来的逻辑性和连续性，使语言中感性的因素得以自由地浮现出来，这也就是诗歌语言的飞跃性。节奏是富于跳跃感的，它有利于诗歌语言的飞跃，从日常的语言中萌发出特殊的语言，捕捉到我们日常语言中所难以捕捉到的新鲜感受”。也就是说，诗歌语言不像散文那样需要连贯的理性逻辑，而是要通过提炼来突显其感性因素，使诗的语言“牺牲一部分逻辑而换取更多的暗示”，在飞跃中留出丰富的想象空间，达到“言有尽而意无穷”的目的。节奏正是以其富有跳跃感的特点帮助了诗歌语言的飞跃。

关于节奏究竟如何有利于诗歌语言的飞跃性，林先生更进一步做了生动的解释：“它的有规律的均匀的起伏，仿佛大海的波浪、人身的脉搏，第一个节拍出现之后就会预期着第二个节拍的出现，这预期之感具有一种极为自然的魅力。这预期之感使得下一个诗行的出现，仿佛是在跳板上，欲罢不能，自然也就有利于语言的飞跃。”诗歌最基本的形式是分行，古诗的分行是由节奏点决定的，所以语言可以借助诗行，利用节奏本身有规律的间歇性来造成飞跃，使一个个不依靠散文逻辑维系的诗行在预期中出现。据此，林先生指出，节奏感是诗歌自然的要求，而并非出于易于背诵的需要。这一论断联系人类的心理感觉和大自然的自然韵律，说清了诗歌需要节奏的基本原理。

古诗已经以其长达千百年的实践建立起极其成熟的形式，证明了以节奏保证语言飞跃的必要性，那么自由诗是否有此必要呢？林先生认为自由诗要求表现的是“从前所不易亲切抓到的一些感觉与情调”，要“寻找那新的语言生命的所在”，因此其文字必须有极大的容量，形式必须极量地要求自由，“为了加强语言的飞跃性能，于是自由诗往往采用了拉大语言跨度的方式”。这就是说，自由诗的语言意象组合之间要留有联想和暗示的空间，从而唤起人们在日常生活中被忽略或潜藏的意识和感受，这种空间就是被拉大的语言跨度，这种做法能令诗人抓住在旧诗中不容易抓到的一些新鲜的感觉和情调。这样深入肌理的论述，与其说是出于逻辑的推想，不如说是来自林先生自己创作自由诗的切身体会。

也正是在追求自由诗的飞跃性的过程中，林先生又看到了自由诗自身的矛盾。他将自由诗和楚辞相比，认为楚辞虽然句式像散文，但仍有诗歌节奏；自由诗则除了分行以外，别无其他保证节奏的手段，因此“需要面对散文规范化的压力建立起自己的语言规范化来，这也就是格律”，从而进一步提出了新诗如何建立格律，使之具有能凝聚起不同于旧诗的自身魅力的敏感性的问题。

林先生对于新格律诗的性质和形式的理论思考有一个从模糊到逐渐清晰的过程，这一过程与他在新诗形式实践上的摸索大致同步。他的探索有两条途径：一方面致力于把握现代生活语言中全新的节奏，一方面追溯中国民族诗歌形式发展的历史经验和规律。探索中最重要的创获，则是根据汉语的特点摸索出“节奏音组”的规律，发现了古今诗歌建立诗行的基本节奏原理。

他所提出的“节奏音组”这一概念，指的是每一种诗体中能够掌握全诗节奏重点的音组，都被放在诗行的下半段，如四言的二字音组，五言和七言的三字音组，以及新诗中的五字音组，“‘节奏音组’决定着诗行的特殊性”。也正是在发现“节奏音组”和诗行建构之关系的基础上，林先生进一步摸索出了汉语诗歌典型诗行所遵循的“半逗律”。“半逗律”就是“将诗行划分为相对平衡的上下两个半段，从而在半行上形成一个类似‘逗’的节奏点”。这一论点发展了他早期研究楚辞形式的观点，确实概括了古今汉语诗歌的音读节拍与文字词组的句逗大体重合的一般现象。就建设一种新的诗歌形式而言，这是具有决定性作用的基本节奏规律。

半逗律和节奏音组的发现构成了林先生构建新诗行的主要理论基础。他指出，诗行的建立在于找到节奏点，“节奏点乃是由‘半逗律’与‘节奏音组’共同组成的，不同的‘节奏音组’决定着不同诗行的性质，也形成不同的节奏点”。为此他提出了“典型诗行”这个概念，指的是“有严格规律的诗行”，找到这样的典型诗行就是构建新诗格律的基础。

关于新诗如何建立典型诗行的问题，林先生结合他尝试的“五、四”体的九言诗的创作实践，从分行、叶韵、节奏点的固定位置，以及典型诗行的多种形式等方面展开了探讨。这些探索为我们树立了古为今用的典范。同时，他的新诗创作实践和理论在学术研究中又可以今为古用，帮助我们认识古代诗歌体式形成中的诸多重要问题。尤其是所有这些探索都着眼于诗的新原质和生命力的根本问题，这就超越了从音步、声韵等单纯的形式层面去研究诗体和节奏的一般观念。

林先生关于诗歌形式的理论已经为古代诗歌体式的形成历史和他本人的创作实践所证明。而他所呼唤的新格律诗能否普及，则还有待于时间的检验。因为今后能否出现更有普遍意义的新诗的民族形式，不完全由诗歌的内部规律所决定。但读完林先生论诗的这些篇章，最令人感慨的是：今后还有什么人能像他这样，以学者的睿智和诗人的情怀去关注诗的原始意义，唤起生命醒觉的精神力量呢？或许如林先生所预期的那样，当人类在物质上的需要饱和之后，又会转向精神的追求和心灵的需要。倘若真有那么一天，林先生的探索一定是能给志在创造未来历史的后人以重要启迪的。

盛唐气象

陈子昂与建安风骨

——古代诗歌中的浪漫主义传统

年来文学史的研究中，更为充分地认识了浪漫主义的地位和作用，并且明确了在全民意志盛旺的情况下是有利于文艺高潮出现的，这自然就更有利于浪漫主义的出现。正如高尔基所说：浪漫主义与现实主义乃是“两种基本的潮流”，而浪漫主义则首先在于“强固人们对生活的意志”，它被誉为是“不灭的火焰”。盛唐时代诗歌中出现的浪漫主义高潮，因此是有其现实生活基础的。那么作为盛唐时代前夕的大诗人陈子昂，他在诗歌创作上以及主张上，究竟属于浪漫主义还是现实主义呢？当然在一些浪漫主义作家的作品中也无妨出现现实主义的因素，这里所指的乃是其主要倾向。

可以称为全民意志盛旺那样的时代，在历史上是并不多见的，但是这里说明了一个问题，那就是经济、政治、文化的上升发展是符合于全民的意志，也是鼓舞了全民的意志的。“全民”的涵义它主要指的当然是广大人民公众，因为广大人民公众是全民中的绝大部分；它也不可能包括了当时的每一个人，很显然那些贪官污吏反动集团是不可能与全民有共同意志的。盛唐时代是在打垮了长期垄断政权的关陇集团之后出现的，很显然，这时关陇集团的意志就不会盛旺；然而广大的人民公众意志是盛旺的，这就是全民的。人民是推动历史发展的主人，而历史这时不是停滞的而是发展的，这就在一定程度上符合于人民的意志。全民意志盛旺因此是一个富于解放精神的概念，它因此才会有利于出现文艺上的高潮。

唐代的现实主义浪潮出现在寄望“中兴”的贞元、元和时期，而不出现在日暮途穷的晚唐，难道与距离盛唐时代全民意志的盛旺非远，没有关系吗？当然意志或理想总是会遇见矛盾的，当所遇见的矛盾较为单纯、可以有希望克服的时候，就容易产生浪漫主义；当所遇见的矛盾纠缠复杂，难以求得解决的时候，就容易产生现实主义，前者因此是富于朝气的，后者因此是长于观察的。当然这两者的条件又常会交错变化着，这就出现了不同程度上的相结合，那么陈子昂是在什么样的历史条件下出现的呢？这就是本文要涉及的一个问题。

陈子昂远绍建安，下开盛唐。建安是一个什么样的时代？建安风骨是一个什么样的性质？这些虽然在以前的文章里都附带提到过，但言而不详；特别是建安风骨，一直存在着不同的解释，也就往往造成对于陈子昂理解上的分歧，这就是本文要涉及的又一个问题。

研究陈子昂当然主要还取决于他自己的诗歌创作与诗歌主张。他的时代与他的继承，最后都必须结合到他自己的思想、理论与实践上，这是本文要涉及的中心问题。然而限于篇幅也限于题目的范围，本文主要还是涉及他与建安风骨有关的方面。

无论是陈子昂还是建安风骨，都会涉及浪漫主义或现实主义的问题，因为这是文学史上充分肯定的两种基本倾向、两种创作方法，那么究竟是属于哪一种呢？这里不可避免地又要涉及古典诗歌，特别是抒情诗的创作方法与风格特点等问题，这是本文所要附带谈及的又一部分。

这些问题中的任何一个，对于我来说都是艰巨的，又限于时间的匆忙，疏陋错误在所难免，谨求正于海内的读者们。

一、武则天的时代

武则天的时代是够不上一个盛世的，这时代蒙上了一层薄薄的阴影。在古代的历史条件下，这阴影就常常被理解为时代的精神面貌。建安时代的篡代问题、武则天时代的篡代问题，都长期受到了封建正统思想的非难；历史上所谓的“武韦之祸”，是基本上否定这一个时代的。当然发生篡代问题的时候，就常常会出现统治阶级内部的残酷杀戮，这无疑也会带来阴影，建安时代如此，武则天时代也如此。而武则天的处境与曹操的处境又各有不同的弱点。武则天是个女皇，这在中国传统上是“牝鸡司晨”“乾坤不正”“阴盛阳衰”，这就加深了那个阴影。这种历史条件下的不稳定因素，客观上也是不利于统一的。曹操继承了东汉王朝一个残破的烂摊子，北中国的经济力量一时又无法结束分割的局面，这就又是处境不如武则天的地方。因此两者的时代都不能成为清平统一的盛世。而且不约而同地在一般印象里，曹操就仿佛变成了一个白脸，武则天就长期地成了一个黑人，这正是无独有偶的。我这样把两个人比来比去，并不等于说两个人的历史评价就应该一样，而且也并不是在曹操的翻案风下一定又要为武则天来个翻案。只是谈到陈子昂与建安风骨，不可能不牵涉到两个时代以及两个时代中有关的主要人物。其实无论曹操也好武则天也好，历史家的评价比起一般的印象来一向是并不全同的。

首先历史家们几乎一致认为自贞观以至开元的一百余年，唐代在经济、政治、文化各方面一直是上升发展的，这自然就包括了武则天的时代。事实上唐代自开国以至安史之乱前的一百三十八年（618—755）中只有三个决定性的时代。这里首先是唐太宗的时代，按贞观共二十三年，但唐太宗实际掌握政权却是从武德就开始的，这样加上武德九年共三十二年（618—649）。其次就是武则天时代，武则天自显庆五年（660）正式听政决奏事到神龙元年（705）逊位，共四十六年，如果从永徽六年（655）立为皇后那年算起，实际上是当权五十一年（655—705），整整地就是半个世纪。再就是唐玄宗的开元时代，共四十三年（713—755），这三个时代共占去一百三十八年中的一百二十六年。

这就是安史之乱前百余年上升发展中的时代分布情况。武则天时代居于两个时代的中间，而且时间最长，如果这五十来年不是上升发展而是停滞不前，那么有什么历史家所说的百余年一直上升的发展呢？贞观时代是个治世，开元时代出现了盛世，如果中间的武则天时代竟是个乱世、祸世，将怎样解释这个历史发展的现象呢？贞观之治只有二十来年，如果遇着了武则天时代五十一年的暗礁，还不早就拦腰斩断、垮得一丝不存吗？哪里还有什么开元盛世的影子？如果开元也不是盛世，那么就更说不上百余年的上升发展了。因此历史家们从来就是肯定武则天时代的，而且肯定得很具体。这里引尚钺同志《中国历史纲要》中的一段：

> 唐初由于关陇贵族集团支持李渊父子建立唐王朝，势力最大。太宗为了“使天下英雄入吾彀中”，批判地修改了《氏族志》，给豪门强族地主以一定的打击……武则天始则听政、称制，先后废中宗、睿宗，继而改国号为周，自称皇帝，她发展了科举制度，并特重进士科，为山东、江南士大夫分子开辟了参与政权的方便之门，自西魏以来在政治上、经济上掌握特权并垄断中央政权的关陇贵族地主集团于是完全失势。当时从科举出身的士大夫分子中颇有一些封建时代的“名相”，如狄仁杰、张柬之以及在客观上预为唐玄宗选拔的开元“名相”姚崇、宋璟等人。
>
> 武则天执政时期，唐帝国仍在继续向上发展，对内发展了科举制，对外抵抗突厥、吐蕃和契丹的进扰，继续开通西域的孔道，对于社会经济的发展，在某些方面说都有其积极的作用。自然武则天有些措施（如兴土木徭役、任用酷吏及其宗室如武懿宗等）也是为害人民的。

这里说明武则天正是贞观之治的继承者。她彻底打垮了贞观时代所打击的关陇贵族集团，继承了唐太宗在军事上所要实现的边防事业，出现了类似贞观时代政治上所引以为荣的一些名相，继续了贞观时代社会经济各方面的发展；虽然也应该指出她是有缺点的。

从武则天预为唐玄宗选拔了开元名相一事看来，武则天不但是上承贞观，而且也的确是下开盛唐的。武则天与姚崇、宋璟的关系并不是泛泛的。姚崇，这开元第一任名相，在武则天王朝的地位实际上与宰相也不过是相去一肩而已，当时宰相张柬之还是姚崇推荐的，而且最奇怪的是姚崇是参加了张柬之诛二张迎中宗之役的，可是《通鉴·唐纪》二十四：

> 太后之迁上阳宫也，太仆卿、同中书门下三品姚元之独呜咽流涕。桓彦范、张柬之谓曰："今日岂公涕泣时耶？恐公祸由此始！"元之曰："元之事则天皇帝久，乍此辞违，悲不能忍。且元之前日从公诛奸逆，人臣之义也，今日别旧君，亦人臣之义也，虽获罪，实所甘心。"

姚崇与武则天的关系之深于此可见。而姚崇据史册所载事迹看来却是一个不慕名位而有政治理想的人物，这就说明了武则天的政治真相。而宋璟呢，在武则天朝中也是个非同寻常的人物。《大唐新语》：

> 宋璟，则天朝以频论得失，内不能容，而惮其公正，乃敕璟往扬州推按，奏曰："臣以不才，叨居宪府，按州县乃监察御史事耳。今非意差臣，不识其所由，请不奉制。"无何，复令按幽州都督屈突仲翔，璟复奏曰："御史中丞非军国大事，不当出使。且仲翔所犯赃污耳，今高品有侍御史，卑品有监察御史，今敕臣，恐非陛下之意，当有危臣，请不奉制。"月余优诏令副李峤使蜀，峤喜，召璟曰："叨奉渥恩，与公同谢。"璟曰："恩制示礼数，不以礼遣璟，璟不当行，谨不谢。"乃上言曰："臣以宪司，位居独坐，今陇蜀无变，不测圣意令臣副峤何也？恐乖朝廷故事，请不奉制。"

小人们千方百计想把宋璟赶出朝廷，可就是赶不出去，这是什么原因呢？而且屡次“不奉制”，这也是贞观时代所特有的作风。这如果不是武后深知宋璟，宋璟也深知武后，在封建时代是不可想象的。

上面举这两个开元名相的例子，无非说明武则天时代与开元时代之间一脉相通的密切关系，在一百多年的迅速上升发展中，武则天时代是起着承先启后的重要作用的。这时代因此在表面的阴影下有着更为本质的东西。从社会发展上说，封建制度在其代替了奴隶制度而出现的时候，并不是马上就变成了落后的制度，而且在它的前期，还必须斗争掉奴隶制度的残余才能够顺利前进，中外许多历史家们甚至于因此认为汉代还是奴隶制，就可见这残余的严重了。封建社会因此即使在其上升阶段中也常有停滞不前的时期，而作为奴隶制度残余势力的大本营的就是封建贵族集团，这是封建社会中垄断特权阶级、超经济剥削阶级。封建社会上升阶段的发展和停滞，经常取决于这个阶级势力的消长，它是受到压制还是受到纵容。在封建社会前期，农民起义所要打击的客观上也是这个阶级。开明的帝王们如果要对农民表示让步，首先也得打击这个阶级。曹操如此，唐太宗如此，武则天也如此，这难道不是一个更为本质的问题吗？

武则天在政治上由于本身的弱点而带来的残酷性，这是应该批判的；然而史册所载说明武则天的苛吏政策主要针对的是统治阶级内部的“百官”，而不是百姓。武则天在任用苛吏的同时却一样重用反苛吏的许多名臣，如姚崇、徐有功、李昭德、李日知、严善思等人，以对于苛吏加以控制。武则天的重刑诛、喜权术，都颇像曹操。《通鉴·唐纪》二十一：

> 太后引见存抚使所举人，无问贤愚，悉加擢用……时人为之语曰："补阙连车载，拾遗平斗量，欋推侍御史，碗脱校书郎。"有举人沈全交续之曰："糊心存抚使，眯目圣神皇。"为御史纪先知所擒，劾其诽谤朝政，请杖之朝堂，然后付法。太后笑曰："但使卿辈不滥，何恤人言，宜释其罪。"先知大惭。太后虽滥以禄位，收天下人心，然不称职者，寻亦黜之，或加刑诛。挟刑赏之柄以驾御天下，政由己出，明察善断，故当时英贤亦竞为之用。

曹操要打击贵族集团，就下"求贤令""求逸才令"。武则天要打击关陇集团，也采取了类似的步骤（如科举制等）。在这些措施上曹操是进步的，武则天也是进步的，这就是比那表面阴影更为本质的东西。开元时代继承了这个更为本质的东西，进一步向前发展；而篡代问题、女皇问题等一系列弱点又已消失，于是揭下了武则天时代蒙上的一层阴暗的面纱，出现了历史上清明稳定的统一盛世；而武则天时代却正是这个时代的前奏序幕。这乃是一个全民意志盛旺的前夕，一个上升发展中深具浪漫主义气质的时代，这也就是陈子昂出现的时代。

二、建安风骨

建安风骨的问题，可以分为两部分。第一是建安风骨这个概念原来是什么意思，传统上又怎么理解；陈子昂也是古代的诗人，他也只能根据原来的意思做传统上的理解，那么这传统上的理解是属于浪漫主义还是现实主义的呢？第二是建安风骨这个概念是否可以代表建安诗坛的主要倾向；建安诗坛的主要倾向应该是什么，实际上是什么，它与建安风骨的传统理解是否符合？我想建安风骨的中心问题就是这些。

先说原来的意思。这是首先以“建安风力”这样一个名词出现在《诗品》中的。钟嵘为反对齐梁的靡靡之音，高倡追步建安，提出了这个带有战斗性的口号。这个口号从来没有另外的解释，它是作为一种朗爽遒劲的风格而出现的。《文心雕龙·风骨》篇说：

相如赋仙，气号凌云，蔚为辞宗，乃其风力遒也。

《文心雕龙》所论虽不限于诗也更不限于建安传统，但是“气号凌云”“风力遒也”，则显然是与《诗品》同其概念的。《文心雕龙》也简称“风力”为“风”，而与“气”作为同一事物。如说：“意气骏爽，则文风清焉。”“索莫乏气，则无风之验也。”这与《诗品》里之说“仗气爱奇，动多振绝”是同一涵义的。这也就是一种高瞻远瞩的浪漫主义风格。

历来人们认为浪漫主义是主情的，而《文心雕龙》也说，“怊怅述情，必始乎风。”然则《诗品》之用风力来标出建安的风格特点，正是取其说明一种积极浪漫主义的特征。而《诗品》又说：“干之以风力，润之以丹彩。”说明风力在诗歌风格中是起着骨干作用的。至于文辞当然也与风格有关，但那是比较次要的，属于润色性质的；而这种作为骨干的朗爽遒劲的风格，又是表现了一种性格品质的，《诗品》不但把它称之为气，同时又称之为骨。如说：“骨气奇高，辞彩华茂。”“骨气奇高”就是指“干之以风力”，“辞彩华茂”就是指“润之以丹彩”。又说：“真骨凌霜，高风跨俗。”后人因之又称建安风力为建安风骨。它说明了浪漫主义的精神实质是高瞻远瞩的，是有理想而不同于流俗的，是具有英雄性格的，这就是建安风骨的原意与传统的理解。李白说：

蓬莱文章建安骨，中间小谢又清发。俱怀逸兴壮思飞，欲上青天览明月。

这“建安骨”是“逸兴”，是“思飞”，是“上青天”“览明月”的，这能不是属于浪漫主义的范畴吗？这正如《文心雕龙》所说的是“气号凌云”了。“建安骨”“建安风骨”“建安风力”因此是同一个概念，那就是浪漫主义的精神实质与风格。至于《文心雕龙·风骨》篇中所说的“骨”则又近于一种捶字练句的工夫，所谓“练于骨者，析辞必精”“结言端直”“捶字坚而难移”；这种精练的造诣，所谓“昭晰之能”，虽然也属于风格的范畴，而且与风力是有其一致性的，但是在《文心雕龙》中却又是与精神实质对举的另一概念，它与建安风骨是相成的，却不是一个东西；所谓：“潘勖锡魏，思摹经典，群才韬笔，乃其骨髓峻也。”它已远远出了文学的范围，涉及一般遣词造句更为广泛的方面，这个不在本文中详论了。

建安诗坛的精神面貌，历来也是有一致看法的，《文心雕龙》归结之为：“慷慨以任气，磊落以使才。”这“慷慨”“任气”“磊落”“使才”是一种什么创作方法的特征呢？这是不言而喻的。而元好问《论诗三十首》中说：

曹刘坐啸虎生风，四海无人角两雄。可惜并州刘越石，不教横槊建安中！

“曹刘乃文章之圣”，这是《诗品》中的话，元好问就更为明确地指出了其中英雄性格的特征，而且认为像刘琨那样英雄气概的诗人，是应当进入建安诗坛的。那么这种性格形象又是什么创作方法的特征呢？这也是不言而喻的。建安风骨所标志的浪漫主义的特征，因此从来就是建安诗坛的代表风格。

建安是一个由农民起义推动发展而孕生出来的时代，它也是划时代的，那么这一次的农民起义究竟推动了社会的什么发展呢？究竟主要给人民带来了什么呢？有些论者认为建安时代的农民起义主要是带来了战乱，这是解答不了问题的。因为仅仅是战乱显然是不利于生产的，而且给人民带来的是痛苦和灾难，这难道是农民起义所起的推动作用吗？战争只是一个手段，它是为了获取更高的目的；战乱是一种不得已的情况，是为了追求主要目标有时难免产生的副作用。而推动历史发展，却又要通过具体的历史阶段，不可能一蹴而就。要走出封建社会首先就得发展封建社会，特别当这个社会制度还是在上升的阶段；而当那时世界上还没有比它更进步的社会制度的时候，不发展这个制度就不可能出现更为进步的下一个阶段的制度，也就不可能走出这个制度去。

这都是最明显的事情。农民起义的推动历史发展，因此不是由于带来了战乱，而是由于打破了封建社会某一个时期停滞不前的状态，打击了阻碍封建社会发展的豪强势力，教训了当时的统治阶级，解放了社会上的进步力量，因而出现了向人民让步的开明政治，保证了生产力的向前发展。而生产力的发展从来不是加强剥削或加强压力所能够得到的，恰恰相反，生产力的发展是在提高了劳动人民的生活热情时才出现的。奴隶制度之所以发展到封建制度，就正好说明了这个真理。建安时代的农民起义带来的，因此主要是发展而不是战乱。

文学反映那个时代的精神面貌，因此主要也是那鼓舞的作用，而不是那个副作用。当然战乱既是客观存在的，就应该在文学中得到反映，直接的或者曲折的，建安风骨是在战乱的废墟中诞生的，它不可能对于这个没有反映，《文心雕龙·时序》篇说："洒笔以成酣歌，和墨以藉谈笑，观其时文，雅好慷慨，良由世积乱离，风衰俗怨，并志深而笔长，故梗概而多气也。"然则"梗概多气"的风格中未始没有战乱的反映，这也就是为什么出现在战乱中的刘琨可以进入建安诗坛了。

但是这究竟还不是主要的方面，从作品上说，建安文学中，直接写战乱的是为数不多的；从时代上说，战乱也只是建安前期的现象，赤壁之役以后，魏、蜀、吴基本上是一个相对安定恢复生产的局面。战乱因此也不能代表整个建安时代。贯穿着整个建安时代而且在推动历史发展上意义深远的，是封建社会从汉代停滞不前的状态下要向前跨进一步的斗争和展望，这就是建安风骨"雅好慷慨""梗概多气"的主要原因和力量。浪漫主义是加强生活意志的，是高瞻远瞩的，这对于建安时代说来是最有代表性的风格，这就是建安风骨。

从屈原到李白，中国诗歌中浪漫主义的优良传统，从来是集中地表现了政治斗争的；爱国主义的精神、反抗权贵的品质、举贤授能的开明政治理想，成了中国封建社会上升发展中诗歌的中心主题；建安风骨为这个传统增加了光辉的成就，这就是陈子昂所以高倡风骨的缘故。

三、陈子昂的诗歌主张

陈子昂的诗歌主张，集中地见于他的《修竹篇序》。这篇序文中说：

> 文章道弊五百年矣，汉魏风骨，晋宋莫传，然而文献有可征者。仆尝暇时观齐梁间诗，彩丽竞繁而兴寄都绝，每以永叹！思古人，常恐逶迤颓靡，风雅不作，以耿耿也。一昨于解三处见明公《咏孤桐篇》，骨气端翔，音情顿挫，光英朗练，有金石声。遂用洗心饰视，发挥幽郁，不图正始之音，复睹于兹，可使建安作者，相视而笑。

这序文里鲜明地提出了两个口号，一个是“兴寄”，一个是“风骨”。“兴寄”就是要有政治寄托，“风骨”也就是建安风骨。陈子昂认为建安风骨的传统在阮籍的咏怀诗中还能继续见到，所以又称之为“汉魏风骨”，这也是符合于《诗品》的原意的。《诗品》认为刘琨、郭璞之后，“建安风力尽矣”。陈子昂则说：“汉魏风骨，晋宋莫传。”所说的意思正复相同。“正始之音”虽然有与“建安风骨”不同之处，但是也有其共同之处。陈子昂正是取其与建安一脉相承之处，所以都贯之以“风骨”的概念。何况陈子昂用的是汉魏风骨，建安时代本来也就在汉魏之间，而陈子昂在提到“正始之音”的时候，也取的是它的“骨气端翔，音情顿挫，光英朗练，有金石声”。这“骨气”又正是风力的同义语，而“音情顿挫，光英朗练”又显然是风格上遒劲朗爽的建安风骨传统，所以才说“可使建安作者，相视而笑”了。

然而关于子昂诗歌主张最有力而具体的说明，又莫过于这序文所序的那首《修竹篇》，这是陈子昂理论与实践之间相互的证明，现在把全诗引在下面，它究竟是现实主义的还是浪漫主义的，几乎是可以一目了然、不辩而自明的：

龙种生南岳，孤翠郁亭亭。峰岭上崇崒，烟雨下微冥。夜闻鼯鼠叫，昼聒泉壑声。春风正淡荡，白露已清泠。哀响激金奏，密色滋玉英。岁寒霜雪苦，含彩独青青。岂不厌凝冽，羞比春木荣。春木有荣歇，此节无凋零。始愿与金石，终古保坚贞。不意伶伦子，吹之学凤鸣。遂偶云和瑟，张乐奏天庭。妙曲方千变，箫韶亦九成。信蒙雕斫美，常愿事仙灵。驱驰翠虬驾，伊郁紫鸾笙。结交嬴台女，吟弄升天行。携手登白日，远游戏赤城。低昂玄鹤舞，断续彩云生。永随众仙去，三山游玉京。

这是一篇借修竹以寄托理想的诗篇，通过丰富的想象，塑造了“光英朗练”的形象，这乃是自浪漫主义大诗人屈原的《橘颂》以来，就成为政治斗争中一种崇高品质的理想与歌唱，这也就是所谓“兴寄”了。屈原在他的《离骚》中更大量地用兰芷等芳草来寄托这个理想，后来诗人张九龄的《感遇诗》中有“江南有丹橘”“兰叶春葳蕤”“孤桐亦胡为”等篇正好可以说明这个传统的来龙去脉。从这里我们也可以想象得到东方虬的那首《咏孤桐篇》究竟是怎样的一首诗了。至于这《修竹篇》则又具体表现了它与刘桢的一篇名作《赠从弟三首》在风格与内容上如何近似，而刘桢就正是建安风骨的典型代表诗人之一。《赠从弟三首》中以第二首最为杰出知名：

亭亭山上松，瑟瑟谷中风。风声一何盛，松枝一何劲。冰霜正惨凄，终岁常端正。岂不罹凝寒，松柏有本性。

这就是被誉为“仗气爱奇，动多振绝，真骨凌霜，高风跨俗”的作品了。而这又正是在《修竹篇》中所出现的：

龙种生南岳，孤翠郁亭亭。……岁寒霜雪苦，含彩独青青。岂不厌凝冽，羞比春木荣。春木有荣歇，此节无凋零。

同一基调吗？其间甚至于连表现的手法都那么相似，我想这里是用不着多加说明的。而我们如果再引上刘桢的第三首诗来，那就更有意思了。这首诗中也出现了孤竹的兴寄：

凤凰集南岳，徘徊孤竹根。于心有不厌，奋翅凌紫氛。岂不常勤苦，羞与黄雀群。何时当来仪，将须圣明君。

这其实就是《修竹篇》的后一部分：

不意伶伦子，吹之学凤鸣。……携手登白日，远游戏赤城。低昂玄鹤舞，断续彩云生。永随众仙去，三山游玉京。

一个说“凤凰集南岳”，一个说“吹之学凤鸣”。一个说“奋翅凌紫氛”，一个说“携手登白日”。一个说“羞与黄雀群”，一个说“低昂玄鹤舞”。一个把题目点得更明白些，“何时当来仪，将须圣明君”；一个把意思说得含蓄些、双关些，“永随众仙去，三山游玉京”。“玉京”指神王之所居，又兼喻人间之帝都。总之，应当要向“玉京”看齐，也就是要求“君”要“圣明”。我想如果说《修竹篇序》的诗歌主张，其心目中不是以建安风骨为理想的，那就很难解释这理论与实践中的关系了。而所谓建安风骨的传统，究竟是浪漫主义的还是现实主义的，从这里也就得到了更为有力的证明。

四、陈子昂诗歌中的浪漫主义精神

陈子昂的《感遇诗》基本上就是以《修竹篇》主题为中心的多方面的发挥。当然在浪漫主义的潮流中，也可能出现现实主义的成分，如李白《古风》中某些诗就是大家熟悉的例子，陈子昂的《感遇诗》三十八首中也有少数这类的篇章，如“圣人不利己”“丁亥岁云暮”等。但是《感遇诗》的中心主题却是建功立业的雄图、“修竹”式的政治寄托，与这些理想受到阻碍的慷慨不平。如：

本为贵公子，平生实爱才。感时思报国，拔剑起蒿莱。西驰丁零塞，北上单于台。登山见千里，怀古心悠哉！谁言未忘祸，磨灭成尘埃？

——《感遇诗》第三十四

这种壮志雄图即使在隐逸一类的诗中也是存在的，例如：

吾爱鬼谷子，青溪无垢氛。囊括经世道，遗身在白云。七雄方龙斗，天下久无君。浮云不足贵，遵养晦时文。舒之弥宇宙，卷之不盈分。岂徒山木寿，空与麋鹿群。

——《感遇诗》第十

说明即使“遗身白云”也不过是“遵养晦时”，到了得意时，就要把所囊括的经世道，大展雄图，而舒之弥宇宙了。至于完全“修竹”式的作品，像：

兰若生春夏，芊蔚何青青。幽独空林色，朱蕤冒紫茎。迟迟白日晚，袅袅秋风生。岁华尽摇落，芳意竟何成！

——《感遇诗》第一

在篇中更是随处可见。这里也表现了由于追求理想而激起的不平，所谓“林居病时久”“感叹何时平”“岂无感激者，时俗颓此风”，至如：

燕王尊乐毅，分国愿同欢。鲁连让齐爵，遗组去邯郸。

伊人信往矣，感激为谁叹！

——《感遇诗》第十五

这不正是李太白活跃于纸上吗？他的英雄式的性格，像：

朔风吹海树，萧条边已秋。亭上谁家子，哀哀明月楼。自言幽燕客，结发事远游。赤丸杀公吏，白刃报私仇。避仇至海上，被役此边州。故乡三千里，辽水复悠悠。每愤胡兵入，常为汉国羞。何知七十战，白首未封侯！

——《感遇诗》第三十三

这里有游侠、有边塞、有理想、有不平，而冠之以“高树多悲风”“明月照高楼”式的形象，这风格又是大家所熟悉的。至于《感遇诗》以外的名作，如《燕昭王》：

南登碣石坂，遥望黄金台。丘陵尽乔木，昭王安在哉？霸图怅已矣，驱马复归来！

又《燕太子》：

秦王日无道，太子怨亦深。一闻田光义，匕首赠千金。其事虽不立，千载为伤心！

这些雄图壮志的诗篇，属于“蓟丘览古”的一组，有序说：

丁酉岁吾北征，出自蓟门，历观燕之旧都，其城池霸迹已芜没矣，乃慨然仰叹！忆昔乐生、邹子群贤之游盛矣，因登蓟楼，作七诗以志之。

把这个序文中的雄图壮志、慷慨不平更为集中地表达出来的，是这组诗之外的一首驰誉诗坛的杰作，那就是《登幽州台歌》：

前不见古人，后不见来者。念天地之悠悠，独怆然而涕下！

这首千古绝唱使得陈子昂在中国诗歌史上的地位永远不能被人遗忘，它的光芒遥遥地照亮了盛唐的诗坛。这也就是那浪漫主义的不灭的火焰。

五、《登幽州台歌》与浪漫主义的创作方法

《登幽州台歌》享有如此的盛名，给人们留下如此深刻的印象，它是突出在众星之间的一颗超等星，然而本身却不过只有短短的四句，要求具体的诗歌论者在这里几乎摸不着什么具体的东西，然而谁也不能够否认这首诗的崇高评价，这个矛盾是由来已久的。车尔尼雪夫斯基的《生活与美学》中有一章关于诗的论述，是非常耐人寻味的：

> 现在我们来谈谈诗，这一切艺术中最崇高、最完美的艺术吧。诗的问题包括着艺术的全部理论。以内容而论，诗远胜于其他的艺术，一切其他的艺术所能告诉我们的还不及诗所告诉我们的百分之一。但是，当我们把注意转移到诗和其他艺术在人身上所产生的主观印象的力量和生动性的时候，这种关系就完全变了。一切其他艺术，像活的现实一样，直接作用于我们的感觉，诗则作用于想象。……因此应该说，在主观印象的力量和明晰上，诗不仅远逊于现实，且也远逊于其他的艺术。……诗歌作品中描画得最好的最明确的人物，仍然只是一个一般的、轮廓不明确的略图……

这段话可以给我们以很大的启发，“诗”基本上是“作用于想象的”，而且是“轮廓不明确的略图”。如果欧洲篇幅较长的诗歌尚且如此，那么中国传统的抒情诗就更其如此了，这就说明了为什

么中国古代诗歌中浪漫主义的传统更为普遍突出。而且如果要用现实主义的创作方法上"像活的现实一样"那么具体真实的尺度来衡量采用浪漫主义创作方法的诗篇，那就必然会认为它是印象模糊的、无力的，然而又无法否认它是崇高的、完美的。这矛盾的发生，就在于这样的衡量是不正确的。当把浪漫主义还作为现实主义的附庸或支流的时候，这样的衡量，在理论上也许是说得过去的；当浪漫主义与现实主义是作为并肩的两种创作方法时，这衡量就显然不适用了。现在我们就正明确了这些。

《登幽州台歌》以作品的本身，有力地证明了浪漫主义创作方法的特征和其所产生的力量，它的确是作用于想象的，而且是轮廓不确定的，而且又的确是崇高的、完美的；并在客观上给人们以不可磨灭的深刻印象和激情生动的力量。它是有血有肉的，而并非一不具体就是抽掉了思想内容的。这种用具体性的要求来衡量一切的办法，其结果无非是否定了中国几千年来诗歌中许多优秀的作品，得出了如"貂不足、狗尾续"，比《登幽州台歌》更有成就的一类结论，它只会妨碍了我们对于古代诗歌优良传统的更为深入的理解。

《登幽州台歌》有什么明晰的具体性呢？这篇千古名作简直仿佛是通过寂寞无边、茫茫不尽的整个宇宙直接要与那时空对话。要说它轮廓确定或者怎么具体，的确很难；只有"独怆然而涕下"还略略具体些，它其实也只正如"高台多悲风"之有个"悲"字而已，轮廓仍然是不定的。何况"前不见古人，后不见来者"也即登高台之所见，"念天地之悠悠，独怆然而涕下"也即"多悲风"之所同。说不具体实在是不算具体。问题在于如果没有真正异常深厚的思想感情，可能写得出《登幽州台歌》那么俯视千古的雄伟诗章来吗？这倒正是一切理论具体的考验了。陈子昂的《登幽州台歌》因此又为古代抒情诗中的浪漫主义创作方法提供了有力的研究线索。

1959年9月16日

（原载《文学评论》1959年第5期）

附“答读者问”

编辑部同志：

来信及所附梁超然同志的意见均拜读，现在简单作答如下：

一、武则天时代在经济政治上的历史评价，我觉得应该从历史发展上来看，从一些关键性的问题上来看，从全面来看，而不能根据几件事实，就论断这半个世纪是进步的或是落后的，这里我以为应该多听历史家们有关的意见。古代封建社会的生产力是低下的，无论怎样治世盛世，也无法完全避免旱涝虫灾的侵袭；而当时的边陲又是犬牙交错的，战争是频繁的，边境一带也无法完全避免因战争而带来的军事上以及经济上的紧张局面与损失。武则天时代占了半个世纪，举出这半个世纪里某个地区某个年头曾经发生上述的情况，对于论证这半个世纪的盛衰是远远不够的。我自己对于历史来说也是门外汉，对于这个时代的评价意见大部分也不过是根据历史家们的意见加以补充而已。

二、我去年写了两篇有关浪漫主义的文章，除了《陈子昂与建安风骨》外，还有一篇是在诗刊上发表的《谈古风——春种一粒粟》，在这两篇文章里我都多方面地说明浪漫主义的精神实质是理想和展望以及由此产生的慷慨不平，这里似乎并不存在着分歧意见。分歧在于我以为这是浪漫主义精神的特征，而浪漫主义创作方法则还有其他的特征。创作方法当然是植根于创作精神的，但不就等于创作精神。理想和不平究竟更应该说它是精神呢，还是方法呢？我的意见仍然认为更应该说它是精神。

三、浪漫主义既然是富于理想的、高瞻远瞩的，因此一个发展得比较迅速比较顺利的时代就更有利于这种精神的发扬。当然所谓顺利并非就没有困难，只是说在矛盾发展中进步的力量占着上风而已，否则它也就不会发展得迅速。先秦时代是中国历史上一个飞跃发展的时代，是一个富于解放精神的时代，整个时代因此也就富于浪漫主义气质，这样在文学史上就出现了第一个伟大的浪漫主义诗人屈原，是完全符合于规律的。战争或安定并不是衡量时代发展迅速或停滞的决定性的尺度。在革命胜利的过程中，无疑的是大变动的时代，也是会发生战争的时代，然而这时历史却是飞速地顺利地发展着，这也都是有利于产生浪漫主义的时代。当然，浪漫主义与现实主义是息息相通的，说有利于产生浪漫主义并不意味着就不利于产生现实主义，这在拙作中是一再说明了的。这里特再重复一遍。

（原载《文学评论》1960年第12期）

盛唐气象

盛唐是中国古典诗歌的全盛时期，这全盛并不是由于量多，而是由于质高。当然盛唐比起初唐来，诗的数量是较多的，但是比起中晚唐来，它却是较少的。《全唐诗》所收诗的比例，除五代及生平不明的作家（这些人一般作品也都很少）外，初唐诗人约为270人，作品约2 757首；盛唐诗人约为274人，作品约6 341首；中唐诗人约为578人；作品约19 020首；晚唐诗人约为441人，作品约14 744首。按照这个数字，如果画成曲线，中唐显然在人数和作品数量上都是高峰，然而我们却说盛唐时代是唐诗的最高峰，这里正是就质量而言。

盛唐时代前后约半世纪，初唐时代则前后约一世纪。从发展上看，盛唐时代的诗坛盛况对于初唐来说乃是加速飞跃的；而中唐的八十年，虽然数量增多了，并且在某些方面也取得了新的成就，但从发展上看却是在减速中，是在深入与浅出难以统一的过程中。这样，到了晚唐便自然地更为无力了。如果事物发展速度可以说明它本质的一面，那么盛唐时代的诗歌发展就正是处于最蓬勃健旺的时刻。

一、盛唐气象是反映盛唐时代的

盛唐气象所指的是诗歌中蓬勃的气象，这蓬勃不只由于它发展的盛况，更重要的乃是一种蓬勃的思想感情所形成的时代性格。这时代性格是不能离开了那个时代而存在的。盛唐气象因此是盛唐时代精神面貌的反映。然而我们如果以为诗歌是像照相机似的，在反映时代的精神面貌时，乃是完全亦步亦趋，则也是不尽然的。因为文学之反映现实经常是通过作者的思想感情来表现的，特别是古典抒情诗歌，作者的世界观与作品的艺术形象经常是统一的。当然这并不等于说在古典抒情诗中就没有主客观矛盾的现象。例如唐初王绩的一首名诗《野望》：

东皋薄暮望，徙倚欲何依。树树皆秋色，山山唯落晖。牧童驱犊返，猎马带禽归。相顾无相识，长歌怀采薇。

作者是隋末的遗民，对于唐代新的统一局面是怀着遗民的寂寞之感的。这首诗的主题，所谓“东皋薄暮望，徙倚欲何依……相顾无相识，长歌怀采薇”，也正是表达了这遗民之感的。可是这首诗之所以成为唐初的名作，却并不是因为这个主题，而是由于中间四句“树树皆秋色，山山唯落晖。牧童驱犊返，猎马带禽归”的醒目的形象。这形象比一切唐初的诗篇更早地反映出了在新的统一局面下和平生活的环境与人民各得其所的心情，这也就是这首诗之所以具有文学史上突出的价值。而这一种对于时代的礼赞，它原是遗民的世界观中所没有的，却正是客观上现实存在的。这里客观的反映是突破了作者的世界观而出现的。

然而一般的情况，在古典抒情诗里这样的现象是稀少的，至少是不明显的。一般的情况，时代的精神面貌经常是通过它所赋予作者的世界观与它所孕育的作者的性格而出现的。这就必然发生一种现象：诗歌中所反映的时代精神面貌，不免会稍迟于那个时代现实的发展。因为认识既然经常落后于形势，那么诗人能充分认识新的现实也就经常需要一段短暂的时间，同时诗人们要改变他们已经形成的世界观与前一阶段所孕育成熟的性格也需要一段短暂的时间，这就不能那么紧凑地亦步亦趋了。事实上开元之初，继承了武则天王朝的发展，整个社会已经进入上升的高潮，然而诗坛盛况却还要等到开元中叶才更有力地普遍展开。《河岳英灵集》叙所以说：

> 贞观末（近650），标格渐高；景云（710）中，颇通远调；开元十五年（727）后，声律风骨始备矣。

景云中其实也就是开元（713）前夕。可是为什么要等到开元十五年后才“声律风骨始备”呢？这就是说一种“气象”或“风格”孕育成熟，原不是一朝一夕之事。远而如代表建安时代的诗人曹植，他的名作大部分是在建安的后期，有的则还到了建安之后。而历代归之于盛唐诗歌成就之一的岑参的大量边塞诗，却正是写在安史之乱前不久的。一个时代的影响之来既不是突然而来，一个时代的影响之去，也不会是突然而去。特别是在几千年的长期封建社会中，其发展原是缓慢的，人们需要十年八年或更长的时间来充分认识它，乃是自然的事情。

安史之乱作为唐代高潮的分水岭，也作为几千年封建社会发展的分水岭，这意义当时人是很少察觉的，甚至除了李白、杜甫之外，诗人们几乎都没有反映这一重大的事件。特别由于从安史之乱到长安收复，为期不过两年，更容易使当时的人们认为这不过是偶然短暂的不幸而已。那么安史之乱前，即使社会上黑暗面的抬头已经露出端倪，也还难于立即改变开元盛世所长期孕育的普遍的生活感情。至于黑暗面与光明面的矛盾斗争，这是任何时代都有的。盛唐时期，其间的对比也是在渐变的发展中。总的说来，在征云南战役（天宝十载）之前社会的精神面貌，光明面仍是占着上风的，所以李白《古风》说：

白日曜紫微，三公运权衡。天地皆得一，澹然四海清。

这就是李白对于征云南前夕社会的描写。当时宰相李林甫阿附权贵、杀害贤能，的确是开明政治的破坏者。但李林甫还有自知之明，在开明政治传统的压力下，仍然不敢十分胡作非为。历史上说他为了保持自己的相位，排除异己，却又尽量地在各项措施上照规矩办事，这就使得直到天宝十载，整个的情况还是平稳的。而杨国忠则是一个好大喜功、大胆妄为的人。这样到了天宝十一载杨氏独揽大权，十二载、十三载连年饥荒，局势才显得严重起来。而安史之乱后，唐帝国还维持了一个半世纪左右，说明在这划时代的转折点后，一方面固然是开始面向下坡路，一方面也并非就立即一落千丈、分崩离析。而安史之乱前正如李白《古风》所说：

一百四十年，国容何赫然。

其间虽然有矛盾、有曲折，总的是统一在一个发展的盛况中，这就是盛唐气象的根据。

二、盛唐气象与陈子昂

盛唐气象是反映着时代精神的，然而如果以为一谈盛唐气象便是歌功颂德，则显然又是错误的。歌功颂德指的是对于封建统治阶级的阿谀，是从来也不代表盛唐气象的那些应制诗之类的主要内容。而盛唐气象所歌颂的是人民的胜利，离开了人民的胜利就无所谓盛唐气象。唐代的盛世是由于隋末农民起义迫使统治阶级做了让步，是由于建安以来成长起来的民主要求在这一基础上的更为高涨，才使得封建社会顺利发展了它的上升阶段。而这些都是人民的斗争成果。

盛唐时代并不是统治阶级好心的赐与，歌颂这一时代因此与所谓歌功颂德并无相同之处。相反地，歌颂盛唐时代正是要歌颂那促进现状更为富于解放的精神力量，歌颂那人民在胜利中饱满的生活情绪与自豪感。陈子昂作为盛唐诗坛的先驱，也是盛唐气象与建安风骨之间的桥梁，而陈子昂就是并不满足于现状的。他的最有名的《登幽州台歌》:

> 前不见古人，后不见来者。念天地之悠悠，独怆然而涕下！

这动人心魄的诗篇，它鼓舞了人们的事业心，增强了突破现状的豪迈气质，有一种追求理想的热情，一种积极浪漫主义精神的新鲜品质，它乃是陈子昂在诗歌史上给人们最深刻最难以磨灭的印象。而我们如果却以为陈子昂主要地是在这里揭露黑暗，或者说是在这里反映了一个没落无望的时代，岂不违背历史真实吗？实际上陈子昂在这里所揭开的正是盛唐的序幕。这就说明反映一个上升时代的诗篇原不是一味歌咏升平的，当然更不是什么歌功颂德了。

陈子昂在诗歌主张上与李白是先后相映成辉的，陈子昂的

《登幽州台歌》等也与李白的《行路难》等一类篇章有极多共同之处。如果陈子昂所反映的时代竟是没落的，李白所反映的时代也竟是没落的，那么历史上还有什么唐代上升的高潮呢？如果他们之中一个是反映了上升的时代，一个却是反映了没落的时代，那么我们将如何来理解他们之间从诗歌主张到诗歌创作上的许多共同之处？事实上陈子昂是呼唤着盛唐时代的，李白是歌唱了盛唐时代的，他们之间原极为相近。而孕育这样的诗人的正是一个半世纪所形成的一个上升发展的时代高潮。把盛唐气象错误地理解为歌功颂德，或者把富于解放精神的诗篇又简单地理解为是反映了矛盾的激化，这就必然造成了认识上的混乱。

矛盾是社会发展中不可缺少的因素，而我们却要求反映当时上升发展的诗篇中没有矛盾，这是可能的吗？不理解这一点，陈子昂唤起了整个时代注意的《登幽州台歌》发生在盛唐时代的前夕，也就几乎成为不可理解的事情。

三、盛唐气象与建安风骨

中国诗歌史上，作为一个理想的诗歌时代，唐代以前大都向往于建安，唐代以后则转而醉心于盛唐。盛唐气象乃是在建安风骨的基础上又发展了一步，而成为令人难忘的时代。对于建安风骨的大力提倡，首先有梁代优秀批评家钟嵘的《诗品》，之后就是陈子昂了，他的《修竹篇序》说：

> 汉魏风骨，晋宋莫传！

这有力的语言指出了唐诗明确的方向。之后李白《古风》说：

> 自从建安来，绮丽不足珍。

又《宣州谢朓楼饯别校书叔云》中说：

> 蓬莱文章建安骨，中间小谢又清发。俱怀逸兴壮思飞，欲上青天览明月。

而专选盛唐的殷璠《河岳英灵集》则说：

> 开元十五年后，声律风骨始备矣。……言气骨则建安为俦，论宫商则太康不逮。

可见风骨乃是建安诗歌的特点，也是唐诗的优良传统。所以论到高适则说：

> 适诗多胸臆语，兼有气骨。

论到崔颢则说：

> 晚节忽变常体，风骨凛然。

然则盛唐气象之继承了建安风骨，盖为无可争辩的历史事实。那么盛唐时代与建安时代到底有什么共同之处呢？盛唐气象与建安风骨又有什么不同点呢？

要说明这个问题，首先就必须了解建安时代乃是一个解放的时代，那是从两汉的宫廷势力之下解放出来，从沉闷的礼教束缚之下解放出来；于是文学也就有力地从贵族文学中解放出来，带着人民胜利的心情、民主要求的信念；一种自由奔驰的浪漫的气质、富于展望的朗爽的形象，这就构成建安风骨的精神实质。而唐代也正是从六朝门阀的势力下解放出来，从佛教的虚无倾向中解放出来，从软弱的偏安与长期的分裂局面下解放出来，而表现为文学从华靡的倾向中解放出来，带着更为高涨的胜利心情，更为成熟的民主信念，更为豪迈的浪漫气质，更为丰富的朗爽的歌声，出现在诗歌史上。而初唐社会上残余的门阀势力与诗歌中残余的齐梁影响，到了盛唐就一扫而尽。这一种解放的力量，也就是建安风骨真正的优良传统。

而这样一种发展的力量与社会上的落后势力、保守势力能没有抵触吗？它乃冲击为绚烂的浪花，反映为复杂的歌唱，而总的则统一为人民胜利的声音，这也就是令人向往的“盛唐之音”。唐代的宏伟的力量，表现在经济上，表现在文化上，表现在边防上，也就广泛地表现在日常生活之中。这些力量如果不是人民的力量，那么是谁的力量呢？而解放了这些力量的如果不是人民自己那么又是谁呢？这也就是蓬勃的盛唐气象的实质。然而我们有些人却以为盛唐气象必然是歌功颂德，在这里似乎也就没有看见盛唐时代中人民的力量，或者是以为盛唐时代中人民是没有力量的，那么要歌颂只能是歌颂统治力量了。关于盛唐气象的许多争辩，问题就在这里。

建安是一个解放的时代，但也是一个艰苦的时代。这艰苦由于这时代是出现在一个兵荒马乱的废墟之上的，这艰苦又由于这时代还缺少一种保证这个解放的有效的经验，因为一切都似乎是草创的。一种荒凉高亢的歌声，所谓“惊风飘白日”“高台多悲风”，就是建安风骨的基调。

而盛唐时代是出现在百年来不断上升的和平繁荣的发展中，是有了几百年来成熟了的封建社会中民主斗争的方式，它是一个进展得较为顺利的解放中的时代。一种春风得意一泻千里的展望，所谓“天生我材必有用”“黄河之水天上来”“大道如青天”“明月出天山”，这就是盛唐气象与建安风骨，同为解放的歌声而又不全然相同的地方。当然，为保证并发展这一解放的高潮，就得不断地斗争，就不得不有能禁得起艰苦考验的风骨，建安风骨因此是具备在盛唐气象之中的，也是盛唐气象的骨干。没有这个骨干，盛唐气象是不可能出现的，这就是为什么陈子昂高倡风骨在诗歌史上具有那么重大的意义，也就是李白之所以赞美“建安骨”的根据。

然而盛唐气象又不止于这个“骨”，它还有丰实的肌肉，而丰实的肌肉也就更为有力地说明了这个“骨”。如果建安风骨无妨以刘桢的《赠从弟》一诗为例：

亭亭山上松，瑟瑟谷中风。风声一何盛，松枝一何劲。冰霜正惨凄，终岁常端正。岂不罹凝寒，松柏有本性。

这正是《诗品》所赞美的“真骨凌霜，高风跨俗”了。那么盛唐气象就是“阳春召我以烟景，大块假我以文章”的大地回春的歌声。它们在本质上是一个东西，而盛唐气象却进一步显示出这个本质在生活中起了更为丰富的作用。它潜移默化，无往而不存在，因此只能说是一片气象，而非素朴的风骨所能尽了，它乃是建安风骨的更为丰富的展开。

盛唐气象正如建安风骨，又传统地是诗歌上的一个概念。它是反映盛唐时代的，但历来人们并不把它直接作为一个时代的精神面貌来理解，虽然它是反映着盛唐时代的精神面貌的。它与人民的力量受到束缚压抑的时代的诗歌有着显然不同的基调，这后者正是所谓矛盾尖锐的时代。这在长期封建社会中乃是民不聊生而又找不到出路的时候，反映在诗歌上其基调是黯淡的，仿佛在灰沉沉的天气里，一切色调都失去了光彩。

而盛唐气象正如建安风骨，其基调是朗爽的，色调是鲜明的。这里，盛唐诗歌的色调则要比建安更为鲜明，其基调也更为爽朗。盛唐气象之与建安风骨，其关系正是这样的。

四、盛唐气象是一个具有时代性格的艺术形象

什么叫作盛唐气象呢？或者先说什么叫作气象呢？唐皎然《诗式》说：

气象氤氲，由深于体势。

而其《明势篇》又说：

高手述作，如登荆巫，觌三湘、鄢、郢之盛，萦回盘礴，千变万态。或极天高峙，崒焉不群，气胜势飞，合沓相属；或修江耿耿，万里无波，淡出高深重复之状。古今逸格，皆造其极。

“明势”就是阐明体势的，所谓“气胜势飞”也就是气象与体势的关系。而“高手述作，如登荆巫，觌三湘、鄢、郢之盛，萦回盘礴，千变万态”，正是盛唐气象的概念了。皎然与殷璠约为同时人，所谓“气象氤氲”的概念正是在盛唐诗歌的基础上形成的，而后人向往于盛唐也就是向往于这个气象。姜夔在《白石道人诗说》里说：

气象欲其浑厚，其失也俗；体面欲其宏大，其失也狂。

这里所说的“体面”约同于《诗式》所说的“体势”，所谓“其失也狂”也正可以说明所谓“宏大”乃是“气胜势飞”的，所以其“失”才会“狂”。而这里所说的“气象欲其浑厚”也就是《诗式》的“气象氤氲”，因其是“浑厚氤氲”的，所以似浅而实深，似俗而实高。《沧浪诗话》说，“盛唐人有似粗而非粗处，似拙而非拙处”，若竟是粗拙便是俗了。这正是盛唐诗歌“深入浅

出”的造诣，使得三言两语就抵得无尽的言说，这也就是“氤氲”与“浑厚”了。因此《诗式》序说：

> 至如天真挺拔之句，与造化争衡，可以意会，难以言状。

《白石道人诗说》则引东坡的话：

> 言有尽而意无穷，天下之至言也。

他们都强调诗歌的最高造诣就是丰富到不可尽说，完整到天真自然。而我们今天应当进一步地了解，能达到这样的造诣，固然有待于诗歌的艺术修养，而更主要的还是诗歌的生活内容。没有丰富而深厚的生活内容，艺术修养也是无法提高的。而盛唐诗歌中普遍存在的“浑厚”“氤氲”的气象，证明它不单是属于某一个诗人的，而乃是整个时代精神面貌的反映。

蓬勃的朝气，青春的旋律，这就是“盛唐气象”与“盛唐之音”的本质。朱彝尊的《静志居诗话》里所以引有这样的一段话：

> 唐诗色泽鲜妍，如旦晚脱笔砚者。今诗才脱笔砚，已是陈言。

这一个富于创造性的解放的时代，它孕育了鲜明的性格，解放了诗人的个性，使得那些诗篇永远是生气勃勃的，如旦晚才脱笔砚那么新鲜，它丰富到只能用一片气象来说明。当然“气象”二字是一个更为抽象的概念，不像风骨本身那么具体，然而“盛唐气象”却与“建安风骨”同样是具体的，它是古代诗歌中理想的艺术形象。它之所以用了一个比风骨更为抽象的概念，正因其内涵更为丰富，而当这个抽象的概念得到了具体的说明，它就具有更为广泛的典型意义。这就是“盛唐气象”所以在“建安风骨”之后成为古代诗人们普遍向往的造诣。

五、《沧浪诗话》论盛唐气象

论“盛唐气象”最集中的，莫过于严羽的《沧浪诗话》。这一部批评名著，其中心命题就是高倡“盛唐气象”。

《沧浪诗话》的见解事实上也是继承了“建安风骨”到“盛唐气象”这一传统的认识，集中了自《诗品》以至《诗式》各家的见解，而最后得出了结论：

> 推原汉魏以来，而截然谓当以盛唐为法。虽获罪于世之君子不辞也。

他说：

> 论诗如论禅，汉魏晋与盛唐之诗，则第一义也。

这里所谓汉、魏、晋也就是指的建安风骨，他说：

> 黄初之后，惟阮籍《咏怀》之作极为高古，有建安风骨。

又说：

> 晋人舍陶渊明、阮嗣宗外，惟左太冲高出一时。

而钟嵘《诗品》论陶渊明则说他“兼协左思风力”（钟嵘称“建安风力”与“建安风骨”实为一义）。《沧浪诗话》之所以在传统的“汉魏风骨”的概念中又加上了晋，也就是认为阮籍、左思、陶渊明是具有建安风骨的。这一优良的传统，到了盛唐乃发展得更为理想更为丰富，所以说，“盛唐人诗，无不可观者”，“推原汉魏以来，而截然谓当以盛唐为法”。

《沧浪诗话》说：“诗之法有五：曰体制、曰格力、曰气象、曰兴趣、曰音节。”这里分开来说则为五，合起来说则都可以说是气象，如曰：

> 《西清诗话》载晁文元家所藏陶诗，有《问来使》一篇云："尔从山中来，早晚发天目。我屋南山下，今生几丛菊？蔷薇叶已抽，秋兰气当馥。归去来山中，山中酒应熟。"余谓此篇诚佳，然其体制气象，与渊明不类，得非太白逸诗，后人谩取以入陶集耶？

曰"体制气象"则正如《诗式》所云："气象氤氲，由深于体势。"二者乃是密切相关的。而《沧浪诗话》之论诗体则有"建安体""正始体""盛唐体""晚唐体""少陵体""太白体"等，则所谓"体制"，这里正是时代或作家的风格。至于"音节"，则《沧浪诗话》说：

> 下字贵响，造语贵圆。
>
> 孟浩然之诗，讽咏之久，有金石宫商之声。

则所谓"音节"也正如《河岳英灵集》所说："开元十五年后，声律风骨始备矣。"所指绝非仅在于平上去入、双声叠韵的追求而已。(《河岳英灵集》对于专意追求这些的人，认为是"攻异端、妄穿凿""虽满箧笥，何以用之！")而《白石道人诗说》说："一家之语，自有一家之风味，如乐之二十四调，各有韵声。"风味也就是风格，而比之"声""调"，这一传统用法盖早源于《典论·论文》，则《沧浪诗话》的"音节"也仍指的是形象风格。我们无妨说《沧浪诗话》所举的五项之中，"体制""音节"是比较外在的部分，而"格力""气象""兴趣"则是其中心环节。《诗式》"邺中集"一节论代表建安风骨的曹植、刘桢时说：

> 语与兴驱，势逐情起。不由作意，气格自高。

这里的“兴”“情”，也即《沧浪诗话》的“兴趣”，这里的“气格”，也即《沧浪诗话》的“格力”。它们与“风骨”“气象”本质上实为一物。所以《沧浪诗话》说：

诗者，吟咏情性也，盛唐诸人，惟在兴趣。

而用之以全面概括诗人风格造诣的，于《沧浪诗话》中则是“气象”，如曰：

唐人与本朝诗，未论工拙，直是气象不同。

所谓：

大历以前分明别是一副言语，晚唐分明别是一副言语，本朝诸公分明别是一副言语。

又如说：

“迎旦东风骑蹇驴”绝句，决非盛唐人气象。

这里更突出的是《沧浪诗话》不但用“气象”来说明盛唐诗歌，而且也用“气象”来说明汉、魏、建安或其他时代的诗作，则“气象”乃是最具有概括性的了。如曰：

汉魏古诗，气象混沌，难以句摘。

又说：

建安之作，全在气象，不可寻枝摘叶。

虽谢康乐拟邺中诸子之诗，亦气象不同。

然则建安风骨也正是一种气象。而《沧浪诗话》的《答出继叔临安吴景仙书》又说：

盛唐诸公之诗，如颜鲁公书，既笔力雄壮，又气象浑厚。

然则气象最高的标准就要达于浑厚，这也是《诗式》《白石道人诗说》所共同的，《诗式》说：

> 要气足而不怒张。

《白石道人诗说》说：

> 体面欲其宏大，其失也狂；血脉欲其贯穿，其失也露。

《答出继叔临安吴景仙书》论“盛唐之诗”的按语说：

> 于诗则用“健”字不得，不若《诗辨》“雄浑”“悲壮”之语，为得诗之体也。毫厘之差，不可不辨。坡、谷诸公之诗，如米元章之字，虽笔力劲健，终有子路未事夫子时气象。……只此一字，便见吾叔脚根未点地处也。

“雄浑”“悲壮”是《沧浪诗话》中所谓“诗有九品”之中的二品，这“品”也即风格的意思，而这里又说“得诗之体”，可见体实兼有风格之意，而风格的中心则归之于气象，气象的标准则要达于浑厚。盛唐气象既是气象的最高理想，所以“用‘健’字不得”，因为“健”字有“怒张”“狂”“露”的倾向，所以说“终有子路未事夫子时气象”，唐司空图《二十四诗品》第一篇就是“雄浑”，所谓：

> 反虚入浑，积健为雄，具备万物，横绝太空。

古人以为“健”要累积起来才够得上“雄”，则“健”的概念还是不够深厚的，而“盛唐气象”之所以是“浑厚”“雄浑”，正因其是“具备万物，横绝太空”，这就是“盛唐气象”的本质。

《沧浪诗话》说“汉魏古诗，气象混沌，难以句摘”，那么与“盛唐气象”的“浑厚”又有什么区别呢？这就还要从它另一个论诗的角度来理解，那就是《沧浪诗话》论“悟”的地方。“悟”原是禅宗的说法，有“渐悟”“顿悟”之分。《沧浪诗话》实是借其“顿悟”的说法来说诗。所谓：

谓之直截根源，谓之顿门，谓之单刀直入也。

《沧浪诗话》借用了这个“悟”字说诗，吴景仙曾表示反对，所以《答出继叔临安吴景仙书》说：“吾叔谓说禅非文人儒者之言，本意但欲说得诗透彻，初无意于为文，其合文人儒者之言与否，不问也。”那么《沧浪诗话》所说的“悟”到底是什么呢？其实就是对于形象的捕逐。韩愈诗：“我愿生两翅，捕逐出八荒。精诚忽交通，百怪入我肠。”诗人们凭着丰富的想象翅膀在广阔的空间中飞翔，捕逐他要塑造的形象，这正是所谓“文章本天成，妙手偶得之”了，所以《沧浪诗话》说：

且孟襄阳学力下韩退之远甚，而其诗独出退之之上者，一味妙悟而已。

“悟”既是“捕逐”，“妙悟”也就是“妙手偶得之”。而形象乃是最直接的感受，这也就是“直截根源”“单刀直入”，这个意见也是本于钟嵘《诗品》的说法。《诗品》说：

至于吟咏情性，亦何贵于用事：“思君如流水”，既是即目；“高台多悲风”，亦惟所见；“清晨登陇首”，羌无故实；“明月照积雪”，讵出经史？观古今胜语，多非补假，皆由直寻。

《诗品》这里所说的“直寻”，也就是要捕逐“高台多悲风”“明月照积雪”这么鲜明直接的形象。而《沧浪诗话》又有与《诗品》如出一辙的大段论述。他说：

诗者，吟咏情性也。盛唐诸公……言有尽而意无穷。近代诸公乃作奇特解会，遂以文字为诗，以才学为诗，以议论为诗，夫岂不工？终非古人之诗也。盖于一唱三叹之音，有所歉焉。且其作多务使事，不问兴致，用字必有来历，押韵必有出处，读之反覆终篇，不知着到何处。

《诗品》的“羌无故实”“讵出经史”“皆由直寻”，正是《沧浪诗话》的“一味妙悟”“直截根源”“单刀直入”。《诗品》反对的“补假”，也就是《沧浪诗话》所反对的“以文字为诗”“以才学为诗”。至于“以议论为诗”，又见于他所说的：

夫诗有别材，非关书也；诗有别趣，非关理也。然非多读书、多穷理，则不能极其至。所谓不涉理路、不落言筌者，上也。

他以为诗人要有高度的艺术成就则需要平时多读书、多穷理，然而到了写诗时，却又要“不涉理路、不落言筌”，正因为诗所要捕逐的乃是最直接的形象，而这个形象应当自然含有平时所“读”的“书”、所“穷”的“理”在内，所以说“唐人尚意兴而理在其中”。而这个“意兴”，到了汉魏则是：

汉魏之诗，词理意兴，无迹可求。

汉魏古诗，气象混沌，难以句摘。

我们可再证之以《沧浪诗话》的另一段话：

惟悟乃为当行，乃为本色。然悟有浅深，有分限，有透彻之悟，有但得一知半解之悟。汉魏尚矣，不假悟也……盛唐诸公透彻之悟也。他虽有悟，皆非第一义也。

盛唐诗人，惟在兴趣，羚羊挂角，无迹可求。故其妙处，透彻玲珑，不可凑泊。

总结上面的话就是说，汉魏是“气象混沌”“不假悟也”“词理意兴，无迹可求”，盛唐是“气象浑厚”“透彻之悟”“尚意兴而理在其中”“惟在兴趣……透彻玲珑”。如果“悟”是对于形象的捕逐，那么，汉魏就是还不曾有意去捕逐，而是听其自来的，所以说“不假悟也”。盛唐则是认识到捕逐而且达于深入浅出的造诣，所以是“透彻之悟”。汉魏既然还没有致力去捕逐形象，所以形象是淳朴的，又是完整的，因此“难以句摘”；如同还没有开采的矿山，这也就是“气象混沌”。而盛唐则由于致力捕逐而获得最直接鲜明的形象，它好像是已经展开来真金美玉的矿藏，美不胜收地放出异样的光彩，这就不能说是混沌，只能说是浑厚了。然则《沧浪诗话》所说的“悟”就是形象的捕逐。所说的“意兴”或“兴趣”就是“想象”的飞翔，所说的“透彻”就是深入浅出直截了当，所以他说：“诗贵透彻，不可隔靴搔痒。”所说的“气象”就是风格形象。而所谓的“浑厚”则在于说明这个风格形象的蓬勃饱满，这也就是盛唐时代精神面貌的反映。

六、盛唐气象的艺术特征

盛唐气象正是凭借着生活中丰富的想象力，结合着自建安以来诗歌在思想上与艺术上成熟的发展，飞翔在广阔的朝气蓬勃的开朗的空间，而塑造出那个时代性格的鲜明的形象。那么这个形象的艺术特征，就不可能离开那个时代而存在，它的艺术特征与时代特征因此是不可分割的。

盛唐气象最突出的特点就是朝气蓬勃，如旦晚才脱笔砚的新鲜，这也就是盛唐时代的性格。它是思想感情，也是艺术形象，在这里思想性与艺术性获得了高度的统一。我们如果以为只有揭露黑暗才是有思想性的作品，这说法是不全面的，我们只能说属于人民的作品是有思想性的作品，而人民不一定总是描述黑暗的。

以艺术的重要源泉民歌为例，绝大多数的民歌是歌唱爱情的，以《国风》而论，像《硕鼠》一类的篇章究竟是占少数的。人民要求幸福的生活，当然就形成与黑暗面敌对的力量，这里为什么没有思想性呢？它的思想性就因为它是属于人民的。有人又以为唐诗中的积极浪漫主义精神是不满足于现状的，因此它必然是在揭露黑暗，这说法也是不合逻辑的。不满足于现状固然可以是揭露黑暗的，但也可以是追求理想的；而积极浪漫主义精神一般的理解，特别是表现在中国古典诗歌中，往往正是属于后者。

屈原的《九歌》不用说，没有具体揭露什么黑暗面，就是屈原最有代表性的《离骚》，给我们最深刻的印象也是强烈的追求理想追求光明的性格形象，很少具体黑暗面的描述。当然追求光明就会与黑暗面形成敌对，这原是矛盾的两面；可是作者究竟是带着更多黑暗的重压，还是带着更多光明的展望来歌唱，这在形象上是有所不同的，这里事实上正是一个时代精神面貌的反映。当现实中光明的力量被压抑而黑暗势力横行的时候，揭露黑暗就成为主要的手法；当光明的力量得到发展，而黑暗势力不得不退让的时候，热情地追求理想就成为最直接的歌唱。屈原的时代正是先秦迅速发展的时代，也是中国古代经济、政治、文化各方面跃进得最澎湃的时代，屈原作品中华采缤纷的形象正是这一时代的写照。这与他具有积极的浪漫主义精神以及浪漫主义的创作方法乃是一致的。

而李白出现在盛唐时代的高潮中，其情形也正复相似。李白《古风》中少数揭露黑暗的诗篇，只是李白诗歌成就的一方面；而李白诗歌上主要的成就、李白在诗歌史上典型的形象，却是他的“斗酒诗百篇”那些豪迈的乐府篇章，这里追求理想乃是它的主要方面。李白之所以被目为是具有积极浪漫主义精神的诗人，李白诗歌之表现为采取了浪漫主义的创作方法，主要也表现在这方面的作品上，而不是他那较少的《古风》中。李白是盛唐时代最典型的诗人，整个盛唐气象正是歌唱了人民所喜爱的正面的东西，这里反映了这时代中人民力量的高涨，这也就是盛唐气象所具有的时代性格特征：它是属于人民的，它是人民所喜爱的，它是与黑暗力量、保守势力相敌对的，这就是它的思想性。

盛唐时代是一个统一的时代，是一个和平生活繁荣发展的时代，它不同于战国时代生活中那么多的惊险变化，因此在性格上也就更为平易开朗。楚辞比起《国风》来要复杂得多，曲折得多，而唐诗则反而与《国风》更为接近，这一个深入浅出而气象蓬勃的风格，正是盛唐诗歌所独有的。王维的《少年行》：

> 新丰美酒斗十千，咸阳游侠多少年。相逢意气为君饮，系马高楼垂柳边。

高适的《营州歌》：

> 营州少年厌原野，狐裘蒙茸猎城下。虏酒千钟不醉人，胡儿十岁能骑马。

李白的《望天门山》:

天门中断楚江开，碧水东流直北回。两岸青山相对出，孤帆一片日边来。

以及他的《庐山谣寄卢侍御虚舟》:

庐山秀出南斗傍，屏风九叠云锦张。……登高壮观天地间，大江茫茫去不还。黄云万里动风色，白波九道流雪山。

一种青春的旋律、无限的展望，就是盛唐诗歌普遍的特征。他的《横江词》:

人道横江好，侬道横江恶。一风三日吹倒山，白浪高于瓦官阁。

在风浪的险恶中，却写出了如此壮观的局面，这与《蜀道难》的惊心动魄，乃同为时代雄伟的歌声。而这一首民歌似的短诗，它究竟是说“横江恶”还是在更深入地礼赞“横江好”呢？这就是现实生活中丰富的歌唱。在现实生活中矛盾是不可能没有的，然而那压倒一切的辉煌的形象，它说明了一个经得起风浪的时代性格的成长，李白的诗歌因此是盛唐气象的典型。这一时代性格事实上无往而不存在。杜甫的《后出塞》:

朝进东门营，暮上河阳桥。落日照大旗，马鸣风萧萧。平沙列万幕，部伍各见招。中天悬明月，令严夜寂寥。悲笳数声动，壮士惨不骄。借问大将谁，恐是霍嫖姚。

这真是“雄浑悲壮”的诗篇了，在中国古典诗歌中它只能是属于盛唐的。而王昌龄的《塞下曲》:

饮马渡秋水，水寒风似刀。平沙日未没，黯黯见临洮。昔日长城战，咸言意气高。黄尘足今古，白骨乱蓬蒿。

其深厚、朗爽、典型、形象，正是最饱满有力的歌声，至如李白的《将进酒》：

黄河之水天上来，奔流到海不复回。……五花马，千金裘，呼儿将出换美酒，与尔同销万古愁！

如果单从字面上看，那么已经是“万古愁”了，感情还不沉重吗？然而正是这“万古愁”才够得上盛唐气象，才能说明它与“前不见古人，后不见来者。念天地之悠悠，独怆然而涕下”的气象可以匹敌，有着联系；才能说明盛唐的诗歌高潮比陈子昂的时代更为气象万千。然而我们如果以为“白发三千丈”“同销万古愁”仅仅是由于说愁之多、愁之长，也还是停留在字面之上，更深入的理解是这个形象的充沛饱满，这才是盛唐气象真正的造诣。李后主《虞美人》：

问君能有几多愁，恰似一江春水向东流。

也是说愁多、愁长，也是形象的名句，然而这个形象绝不是盛唐气象；它说愁多、愁长，却说得那么可怜相，它的“一江春水向东流”与“黄河之水天上来”，在形象上简直是无法比拟的全然不同的性格。难道长江不比黄河更大些吗？难道一定要用“长江”“大河”才能构成“盛唐气象”吗？王昌龄《芙蓉楼送辛渐》：

寒雨连江夜入吴，平明送客楚山孤。洛阳亲友如相问，一片冰心在玉壶。

这也是典型的盛唐气象。盛唐气象是饱满的、蓬勃的，正因其在生活的每个角落都是充沛的，它夸大到“白发三千丈”时不觉得夸大，它细小到“一片冰心在玉壶”时不觉得细小，正如一朵小小的蒲公英，也耀眼地说明了整个春天的世界。它玲珑透彻而仍然浑厚，千愁万绪而仍然开朗，这是植根于饱满的生活热情、新鲜事物的敏感，与时代的发展中人民力量的解放而成长的，它带来的如太阳一般的丰富而健康的美学上的造诣，这就是历代向往的属于人民的盛唐气象。

盛唐气象是一个时代的性格形象，是盛唐诗歌普遍的基调。然而这并不妨碍盛唐个别诗篇不同于这个气象或基调，也不妨碍盛唐之后的诗篇中偶然出现这个气象。如刘方平也是曾生活于盛唐时代的人，但是他的诗《月夜》：

更深月色半人家，北斗阑干南斗斜。今夜偏知春气暖，虫声新透绿窗纱。

又《春怨》：

纱窗日落渐黄昏，金屋无人见泪痕。寂寞空庭春欲晚，梨花满地不开门。

都宛然是中晚唐的气象了。而大历时期的诗人卢纶，他的《塞下曲》：

林暗草惊风，将军夜引弓。平明寻白羽，没在石棱中。

月黑雁飞高，单于夜遁逃。欲将轻骑逐，大雪满弓刀。

则依然是盛唐气象。所以《沧浪诗话》说："大历之诗，高者尚未失盛唐，下者渐入晚唐矣。"又说"盛唐人诗，亦有一二滥觞晚唐者，晚唐人诗，亦有一二可入盛唐者，要当论其大概耳。"因为这既然是一个时代的性格，当然只能论其大概了。盛唐气象因此又是一个诗歌时代总的成就，无数优秀的诗人们都为这一气象平添了春色。它也是中国古典诗歌造诣的理想，因为它鲜明、开朗、深入浅出；那形象的飞动、想象的丰富、情绪的饱满，使得思想性与艺术性在这里统一为丰富无尽的言说。这也就是传统上被誉为“浑厚”的盛唐气象的风格。

历史上不知有多少诗人们在追求着向往着这个盛唐气象，然而这到底是一个时代的产物和反映，盛唐以后，宋、元、明、清各代，中国长期地陷在封建社会没落阶段的泥淖中，这一个如日之方中的美好的成就，也就成为千百年来古典诗歌中可望而不可即的赞叹。

结　语

今天我们来说盛唐气象，它是作为诗歌史上的现象来理解的，也是作为文学遗产中丰富的宝藏而接受的。我们今天正欢欣鼓舞地进入了一个完全属于人民的更为豪迈的时代，当我们回顾祖国诗歌史上曾经有过如此辉煌的时代，我们是含着微笑的。让古典诗歌优秀的成就，丰富我们今天的创作，鼓舞我们塑造出自己时代的更为辉煌的性格形象。

1958年1月27日

（原载《北京大学学报》1958年第2期）

略谈唐诗高潮中的一些标志

唐代诗歌的发展是中国古典诗歌的高潮。这一高潮的出现，是由于中国古代封建社会在政治、经济、文化等各方面发展的成熟，也由于中国古代以五、七言为代表的诗歌经过长期的发展，而终于也趋于成熟。这两个发展成熟的过程都是长期的、曲折的。到了隋唐统一后，正好都步步进入了高潮。两个高潮的汇合当然要比一个高潮更有力量，这就使得唐诗的局面波澜壮阔，如春风得意，晴空万里，永远给我们留下了难忘的印象。

从社会发展来说，隋唐的统一颇与秦汉的统一相似。秦汉统一之前，春秋战国的五百多年是一个在战争岁月中度过的、由分裂走向统一的历史过程；而隋唐统一之前，魏晋六朝的三百多年也正是一个在战争岁月中由分裂走向统一的历史过程。秦王朝的统一是十分短暂的，随即出现了声势浩大的农民起义，在这样的基础之上出现了统一强大的汉王朝。而隋王朝的统一也几乎是同样的短暂，同样的二世而亡，同样的随即出现了隋末农民大起义，也是在这样的基础上，之后出现了统一强盛的唐王朝。

历史当然不会完全重演，后者将向更成熟的高潮发展，这是毫无疑义的。汉唐两代都是属于封建社会发展中的上升阶段，都是可称为盛世的王朝，可是作为中国封建社会最有代表性的诗歌，在汉代却冷落荒芜连一个像样的诗人也没有，这又是为什么呢？直到建安时代，那已是汉王朝的末日、战乱四百年的开始了。

回顾这些历史的发展和诗歌的发展，难道不都足以引起人们的深思吗？本文这里则只是想借此说明唐代这一诗歌高潮的得来不易，它该如何值得我们珍惜。那么在这个高潮上有什么可以令人注意的标志呢？

诗赋的消长

《沧浪诗话·诗评八》："或问唐诗何以胜我朝？唐以诗取士，故多专门之学，我朝之诗所以不及也。"严羽这个说法其实并不足信。王世贞《艺苑卮言》所以说："人谓唐以诗取士，故诗独工，非也。凡省试诗类鲜佳者，如钱起《湘灵》之诗，亿不得一。"其实宋代也未始就没有"以诗取士"。《文献通考》卷三十："宋朝礼部贡举设进士……及第者列名放榜于尚书省。凡进士，试诗、赋、杂文各一首，策五道，帖《论语》十帖，对《春秋》或《礼记》墨义十条。"宋朝既也试诗赋，那么宋诗又何以不及唐诗呢？可见问题显然不在于这取士。何况诗赋列于杂文也是袭唐代取士之旧，又可见其在考试中原是并非主要的。按古代考试制度乃是为了选拔官吏，重点本不在于诗赋文辞。《唐会要》卷七十六：

（贞观）二十二年九月，考功员外郎王师旦知举，时进士张昌龄、王公瑾，并有俊才，声振京邑。而师旦考其文策全下。举朝不知所以。及奏等第，太宗怪无昌龄等名，因召师旦问之。对曰："此辈诚有文章，然其体性轻薄、文章浮艳，必不成令器。臣若擢之，恐后生相效，有变陛下风雅。"帝以为名言，后并如其言。

这可以说明唐代取士的原意所在。《唐会要》同卷又说：

调露二年四月，刘思立除考功员外郎。先时，进士但试策而已。思立以其庸浅，奏请帖经，及试杂文。自后因以为常式。

"试策"才是主要的，"试杂文"乃是主考随意附加的，既然是附加的，所以也就随时可以改更。《唐会要》同卷：

建中二年十月，中书舍人权知礼部贡举赵赞奏：进士先时试诗赋各一篇，时务策五道，明经策三道。今请以箴、论、表、赞代诗赋，仍试策二道。

《唐会要》同卷太和八年十月一条中所以又说：

礼部奏：进士举人，自国初以来，试诗赋、帖经、时务策五道，中间或暂改更，旋即仍旧。

如果说这就是"以诗取士"的根据，那么也应该说乃是"以诗赋取士"才确切。如果说"以诗赋取士"就可以解释唐诗为什么繁荣，那么同样的理由又怎样来解释到了唐代赋却反而是一蹶不振了呢？这是二者不可得兼的。

我这样说，当然不是说唐代就没有人写赋了，既然考试科目中时常有它，那么又怎能会没有人去写呢？只是说写不出好作品来而已。这也正如考试科目中的诗是五言排律，而唐代的五言排律也极少好诗。这些文体上的此消彼长，既有它社会条件的原因，也有它内部规律的原因。“汉赋”“唐诗”各自代表着汉唐两代如此相似的统一盛世，而两者之间却又表现着如此水火不能相容。汉代有赋家而无诗人，唐代有诗人而无赋家；中间魏晋六朝则诗赋并存，呈现着一种过渡的折中状态，这难道不也是一个值得注意的客观现象吗？这个现象可以帮助我们看出，作为一个整体的五、七言诗坛，自建安经过六朝，乃正是处于走向成熟高潮的过渡与折中阶段。在这个阶段中诗歌开始居于优势，赋也开始偏离汉赋的轨道而逐渐向诗歌的道路上靠拢，到了隋唐前夕，庾信的赋中就出现了完全可以称之为诗的作品，如《对烛赋》中的：

> 龙沙雁塞甲应寒，天山月没客衣单。灯前桁衣疑不亮，月下穿针觉最难。

《春赋》中的：

> 宜春苑中春已归，披香殿里作春衣。新年鸟声千种啭，二月杨花满路飞。河阳一县并是花，金谷从来满园树。一丛香草足碍人，数尺游丝即横路。

这与七言歌行还有多少区别呢？赋已经放弃了自身所具有的特征，因此也就没有多少再继续存在下去的必要了。到了这个时候，诗也就水到渠成地取代了赋。这一发展过程标志着以五、七言为代表的古典诗歌的臻于成熟，也说明着中国古典诗歌所遵循的道路。

赋与诗的区别，陆机《文赋》中说得比较明白：“诗缘情而绮靡，赋体物而浏亮。”赋与诗虽然都叶韵，可是功能却显然不同。

诗以抒情为主，赋以写物为主；而抒情正是诗歌最本质的特长，这个特长乃是其他文体所难以企及的。中国古典诗歌正以其从一开始就走上了这最符合于自身发展的道路，因此取得了最大的成功，使得中国成为一个足以永远自豪的诗的国度。而写物则并非诗的特长，确切地说它更是散文的特长，赋因此是介乎诗文之间的一种文体。它虽然具有诗的叶韵的形式，却发挥着散文的一些特长。所以《文心雕龙·诠赋》篇为赋下了个定义说："赋者，铺也。"诗歌的语言以精炼见长，散文的语言以铺叙见长，赋正是以铺叙为主的，但又没有散文那样的广阔天地。由于赋的影响，六朝在诗文之间乃又出现了骈文；但一旦唐代的诗歌夺取了赋的阵地，唐代散文也就夺取了骈文的阵地，二者的命运又何其相同。赋及其影响的衰亡因此也就成为诗完全成熟的一个鲜明标志。

赋的名称最早见于荀卿的《礼赋》《智赋》《云赋》《蚕赋》《箴赋》五篇赋，其格局都是近于侍从之臣与王的对话。这格局一直在汉赋甚至六朝赋中（如《雪赋》《月赋》等）起着作用，赋因此在传统上总是多少带有宫廷的趣味。当然诗歌中也有宫体诗、应制诗等，但这显然不是诗歌的正统；正如抒情赋也不是赋的正统一样。宫体诗其实也就是诗中的赋，它的铺张雕饰、重在写物，都正是赋的特色；在六朝的赋向诗靠拢时，它也同时又影响了诗，这都是过渡阶段出现的折中性。五、七言诗坛的成熟，因此是经过着一番曲折的过程，最后诗歌才终于完全取代了赋，也取代了赋影响下的骈文而登上全盛的高峰。这时只是在取士的考试中还为赋及其影响保留着最后的阵地，取士中的五言排律岂不又正是一种诗中的赋吗？那么"以诗赋取士"就只可能有利于赋以及骈文的繁荣，又岂能是唐诗繁荣的原因呢？但它却有助于我们从中认识到诗赋之间此消彼长的关系。

我们可以说赋的衰亡乃正是标志着诗的兴盛，这与唐诗战胜了宫体诗的倾向才完全走上成熟的高潮，是如出一辙的。

绝句登上诗坛

唐诗走向高潮，诗歌的特色就表现为更近于自然流露，这乃是艺术上的归真返朴、语言上的真正解放——建安以来诗曾经一度离开了歌的传统，这时便又重新接近起来。若是对照赋是“不歌而诵”的，那么赋的衰亡，岂不也正是歌的复兴的又一佐证吗？绝句的涌现因此乃成为诗坛上一个新的突破。唐人歌唱的诗以绝句为主，唐薛用弱《集异记》载“旗亭画壁”故事：

> 俄而一伶拊节而唱，乃曰：“寒雨连江夜入吴，平明送客楚山孤。洛阳亲友如相问，一片冰心在玉壶。”昌龄则引手画壁曰：“一绝句。”寻又一伶讴之曰：“开箧泪沾臆，见君前日书。夜台何寂寞，犹是子云居。”适则引手画壁曰：“一绝句。”

高适这“一绝句”其实是五古《哭单父梁九少府》（见《河岳英灵集》）诗中的前四句，却也作为绝句来唱；可见绝句乃是最宜于歌唱的。

绝句来源于民歌，南北朝民歌中早已出现了大量的绝句，但是诗人中却很少这类的写作，直到盛唐诗歌高潮的到来，绝句才一跃而为诗坛最活跃的表现形式。张若虚以《春江花月夜》一首，便誉满诗坛，正因为这首诗实际上乃是由九首绝句接连而成的，所以特别新鲜活泼。《春江花月夜》属于南朝“吴声歌曲”，原来正是民歌中的绝句，张若虚这首诗因此每四句便换一次韵，全诗一波未平，一波又起，仿佛旋律不断地再涌现；从月出到月落，若断若续地组成一个抒情的长篇。而四句与四句之间，由于不断地换韵，就更自然地流露出它的飞跃性。飞跃性乃是诗歌语言的基本特征，只是有时隐约有时明显而已。飞跃性的充沛自如，乃是一种诗歌语言完全成熟的表现，也是诗歌抒情性的丰富涌现。“李白斗酒诗百篇”也只有在这样的诗歌高潮上才能如此得心应手。

如果说建安以来的五言古诗还难免较多散文的成分，那么绝句也就意味着诗歌语言的更为纯净化，绝句登上诗坛，可说是五、七言诗充分成熟的又一个鲜明标志。唐人的七古相对地说要比五古活跃得多，就因为五古有时还不免习惯于长期以来地过渡性的表现方式，而七古则是全新的。七古正如绝句，也都是到了盛唐诗歌高潮的到来，才一跃而为诗坛的宠儿。五古一般颇少换韵，而七古则总是不断换韵。例如李颀的《古从军行》：

> 白日登山望烽火，黄昏饮马傍交河。行人刁斗风沙暗，公主琵琶幽怨多。野云万里无城郭，雨雪纷纷连大漠。胡雁哀鸣夜夜飞，胡儿眼泪双双落。闻道玉门犹被遮，应将性命逐轻车。年年战骨埋荒外，空见蒲桃入汉家。

短短的十二句，就三易其韵，每一韵其实也就相当于一个绝句。七古远自曹丕的《燕歌行》、鲍照的《拟行路难》，就是以歌行起家的，它与绝句在歌的传统上所以有着一脉相通之处。七古也正如绝句并不是唐代才有的，而是古已有之；但是都要等到唐诗的高潮中才大显身手，这难道仅仅是偶然吗？

律诗也是唐诗走向高潮中形成的一种诗体，它是从排律中演进而成的，包括它的平仄律，也是从五言排律的“声病说”中演进而成的。它既与民歌没有渊源，也是不能用来歌唱的；但它在演进中却是沿着一条删繁就简、摆脱铺陈的道路，把繁琐的“四声八病”变为简单易行的平仄律，把沉闷冗长的排比铺陈变为每首只有八句，而八句中又只有中间四句要求一定要排偶。这就大大提高了诗歌语言的精炼性。排偶作为中国语言文字特有的一种擅长，在诗中自然地出现本来也是正常的。七古中就常有偶句，绝句中也是偶然有的，问题在于是否自然。

我们不禁要问，五言排律既然是“诗赋取士”中规定的诗体，律诗又凭借什么力量能突破它的影响，完成自身的演进与变革呢？答案只能是，当时诗坛趋向自然流露的巨大浪潮给予了这解放的力量。律诗因此比起排律来要洗炼得多、飞动得多，而这又正是与绝句、七古的特色一脉相通的。崔颢有一首最知名的七律《黄鹤楼》：

> 昔人已乘黄鹤去，此地空余黄鹤楼。黄鹤一去不复返，白云千载空悠悠。晴川历历汉阳树，芳草萋萋鹦鹉洲。日暮乡关何处是，烟波江上使人愁。

这首诗的飞动性与抒情性，都是律诗中的绝唱；尽管它的前四句并不完全符合于平仄律，也不完全符合于严格的排偶要求，然而它却被公认为七律的代表作。李白的《鹦鹉洲》《登金陵凤凰台》等篇显然就是有意取法于它的。那么它在写法上的突出特点究竟在哪里呢？那就是前四句中一气呵成地连用了三个“黄鹤”，加快了律诗中由于排偶而放慢了的步伐，从而有助于诗情的奔放。这是律诗中一种破格的写法。三个“黄鹤”的一气呵成，又使得前四句很自然地就形成一个突出的旋律，下面四句也就自然地是一个飞跃。这首《黄鹤楼》因此乃仿佛是一首律诗中的七古。律诗不完全像律诗而有些像七古反而更为出色，反而成为七律之冠，这不正是足以引人注意的一件事吗？这里说明着一个什么问题呢？说明着整个诗坛的高潮乃是以绝句与七古的自然流露的特色为基调的。那解放的语言、奔放的情操、新鲜的旋律、豪迈的抒情，构成了唐诗最鲜明的色调。律诗是依靠这个力量才从排律中解脱出来的，才更显得生动自然。所谓“清水出芙蓉，天然去雕饰”（李白《经乱离后天恩流夜郎忆旧游书怀赠江夏韦太守良宰》）正是整个唐诗的本质与特色，律诗因此也才能从雕饰的排律的母胎中完全解放出来。

绝句、七古、律诗都是唐诗高潮中的新生事物。绝句虽然最为短小，却是最富有生命力的，它是最接近于歌的，最有别于散文的，最“天然去雕饰”的。绝句登上诗坛，意味着诗歌语言的完全成熟而归真返朴，是唐诗高潮中最鲜明的一颗明珠，最突出的一个标志。

边塞诗的豪情

诗歌语言的成熟与时代的精神面貌是分不开的。诗歌语言的成熟有其自身的内部规律，这要经过曲折的发展过程，唐诗的归真返朴，自然并不等于一味的素朴；所谓深入浅出更不只是浅近而已。没有建安以来四百年诗坛的发展，唐诗的语言也不会一下子就立地成熟，但是时代的条件又决定着诗歌语言成熟得是否充分以及快慢如何。没有唐代那种生气蓬勃的时代精神面貌，五、七言诗究竟能取得多高的成就，绝句是否能那么风靡诗坛等，就都难免会打个问号。所谓“盛唐之音”一下子就爆发出满园春色，展现出那么绚丽的奇花异果，这乃是诗歌语言自身的成熟与唐代社会发展成熟的共同产物。这两个发展成熟的汇合，产生了唐诗的高潮与高峰，那波澜的壮阔、气象的高远，在古典诗坛上是空前绝后的。在这空前绝后的诗坛上出现的一个引人瞩目的歌唱，那就是边塞诗。

唐诗的题材是非常广泛的，边塞题材也不过是其中之一。其所以特别引人瞩目，就因为它仿佛是只属于盛唐的一个题材：盛唐之前既颇少见，盛唐之后乃几成为绝响——李益几乎就是边塞诗的最后一个诗人。而盛唐时代却恰恰是边塞上最为相对平静的时刻。边塞诗因此主要并不在于写战争，而是一种在相对和平的环境下充满着豪迈精神的边防歌。唐代自唐太宗贞观四年击溃东突厥、收编其残部，贞观九年又大破吐谷浑之后，边塞上的形势基本上就稳定了下来，到开元年间就更为缓和；而一百年间唐代社会的蓬勃发展，国势不断走向鼎盛的高峰，边防上的威望这时也就与日俱增，实际上完全掌握了和平的主动权，边塞诗正是在这样条件下的产物。安史之乱后，边防的和平已如明日黄花，边塞诗也就随着唐王朝的鼎盛之成为过去而同时成为过去。边塞诗由于只属于盛唐时代，它因此也就更具有时代的特征与诗歌高峰上最鲜明的标志。王昌龄《从军行》其五：

大漠风尘日色昏，红旗半卷出辕门。前军夜战洮河北，已报生擒吐谷浑。

这里乃是说明着边防上雄厚的实力。没有边防上的实力是谈不上边塞上的和平的。《塞下曲》其二：

饮马渡秋水，水寒风似刀。平沙日未没，黯黯见临洮。

昔日长城战，咸言意气高。黄尘足今古，白骨乱蓬蒿。

又说明着战争是残酷的，尽管“咸言意气高”，却是“黄尘足今古，白骨乱蓬蒿”的历史性悲剧。这就进一步解释了边防的性质乃是为了保证和平，而不是为了战争。这几乎乃是唐代边塞诗中一种普遍的认识，又岂止是专对洮河一带而已。所以李白在《战城南》中说：“乃知兵者是凶器，圣人不得已而用之。”杜甫在《前出塞》中说：“苟能制侵陵，岂在多杀伤。”正是基于这种对于战争与和平的普遍认识，因此战争最为稀少、和平最相对稳定的开元时代，反而成为边塞诗的摇篮。

王昌龄这两首诗写的实际上又都是历史性的概括。吐谷浑到了开元时代早已亡于吐蕃，这自然不是当时的战役；“昔日长城战”当然也正如“秦时明月汉时关”，乃是一个历史性的高度概括。唐代的边塞诗因此往往不拘于哪个具体战役，哪个时间、地点，而是在广泛的时间、空间上把边塞作为一个整体来歌唱。这样边塞诗的引人入胜之处就并不在于哪个战场、哪场战役，而主要的是一种悲壮的豪情、异域的情调、辽阔的视野、边防的信心，其具体的内容则往往是传统的游子主题的扩展、政治视野的扩展、山水风光的扩展。李白所说的“愿为辅弼，使寰区大定，海县清一”（《代寿山答孟少府移文书》），其实正是包括边塞安定在内的高瞻远瞩的政治理想，因此相传李白又有“和蕃书”的故事。王维的《少年行》所谓：“孰知不向边庭苦，纵死犹闻侠骨香。”这就是盛唐时代的精神面貌。这时游子主题也就不止包括游宦，而且包括了从戎。王昌龄的《闺怨》所谓：

闺中少妇不知愁，春日凝妆上翠楼。忽见陌头杨柳色，悔教夫婿觅封侯。

李龟年所唱的王维绝句：

清风明月苦相思，荡子从戎十载余。征人去日殷勤嘱，归雁来时数寄书。

这时古诗中的“荡子”就一变为“从戎”的“征人”，而李白的《长相思》诗中也说：“此曲有意无人传，愿随春风寄燕然。”这都说明边塞生活已经深入到平日生活之中，也就是说边塞的豪情与平日生活中的豪情是打成一片的。边塞的歌唱为这种豪情找到了一个最适宜于表现的场合，它激荡着时代的豪情，也是建立在时代豪情之上的。这正如边防的信心是建立在社会发展的繁荣鼎盛上一样，边塞的豪情也是建立在日常活中的信心上的。没有盛唐就没有边塞诗，没有生活中的无往不在的蓬勃朝气，所谓边塞风光也就早被那荒凉单调的风沙所淹没。王维的：

大漠孤烟直，长河落日圆。

——《使至塞上》

这是写边塞风光中的好诗句。可是他的：

日落江湖白，潮来天地青。

——《送邢桂州》

江流天地外，山色有无中。

——《汉江临眺》

那辽阔的视野、豪迈的胸襟，难道不也正堪媲美吗？王维的山水诗绝不只是“晚年唯好静，万事不关心”的那些远离人世间的作品所能代表的。王维早年的精神状态乃是“新丰美酒斗十千，咸阳游侠多少年，相逢意气为君饮，系马高楼垂柳边”（《少年行》之一）那种生气蓬勃的少年精神。没有这种精神状态，就没有“日落江湖白，潮来天地青”的山水诗，也就不会有“大漠孤烟直，长河落日圆”那样的边塞诗。边塞风光其实正是那时代豪情的考验。高适的《别董大》其一：

千里黄云白日曛，北风吹雁雪纷纷。莫愁前路无知己，天下谁人不识君。

若没有这种坚强的生活信心，黄云蔽天、北风刺骨之下，还有什么风光之可言呢？为什么盛唐高峰一过去，这些风光的歌唱也就一去不复返了？边塞诗的涌现，因此乃正是时代精神的产物。那辽阔的视野、奔放的豪情，反映着整个时代高视阔步的足音，这也就是历代称誉的盛唐之音的特色。而边塞诗又是以七绝、七古的作品最为出色。七古与绝句的关系，已如前述，从王昌龄的七绝到李益的七绝，边塞诗的歌唱又一次证明了绝句的广阔天地。而七言诗在整个唐诗高潮中的作用，在这里也就特别容易看得清楚。五、七言诗作为一个整体而完全成熟，其实正是以七言诗的成熟为标志的。这些既是诗歌语言自身的发展，也是时代精神的体现，边塞诗就恰好可以说明这之间的血肉关系。

唐诗所取得的艺术上的造诣、辉煌而丰富的成就，从多方面启发着我们对于诗歌高潮的认识。

（原载《社会科学战线》1982年第4期）

唐诗的语言

唐代诗歌的高度成就，引起历代人们广泛的注意，想从中吸取某些可以借鉴的东西。唐诗之前，建安时代是诗坛的好榜样，唐诗之后，唐代就成了诗坛更好的榜样。榜样当然也只能供借鉴，不能去摹仿。唐诗追步建安，不但不同于建安，而且远远超过了建安，这也是可借鉴的好榜样。而唐诗在读者心目中之所以获有那么普遍的荣誉，其原因当然是多方面的，而语言方面的成就，则无疑是其中的一个重要环节。

诗歌比起其他一切文学作品，都更是“语言的艺术”。我们演一幕哑剧，可以没有什么语言，可是诗歌如果离开了语言，便将一筹莫展，虽然说画中也可以有诗，那究竟已是另外的一种艺术了。而诗对于语言的要求，一个字的出入，往往便高下悬殊，这也突出地说明，语言在诗歌中的特殊重要性。事实上唐诗给人们留下的一般印象，不但比它以前的历代诗歌容易理解和感受，而且比它以后的宋、元、明、清的诗歌也更容易理解和感受，这难道不值得我们注意吗？

历史上也有不少作家们简单地理解了这一特点，以为只要文字浅显明白就行了，其结果浅显明白固然达到了，而语言的丰富性和形象性则往往显得不够。而唐诗语言的特点，正在于不仅仅是浅出，而乃是“深入浅出”。这中间的相互关系，其实正因其“深入”，所以才有得可“浅出”，因此不仅是晓畅而且是丰富，不仅是易懂而且是意味深长，这里的丰富和深入也仍然指的是艺术的精湛。历史上也有过这样的一些作品，形象的感染力很强，而思维的概括性却很弱，例如一些艺术感很浓而艰深费解的诗篇。这些诗篇所含有的思想性也许较强，也许较弱，总之语言表现上都是朦胧的，具体的例如李贺某些作品。这也就是说深入而不浅出。

诗歌是语言的艺术，而艺术的主要特征就是富于形象；诗歌语言能不能够深入形象的领域，事实上关系着诗歌能否充分地占领它的艺术领域。但是语言首先又是建筑在概念基础上的，这也就要求深入浅出的高度统一。诗歌语言为了适应这个要求，因此形成它自己特殊的语言形式：一种富于灵活性、旋律性的语言，以便于丰富的想象与清醒的理性、直觉的感性与明晰的概念之间的反复辩证交织，一种仿佛带有立体感的语言，明朗不尽，而不是简单明了。也正是这内在的要求，才形成它外部完整统一而有节奏感的形式。诗歌的节奏形式并不是外加的装饰品，也不是仅仅为了易于背诵这样一种简单的目的。单纯地强调这一目的，将无法来解答如下的一类问题，例如戏剧中的台词为什么就不需要容易背诵呢？而要获得诗歌语言中的这一切，就必须在辛勤的创作实践中逐步探索，逐步成熟，它是在日常习见的语言基础上不断地集中提高而孕生的，这需要历史的岁月。

在以文言为基础的诗歌语言达到了最成熟的阶段，在以封建社会上升发展为基础的现实生活也同时达到了最健康的阶段，唐诗便出现在这一历史高峰上。此后不但封建社会走向下坡路，必然影响着原来诗歌的发展，而且就语言本身来说，唐以后也更多地出现了所谓古白话，这说明文言已逐渐地要更加远离生活语言，原来在这文言基础上所凝炼成的诗歌语言，也就将要从成熟的高峰走向僵化与衰老。唐诗恰恰出现在这社会发展与诗歌语言发展都是古代历史上最好的时刻，这正是一个春风得意、开花结果的季节。它超过了以前，也超过了以后的一段时期，我们今天来回顾一下这段历史事实，将是不为无益的。

一、诗歌语言的诗化过程

唐代是五、七言诗全盛的黄金时代，而五、七言的成熟发展却是一个漫长的过程。这也就是它的诗化过程。首先五、七言是从当时的日常散文中提炼出来的，而它又不完全同于作为基础的散文，这不但是在形式方面，而且涉及语法和词汇，整个都要求更为诗化。事实上远在四言诗全盛的《诗经》时代，五、七言就已零星地出现。如《召南·行露》中的一节：

谁谓雀无角，何以穿我屋；谁谓女无家，何以速我狱。虽速我狱，室家不足。

又如《左传·襄公三十年》：

舆人诵之曰："取我衣冠而褚之，取我田畴而伍之，孰杀子产，吾其与之。"

《礼记·檀弓》下：

> 成人曰："蚕则绩而蟹有匡，范则冠而蝉有緌，兄则死而子皋为之衰。"

如"彼其之子，美如英"(《魏风·汾沮洳》)、"交交黄鸟，止于棘"(《秦风·黄鸟》)，然而这些偶然的五、七言句子，乃是自发的而非自觉的；它只是作为四言的例外，并没有引起人们多大的注意或运用。这是要等到五、七言被公认为典型的形式之后，回过头来才有可能认识得到的。

诗坛上有意识地要打破四言的规范，则是由楚辞才真正开始。而要达到这一目的，就要重新从日常习见的散文语言中创造诗歌的语言，这也就是诗歌由散文化而走向诗化的新的过程。这是一个富于创造性的全新过程，当然可能出现高度的诗歌语言，但是作为一个诗坛的普遍成熟现象，楚辞却不代表一个成熟的诗坛；虽然出现了像屈原那么成熟的伟大诗人，然而除了屈原之外，楚辞又几乎就没有什么真正成熟的诗人，以至于我们说楚辞或说屈原就几乎成了同义语。楚辞作为诗坛来说，它只是更为成熟的五、七言诗坛的陌生的先驱。楚辞的作家没有几个人，楚辞的作品不过几十首，既没有像它之前的四言诗坛那样遍及十五国，普领风、雅、颂的局面，也没有像它之后的五、七言诗坛那样一两千年来囊括诗国的盛况。

楚辞因此实际上正是从四言发展到五、七言之间的一个桥梁，它本身却不是一个统一的普遍的形式。它一方面打破原有的四言，一方面则促进了未来五、七言的发展。楚辞因此既有散文化的过程，又有诗化的过程：散文化是为了打破四言旧有的局面，使之与当时的日常的生活语言更为接近；诗化是为了在这新的语言基础上重新建立统一的有普遍意义的诗行。楚辞是在先秦诸子散文高潮的基础上出现的[1]，它经过了散文化与诗化的过程，一方面在语言上出现了更为丰富的形象性、骈俪性，一方面也出现了全新的通篇形式完整的《国殇》《山鬼》的诗行。这诗行的本质是以“三字尾”代替四言诗的“二字尾”，也就是说它的本质是“三字节奏”，其直接影响则是汉代七言诗的初步形成。

七言诗行与楚辞的关系，表面上可有两个线索：一是由于把《诗经》的句子放长一倍而产生的，如《橘颂》“后皇嘉树橘徕服（兮）”，省掉了“兮”字就成为七言。再如《天问》中的许多句子就更显然，像：“遂古之初谁传道（之），上下未形何由考（之）”“师望在肆昌何识？鼓刀扬声后何喜”。另一条线索就是经由散文化而诗化的全新的“×××兮×××”的形式。由后者所产生的七言诗，最初常常以“三三七”的形式出现，一方面显示着楚辞所创立的“三字节奏”的本质，一方面正是中央的“兮”可以省掉也可以变成实字的两种可能性的表现。这种形式直到今天的快板中还存在着。先秦两汉谚语中偶然出现的七言句子，多半是属于前者；而汉乐府中出现的早期七言诗则正是属于后者。如《相和曲》中的《薤露》《蒿里》《平陵东》等，《铙歌》中的《战城南》《君马黄》《上之回》等。西汉乐府中七言的大量出现，到了东汉便为五言所替代；

[1] 详见拙作《从〈楚辞〉的断句说到〈涉江〉》《〈九歌〉不源于二南》等文。

而在西汉，则反而是七言多于五言的。

这一突出的现象，生动地说明着早期的七言诗乃是直接源于楚辞的。至于五言，则是楚辞的三字节奏与《诗经》的二字节奏的结合，在《诗经》原有传统和长度上，它比起七言来在早期就更容易被接受。然而作为它的节奏基调的"三字尾"，则与七言同样是来自楚辞诗化的结果。"蒿里谁家地？聚敛魂魄无贤愚"，说明五、七言自始便是同源的，因此也就能够长期并存，成为繁荣唐诗的基本形式。

事实上诗化的过程并不是以五言形式的成熟而达于最高峰，五言诗的成熟带来了建安时代的高峰，而更高峰则要到七言诗也继之成熟的唐诗的黄金时代。这之间相隔约四百年。在这期间，五言诗凭借着成熟了的形式，它的诗化便集中在语言的形象化上。

这个诗化的过程席卷了魏晋六朝约四百年的文坛，当时的文以及赋，都随着这诗化的过程而逐渐与诗相近。从王粲的《登楼赋》到庾信的《哀江南赋》，赋的内容和语言几乎都是环绕着诗的中心而发展的，像庾信的《春赋》则简直就是七言歌行了。而更突出的则是文的诗化。六朝骈文的盛况在文学史上乃是空前绝后的，但到了诗化过程成熟而百花盛开的唐代，赋和骈文反而是奄奄一息地近于尾声，这当然与六朝作家们的阶级和生活有关。然而唐代并不是没有赋和骈文，却是缺少有创造性的清新佳作，像《登楼赋》《哀江南赋》《北山移文》，以及骈散间行的《水经注》《洛阳伽蓝记》等那样的作品，在唐代竟是不可复见。而到了宋代，则不但文恢复了散文的原状，连赋也是以近于散文的姿态出现了。这些前后发展现象的对照，证明六朝骈文的突出现象，主要乃是环绕着诗歌语言急剧发展过程中的一种波澜，等到这个过程完成，这个现象也就成了尾声。

至于唐诗本身当然更是丰富了深入了诗歌语言的领域，但那已是在成熟的基础上更上一层楼了。这里事实上还存在着从日常语言中来又回到日常语言中去，一种否定之否定的辩证发展。如果说六朝还是在刻意追求诗化的阶段，则唐诗便已到了炉火纯青从心所欲不逾矩的境地，这当然是更高的阶段，却已经超越了追求诗化的过程。正是由于自建安以来这追求诗化的过程中，同时需要从来自散文的语言中大力地提炼出诗的语言，这才有可能同时也带动了散文本身的诗化倾向。这倾向为诗歌语言打下了更为广泛的基础，而它的尾声，也就是诗歌语言的真正成熟。这所谓成熟并不是指某个作家或某篇作品说的，而是指时代的普遍语言水平——在这个水平上，作者只要有真正的生活内容，就能够获得充分的表现。

唐代诗人们的普遍成就，固然首先决定于他们的生活内容和时代的精神面貌，这将在另文中详论；但是如果缺少了这时代的语言水平，也就难于顺利完成那诗歌的繁荣事业。并不是每个好的内容都天生会成为好诗，每个有生活的人就都是杰出的诗人，或深刻的思想性便必然带来优秀的艺术性。当然，二者之间的关系是密切的，我们应当非常重视思想和生活内容所起的决定性作用；但也同时要充分理解到，作为典型的语言艺术的诗歌，语言对于它来说又是如何重要的一面。

语言的诗化，具体地表现在诗歌从一般语言的基础上，形成了它自己的特殊语言，这突出地表现在散文中必不可缺的虚字上。如“之”“乎”“者”“也”“矣”“焉”“哉”等，在齐梁以来的五言诗中已经可以一律省略。这绝不是一件简单的事情。我们只要试想想在今天的白话诗中如果一律省掉相当于其中一个“之”字的“的”字，将会感到如何的困难和不自然，便可知了。

这纯粹是一个诗歌语言的问题，在散文之中从来没有发生过这样的现象。而某些字能否省掉不过是测量语言的精炼性和灵活性的一个见证而已。散文中的虚字既不止于上述那些，而诗中能省掉的也不止于虚字，像“妖童宝马铁连钱，娼妇盘龙金屈膝”这类诗中常见的句法，就一律都没有了动词，像“一洗万古凡马空”这样的名句，也只能是诗中的语法。事实上这是一些构成语句时通常必须的字的大量精减，然而却丝毫不感到不方便，也不感到不自然，相反更集中、更灵活、更典型。这是一个高水平的提炼，乃成为语言诗化发展中的一个标志。

有这个标志和没有这个标志是不同的，尽管唐代诗歌的成就，古体也许比近体还要更高些；然而这个标志的意义，仍然说明着诗坛上掌握语言的普遍水平。有这个水平和没有这个水平是不同的。葛立方《韵语阳秋》说“大抵欲造平淡，当自组丽中来。落其华芬，然后可造平淡之境。如此，则陶、谢不足进矣”。所以苏东坡评陶渊明诗，说它是“质而实绮，癯而实腴”“初看若散缓，熟看有奇句”（见《与苏辙书》及《冷斋夜话》）。黄山谷也说“至于渊明，则所谓不烦绳削而自合者。虽然，巧于斧斤者，多疑其拙”（《题意可诗后》）。可见即使表面上古拙平淡的作品，也并不真的就是古拙或平淡，这里显然是各有千秋的。自然，这更不意味着是说，近体诗出现之前，古体中的语言水平就没有很高的。

前面已经说过，这只是说明一个时代诗歌语言的一般水平，达到这个水平不过是个起码条件，真正杰出的诗人自然永远是会高出于一般水平的。可是诗坛高度的繁荣却正是以一般水平为基础的，唐代诗歌不易企及的原因之一，正是这诗歌语言成熟发展的结果。唐代诗人们的天才能够如鱼得水地获得那么充分的发挥，离开了时代的水平是不可想象的，难道其他时代的诗人们就那么缺少天才吗？

诗歌语言诗化的过程，不止是语言的精炼灵活而已，更重要的是形象性的丰富。展开对于形象的捕捉，活跃诗人们的形象思维，最广阔的天地便是大自然界的景物，这也就是大自然的对象化。从曹操的《观沧海》起，诗歌开始把内心丰富的思想感情通过自然界的景物集中地表现出来。自然景物从《诗经》时代作为起兴的语言发展着，这时便开始进入诗歌的全部领域中。这就加深了语言的形象性和丰富性，于是逐渐促进了山水诗的进一步发展。

当然，诗歌语言的形象性并不完全依靠自然景物，但山水诗的活跃无疑地促进了这个发展，而成为形象语言的新的标志；到了隋唐前夕，这方面的创作经验已经由陌生而达于得心应手，其熟练程度从用典的情况上可以见其端倪。诗文中的用典，原是为了精炼概括、借古喻今，把复杂的涵义通过简单的典故表达出来，如“钟仪幽而楚奏兮，庄舄显而越吟”（王粲《登楼赋》)。典故中的形象主要是靠故事中原有的人物形象，如果典故中原来没有故事性鲜明的人物形象，也便没有形象而容易流于枯燥、堆砌。

山水诗发达以来，典故中的形象便开始不完全依靠原有的故事性，而能直接取之于生活环境中一切自然界的色相，这在用典上就开辟了新的领域。庾信是这方面的集大成者，他在用典上有“红阳、飞鹊、紫燕、晨风”之例。这是《华林园马射赋》中引用的四匹名马的典故，从典故上说无非借来赞美那都是名马，这本来很容易堆砌，但是这里却通过新的组合，带来了朝阳晨风中鲜明飞动的形象的交织。与此类似的如“朝阳落凤，大野伤麟”(庾信《思旧铭》)，把原来并没有形象的老典故非常新鲜地形象化了。至如：

龟言此地之寒，鹤讶今年之雪。

——庾信《小园赋》

这里原也是用典，但是冰裂之于龟纹，飞雪之于鹤毛，这形象上的联想，就加深了冰天雪地的感受。在用典时尚且如此，不用典时自然就更能随手俯拾，都成妙语。如：

霜随柳白，月逐坟圆。

——庾信《周骠骑大将军开府侯莫陈道生墓志铭》

霜之白与柳之白，月之圆与坟之圆，触类兴感，便无往而非会心的联想。至如：

一寸二寸之鱼，三竿两竿之竹。

得来得那么容易，已到了天衣无缝的地步，所谓“雪高三尺厚，冰深一丈寒”(庾信《正旦上司宪府》)，“一丛香草足碍人，数尺游丝即横路”（庾信《春赋》），这些无足轻重的数字，也都起了鲜明的作用。然而这容易却是从平日的千辛万苦中得来的，正如优秀的跳高运动员，当其飞越横杆的一刹那，何等轻快。然而这轻快正是一段长期艰辛过程的结果，没有那个艰辛，这轻快就不会到来，而且愈是跳得高的时候，姿势就必然由于高度的正确性而愈显得轻快。这就造成一种错觉，最高的技艺仿佛反而是自然而不费力的。“大匠运斤”不动声色，我们赞美那不见斧凿痕迹的佳作，却很少想到这是怎么得来的。

当然，诗歌中也真有近乎“天籁”的作品，这“天籁”是被认为只可偶得而无从掌握的。事物间本来也会有偶然性和巧合性，然而我们如果不能掌握其间真正的必然性，而只凭偶然与巧合，那“天籁”就真成为可遇而不可求的东西了，唐诗的繁荣岂不将如守株待兔吗？事实上即使民歌中天籁的作品，也往往是在集体流传中经过千锤百炼地不断修改才成熟的。当然，六朝还是那斧凿痕迹宛然尚在的阶段，就是庾信后期的作品，也还不免于此。如：

露泣连珠下，萤飘碎火流。

——庾信《拟咏怀》

自是难得的佳句，也还不能说是“大匠运斤”。“大匠运斤”自然还要求更为深厚的生活内容与艺术的统一；但仅就艺术语言而论，它的艰辛过程，也非一朝一日之事。我们并不欣赏斧凿痕迹太露的作品，更不赞成为了艺术性的追求而不重视思想性的现象，自然尤其没有必要再重演六朝这一段“绮丽不足珍”的过程。我们对于古人的经验，也是只能批判接受的。何况高度的思想性只会有利于艺术性而不会不利于艺术性，庾信后期的作品就是实例。至于艺术性更不是什么可怕的东西，连杜甫都要“颇学阴何苦用心”，而这并无伤于杜甫的伟大和思想性。

诗歌语言的成熟，无论主观上怎么想，客观上乃是经过了长期累积、辛勤的创作实践和探索才获得的。从建安到隋代的诗歌语言的发展，正是为唐诗铺平了道路；正如三峡的艰险，造成长江出峡后一泻千里的壮阔局面。唐诗到了初唐四杰，已经在这诗歌语言成熟的水平上，初步进入春风得意的阶段，像杨炯的《骢马》：

帝畿平若水，官路直如弦。夜玉妆车轴，秋风铸马鞭。

“夜玉妆车轴”还有残余的痕迹，“秋风铸马鞭”则已非六朝诗歌语言的面目了（本句中“秋风”一作“秋金”，自然要逊色些，但也非六朝人语）。至于到了“此曲有意无人传，愿随春风寄燕然。忆君迢迢隔青天，昔日横波目，今成流泪泉。不信妾肠断，归来看取明镜前。”（李白《长相思》）诗国语言的高潮便已无需更多的凭证了。这深入浅出的歌唱当然与唐代的现实生活是分不开的，而且首先是生活决定了它的语言表现；但是这语言却能如此好地为生活服务，这便仍是语言本身的问题。

从建安时代到了这个时期，语言的诗化过程经过了约四百年才水到渠成。这是时代使然，也是语言自身发展的内部规律与作家们的实践使然。在我们今天的时代里，这过程当然是可以大大缩短的。从白话散文中建立成熟的诗歌语言究竟要有多长的时间，这主要看我们自己如何努力，然而过程总是需要的，一下子就要求诗歌语言的普遍水平臻于成熟，是不现实的。日子是过得飞快的，从五四以白话为基础的新诗运动开始，已经有了约半个世纪的历史，却是还没有一个普遍为人们所掌握的，相当于文言中五、七言那么成熟的新的诗歌形式，而诗歌形式的成熟不过是语言诗化的最表面的一个标志而已。

二、生活的语言与语言的丰富性

隋唐的统一、南北文风的交流，是唐诗语言成熟的社会条件，这首先就表现在诗歌形式的进一步成熟，七言诗开始进入了全新的局面。如前面所说，五言乃是介于四言与七言之间的形式。在五言形式成熟的魏晋六朝时期，四言形式虽已过时，但还是相当活跃的，曹操的杰作以四言更为突出，陶渊明的《停云》《时运》也都是新鲜完美的篇章。特别是以四言为基调的骈文、赋、铭等，这时都随着五言诗的发展一齐发展，颇有平分春色的趋势。可是七言诗一旦成熟地走上历史舞台来，局面便全然不同，通篇完整的四言好诗便几乎从此不可复得，骈文等也不得不从此步入衰歇，这乃是诗歌语言宣告彻底进入全新阶段的结果。四言已经完成了历史任务一去不复返了，五、七言相得益彰地共领了此后的诗坛，也便在这个时候，出现了唐诗的高潮。

七言与五言比较起来，是一种更显得俚俗而易于上口的诗歌节奏，这是因为五言的上半行还具有四言的节奏性质，所以就更文雅些、持重些。而七言的彻底性正是语言的一种进一步解放，诗歌形式的真正意义本来是一种语言的解放，它的规律性、统一性、节奏性，乃是属于一种掌握法则后的真正自由。而这个法则又是建立在日常语言的现实基础上的。从楚辞开始的全新的语言诗化，到此才达于成熟的高潮。它的明快流畅，也正是它的彻底性的实现，于是一切都显得那么新鲜活泼。这成熟的过程，自然也还有社会原因。

六朝时代是弥漫着贵族气息的，我们只要回顾一下代表门阀全盛的东晋所保存下来的玄言诗，多数正是文雅的四言，也可想见更接近于生活口语的七言，在当时的诗坛上是难得立足的。鲍照以一个代表寒门素族的诗人，通过俚俗的《行路难》等，大力推动了七言诗的发展，然而诗坛上对于如此优异的成就，却并没有应有的反应，这都要等到隋唐统一，基本上结束了门阀制度，才能彻底地改变面貌。但是东晋之后，门阀势力已在逐渐削弱，鲍照之后，七言诗事实上也在一点一滴地发展着，特别在北朝民歌中，情况更远胜于南朝，这些都是文学史上大家所熟悉的，这里就不详加叙述了。

要说明北歌中何以能大量地出现七言诗，则必须知道北朝社会从北魏才开始汉化而习用汉语，因此从制度、文化到语言，都在新鲜开始的阶段，具有强烈的吸收能力和可塑性，推动着一切飞速地发展着。同时游牧生活中所带来的豪爽单纯的性格，也必然影响着语言的风格，七言本质上即更单纯更彻底的“三字节奏”诗行（这从“三三七”的关系上也很容易看得出），它比起五言来更为俚俗而豪放的特点，在这里也就更为便于出现。这时南朝的诗歌语言已成熟到万事皆备只欠东风的阶段，北歌便以其从生活语言中来的新鲜活力，仿佛一点催化作用，把它推向高峰。

七言诗在这南北文风交流的高潮上，就如一个翻江倒海的弄潮儿，成了天之骄子。北朝作家温子昇的《捣衣诗》，所谓“蠮螉塞边逢候雁，鸳鸯楼上望天狼”，前人评之为“直是唐人”，这便是南北文风交流的先声。而南朝作家则从学写七言的《燕歌行》开始，“妙尽关塞寒苦之状”，也为唐代的边塞诗打下了基础。诗歌语言到此，便真正进入了“深入浅出”的天地，像“弯弯月出挂城头”（岑参《凉州馆中与诸判官夜集》）、“北斗七星横夜半”（沈佺期《古歌》）、“楼前相望不相知”（卢照邻《长安古意》）、“一贵一贱交情见”（骆宾王《帝京篇》），这么接近于生活口语而又如此形象的语言，便是唐诗语言上最不可及之处。

唐诗语言是高度诗化的，又是日常生活的，这种语言更深的基础，则是唐人的现实生活。唐代从分裂中获得统一，又摆脱了六朝门阀势力的残余，使得唐帝国如日之方中走上古代封建社会的高峰，一种生活的信念、高瞻远瞩的气概、青春的旋律、少年人的精神，朝气蓬勃地展现在眼前。所谓“海日生残夜，江春入旧年”（王湾《次北固山下》）、“不知细叶谁裁出，二月春风似剪刀”（贺知章《咏柳》）。丰富而健康的生活气息，反映着时代的生活本身就近于诗。

扬州时有下江兵，兰陵镇前吹笛声。夜火人归富春郭，秋风鹤唳石头城。

——王维《同崔傅答贤弟》

新丰美酒斗十千，咸阳游侠多少年。相逢意气为君饮，系马高楼垂柳边。

——王维《少年行》

这些生活的画面，只能是唐人的；这种诗歌的语言，也只能是唐代的。如果说先秦时代曾经是百家争鸣的时代，唐代便是一个百花齐放的时代，音乐、舞蹈、绘画、雕刻、书法，无一不在向顶峰发展，以不同的表现形式鼓舞着生活，这就必然带来了对于新鲜事物的敏感，丰富了生活中想象的飞翔。唐诗的语言不过是唐代文化生活中最有代表性的一个组成部分而已，它是诗的，也是生活的；其不同于一般的语言，只是它更为深入于形象的领域。

语言的诗化，正如语言本身所具有的，可以分为两个方面：一是它的语法，一是它的词汇。以前者为基础的如五七言形式的成熟、虚字的可以省略、新鲜的表现手法等，使得语句更精炼、更自然、更解放；而后者则是它丰富的词汇。这些词汇是在诗歌创作实践中形成的，也是基于生活而形成的。一个诗人写一首诗，很少同时都由他自己来创造诗的形式、诗的语法、诗的词汇等，而是基于前人以及他自己在这方面所累积的无数成果而创作的。杰出的诗人之不同于一般人，往往在于他更善于吸取累积的成果而进一步加以创造性的运用，从这个意义上说，一首成熟的诗歌，可以说既是个人的又是集体的收获；而词汇的累积，则更非一朝一夕之事。

所谓诗的词汇，并非在生活的词汇之外另外有什么词汇。那种词汇也是偶然有的，则近于典故的性质（当然也不完全同于典故），如金波之为月光，银海之为雪景，芙蓉之为羽帐，玉箸之为眼泪等，写诗时虽可以适当地用这些，究竟主要不能依靠这些，正如写诗主要不能依靠典故一样。诗歌中的形象最好是直接从事物本身得来，所以《诗品》说："'思君如流水'，既是即目；'高台多悲风'，亦惟所见；'清晨登陇首'，羌无故实；'明月照积雪’，讵出经史？观古今胜语，多非补假，皆由直寻。”这至少说明了最平常的真理。而诗坛的普遍繁荣，正是要建立在这最平常的真理之上的，可是一般生活语言中的词汇怎样能成为富于诗意的词汇呢？这仍然是与实际生活分不开的。

中国封建社会从汉帝国发展到唐帝国，虽然经过是曲折的，成熟的程度有所不同，但是都属于封建社会的上升阶段，生活的基本内容是相同的。这种生活内容五百年来没有发生剧烈的变化，只是更成熟地走向封建社会所能达到的高峰而已。在这样长年累月的生活中，累积了生活经验，也累积了生活感受，仿佛一个住了几十年而没有剧烈变化的家乡，其中一木一石，都能唤起生活中丰富的感受和联想。

秦时明月汉时关，万里长征人未还。但使龙城飞将在，不教胡马度阴山。

——王昌龄《出塞》

这个“月”、这个“关”、这个“山”，从秦汉一直到唐代，其中累积了多少人的生活史，它们所能唤起的生活感受的深度与广度，有多么普遍的意义！正是这样，这首诗才能如此形象地典型地被歌唱出来。且不说一首完整的诗，就仅仅“关”“山”“月”三个字连在一起，也会产生相当形象的联想，这难道不是唐人普遍的感受吗？至如：

杨柳青青着地垂，杨花漫漫搅天飞。柳条折尽花飞尽，借问行人归不归。

——无名氏《送别》

这个“柳”又是何等地为生活所熟悉。然而诗化的过程也不单纯是生活的熟悉，正如上层建筑与基础的关系一样，一个民族心理和特征的形成，虽决定于它的生活，也渊源于它的文化传统。从《小雅·采薇》的“昔我往矣，杨柳依依”，到《古诗十九首》的“青青河畔草，郁郁园中柳”，“柳”的形象开始是偶然地而非很普遍地在诗中出现，然而“柳”已经与“春天”、与“游子”结下了不解之缘，逐步地深入生活。《三辅黄图》说：

灞桥，在长安东，跨水作桥。汉人送客至此桥，折柳赠别。

陶渊明则自称为五柳先生，王恭则被人称道为“濯濯如春月柳”。而“柳”在诗中大量的出现，则仍要到北朝《折杨柳》歌辞出现之后。接着隋、唐进入了统一，随着春风得意的时代，随着游子以至边塞的生活，“柳”就成了生活中最富于诗情画意的联想，它是生活也是诗的语言。直到今天我们还有“五九六九，沿河看柳”的生活谚语。如果说这也可以算是广义的民族形式，我们所能学习的就更多了。对于这些词汇，我们只要再想想古人诗中的“酒”和“剑”，所谓“检书烧烛短，看剑引杯长”（杜甫《夜宴左氏庄》），再想想我们今天日常生活中相当的事物，有哪一件能那么富于生活中的诗意。茶固然没有能代替酒的地位，纸烟也还没有能形成诗的语言，至于武器自然更没有一件可与古代的剑来相比。其他如相当于自行车的古人的马、相当于塑料袋的古人的宽大衣袖，在古典诗歌中都成了富于形象的诗的词汇。而“江暗雨欲来，浪白风初起”（何逊《相送》）、“夜雨滴空阶，晓灯暗离室”（何逊《临行与故游夜别》）、“寒雨连江夜入吴”（王昌龄《芙蓉楼送辛渐》）、“鸬鹚山头微雨晴”（李颀《送刘昱》），一直到“清明时节雨纷纷”（杜牧《清明》）、“江雨霏霏江草齐”（韦庄《台城》），这个雨也不过就是普通的雨，然而到了诗歌语言中它又逐渐成为多么富于联想的一个词，而它的丰富性、普遍性，也是直到唐代才更为突出的。所谓：

渭城朝雨浥轻尘，客舍青青柳色新。劝君更尽一杯酒，西出阳关无故人。

——王维《送元二使安西》

正如上文中提到的“关”“山”“月”，这里的“雨”“柳”“酒”“关”这些词语的出现，也就无怪乎它之成为最富于感染力的赠别诗了。更何况那“音尘”的丰富联想，所谓：

青阳二三月，柳青桃复红。车马不相识，音落黄埃中。

——谢尚《大道曲》

而“客舍”的旅人之情，“青青”的欣欣生意，与那最后二句的巧妙构思，交织成阳关三叠的歌唱。而从此“渭城”也就又被赋予了鲜明的诗意，所谓：

僧寻野渡归吴岳，雁带斜阳入渭城。

——韦庄《汧阳间》

这样诗与生活的反复交织充实着、丰富着诗的词汇。唐代诗人们以豪迈的生活信念、对新鲜事物的敏感，吸取着、创造着这些词语，这就使诗歌的语言步入更为深入浅出的天地。唐诗的高潮正是在这样创造性发展着的情况下涌现的。这里既无典故，也无堆砌，既无所谓模拟，也无所谓雕琢，仿佛生活本身就已经是诗了。当然有了新鲜丰富的词汇，也不一定都能写成好诗，唐代的坏诗也并不很少。决定好诗的仍然是它的思想感情，与艺术造诣，这造诣是一种无形的素养，而不是具体的仿效；是置身于创造性行列的最前列，而不是意在拾取现成的。然而语言既是诗歌创作的唯一凭借，也就直接影响着诗坛的水平，而词汇的丰富过程也便正是唐诗语言诗化的又一过程。这里随手所举的例子，不过取其说明问题时的方便而已，点点滴滴、东鳞西爪，自然是极不全面的。

本文仅暂就唐诗在语言方面的成就，初步提出以上这些问题供大家参考，意见是极不成熟的。至于面对着我们今天的诗坛，将要出现什么样的诗歌形式，以及诗化的语言和词汇等，则只有通过我们辛勤的创作实践才能回答。过去的经验至多也不过是借鉴而已，民族形式的涵义也绝不会是历史原样的重演。时代发展了，生活发展了，语言发展了，新的道路是要人来探索的。新诗有着自己广阔的天地，让生活的步伐、广播的喇叭，以及时代中种种新的事物，进入我们的内心，飞翔起形象的翅膀，化为诗的语言，我们的诗坛终会有一天将放出比历史上任何时代更为光芒四射的异彩。

1963年11月4日

（原载《文学评论》1964年第1期）

唐诗的格律

唐代是中国古典诗歌最繁荣的时期，以中国古代文学语言——也就是文言——为基础的诗歌形式，到唐代也发展到非常完备的阶段。五古、七古，五律、七律，五绝、七绝，是这一时期的主要形式，这也就是所谓五、七言的时代。属于上古时期的四言的形式，这时只偶然在乐府里出现。唐代的乐府基本上也是五、七言的，四言只是一种余波而已。例如古乐府《独漉篇》，原本是四言的：

独漉独漉，水深泥浊。泥浊尚可，水深杀我。

到了李白的《独漉篇》就变成了五言：

独漉水中泥，水浊不见月。不见月尚可，水深行人没。

可是李白的《独漉篇》中也还有一部分四言的诗句，例如：

罗帏舒卷，似有人开。明月直入，无心可猜。

这也是李白的名句，可见四言的形式到了唐代并非就不能产生优秀的作品；然而这到底是一种例外的情况，而且整篇的四言诗也到底是难于出现了。至于四言诗之后的楚辞形式，在唐代也偶然出现，例如王维的《鱼山神女祠歌》《登楼歌》《赠徐中书望终南山歌》等都是一些名篇，所采用的正是《九歌》的形式，其中《赠徐中书望终南山歌》是一首短诗，现在引在这里：

晚下兮紫微，怅尘事兮多违。

驻马兮双树，望青山兮不归。

通过这些，又仿佛楚辞的形式忽然活跃起来，而事实上这也都只是一些偶然的例外而已。我们知道有这些例外的现象，也就更知道五、七言以压倒的优势成为唐诗的主要形式，并不是由于禁止其他形式的出现，而正是百花齐放自由竞赛的结果。诗人们普遍地选择了五、七言形式，而且创造性地丰富了、充实了这个形式，这乃是诗歌发展规律上的自然趋势。

五、七言的形式到了唐代，有了古体、绝句、律诗（通常即指八句的律体诗）等体裁。此外，还有不很发达的五言长律，一般又叫排律，这一体裁实际上是齐梁诗歌的残余。齐梁时代重骈俪，诗歌常是每两句构成对子，一直这样对下去（末后两句可除外）。这到了唐代就变成了长律，所不同的是，齐梁时代还没完全掌握平仄的规律，所以这方面是不甚严格的。可是我们都知道唐诗对于齐梁以来的诗歌是批判接受的，从内容到形式都要求比齐梁更自然，更雄健。因此，这种完全脱胎于齐梁的较为文弱的长律，在唐代除了应试或应制外是不发达的，或者可以说几乎没产生什么优秀的作品。唐诗的主要成就，是古体、绝句和律诗。

先说律诗，这是在形式上比较复杂的一种体裁，它分为五律和七律，是一种通体五言或七言而格律谨严的八句诗（或说八行诗）；古典诗歌由于每一诗句的节奏极明显，写起来用不着分行，实际上每一句就是一个完整的诗行。这八句诗的结构分为两个部分，中间四句是骈偶句，必须用对仗；首尾四句是不必用对仗的，当然如果自然而然对上了也是可以的。杜甫的《春日忆李白》：

白也诗无敌，飘然思不群。清新庾开府，俊逸鲍参军。渭北春天树，江东日暮云。何时一樽酒，重与细论文。

这里我们如果把首尾四句连起来念，“白也诗无敌，飘然思不群。何时一樽酒，重与细论文”。往往就正是这首诗鲜明的主题，而中间四句偶句则是丰富这个主题的，前者仿佛是骨干，后者仿佛是肌肉或枝叶。律诗中写景的名句因此往往多出在这里。这种律诗之所以比长律好，就在于长律的偶句太多，往往产生肌肉或枝叶太多的现象，而律诗则分配得恰好。

无论律诗还是长律，末后两句一般都不用对仗，这是因为对仗的偶句不宜于做有力的结束语。但是偶然也有例外，如杜甫的《闻官军收河南河北》：

剑外忽传收蓟北，初闻涕泪满衣裳；却看妻子愁何在，漫卷诗书喜欲狂。白日放歌须纵酒，青春作伴好还乡；即从巴峡穿巫峡，便下襄阳向洛阳。

这是杜甫在四川梓州听见战乱平定的消息打算回到洛阳去的诗。“剑外”就是剑阁之外，也就是指四川一带。“剑外忽传收蓟北，初闻涕泪满衣裳”，写悲喜交集。“却看妻子愁何在，漫卷诗书喜欲狂”，写定了定神之后，高兴得了不得。这是广德元年春天，眼前是升平气象，大好春光，所以说“白日放歌须纵酒，青春作伴好还乡”。那么怎样还乡呢？诗人已经迫不及待地做好了旅程的计划，那就是“即从巴峡穿巫峡，便下襄阳向洛阳”。我们这里要谈的就是，这末后两句是偶句，一般来说是收不住的，可是杜甫诗里却通过这种特殊的“流水对”一气呵成，做出了精彩有力的收尾，这在掌握律诗的功夫上是出奇制胜、难能可贵的。

可是仅仅符合了对仗的规律并不就算是律诗，例如杜甫的另一首诗《望岳》：

> 岱宗夫如何？齐鲁青未了。造化钟神秀，阴阳割昏晓。荡胸生层云，决眦入归鸟。会当凌绝顶，一览众山小。

这里中间四句也是偶句，却叫作五古而不叫作五律，原因就是律诗还有另一条平仄的规律，而这首八句诗并不遵守，所以不是律诗。平仄的规律也是从齐梁时代就开始酝酿的，那时候叫作四声八病，即主要通过四声规定出八条戒律，这八条戒律的中心要求就是避免单调的重复。到了唐代就总结成一条平仄的规律，遵守这个规律，我们就觉得音调更谐调顺口，抑扬之间仿佛平静的海浪一样，谐和地起伏着。平声包括相当于我们今天所说的第一声和第二声，例如“欺”“旗”；仄声包括相当于我们今天的第三声和第四声，还有古音中较为短促的入声，例如“起”“器”（“漆”）。平声字较高，而且是可以拉长音的，所以比较明亮爽朗；仄声字较低，是不能拉长音的，所以比较低徊沉郁。律诗一般都用平声韵，其原因也就在此。由平仄均匀的起伏可以组成下列四种诗句：

五言诗	七言诗
仄仄平平仄	仄仄平平仄仄平
平平仄仄平	平平仄仄平平仄
仄平平仄仄	仄平平仄仄平平

平仄仄平平　　平仄仄平平仄仄

但是为了运用时更为灵活变化，在这些标准诗行的基础上又有一条变通的法则，就是“一三五不论，二四六分明”，也就是说诗句第二字、第四字、第六字的平仄是必须遵守标准规律的，而第一字、第三字、第五字则不妨灵活运用，这就自然形成一种更简化的规律，从而把四种诗句合并为两种诗句，如果我们把那可以灵活运用的字用○来表示，那么就是这样两种：

五言诗　　七言诗

○仄○平○　　○仄○平○仄○

○平○仄○　　○平○仄○平○

当然叶韵诗句的末一字前面已经说过，一般都是平声字，那么不叶韵诗句的末一字自然一般就都是仄声字。这简化的规律可以更清楚地显示出平仄是要轮替出现的这一基本法则。这二四六仿佛是把一个东西用几个按钉在几点上固定下来，那么其他纵有出入也就相去不远了。当然在写诗的时候，真是在二四六上偶然有一星半点的出律，也还是不深究的，但那只是作为例外罢了。

句与句之间平仄的关系，规律是把每两句作为一对，如果第一句的二四六是仄平仄，那么第二句的二四六就是平仄平，这字音上平仄的对仗同时又是结合字义排偶的对仗而来的。排偶的习惯是以空间对空间（例如天对地、远对近……），时间对时间，花对草，鸟对鱼，实际上是一种相近事物上的门当户对，而平仄则是以一种相远的姿态出现，也就是说以不同性质的声调来对立变换。这样就调剂了那相近的重复，不落于单调。至于每一对诗句与相邻的一对诗句之间，则是相邻两句（例如第二句与第三句）的二四六完全相同。这里乃是相同性质声调的重现，这也由于第三句在字义上是另起一联，它与第二句的关系仿佛是跳得远些，在平仄上就要求更为相近。所以，如果不符合于这种相近的要求，就叫作“失粘”。

律诗就是这样一般以对偶与平仄的讲求成为它的特色。可是例如崔颢的《黄鹤楼》：

> 昔人已乘黄鹤去，此地空余黄鹤楼。黄鹤一去不复返，白云千载空悠悠。晴川历历汉阳树，芳草萋萋鹦鹉洲。日暮乡关何处是？烟波江上使人愁。

格律就是不谨严的，但它却是七律的杰作。据传说大诗人李白曾经登黄鹤楼，看见眼前的优美景致，诗兴大发，可是抬头看见了崔颢的这首题诗，他想来想去也想不出更好的诗句来，最后他只得写了两句：“眼前有景道不得，崔颢题诗在上头。”可见即使最好的律诗，也不一定就是平仄排偶上最严格的律诗。

唐诗以盛唐时代为代表，这是唐诗发展的最高潮，可是盛唐诗歌的主要成就却并不在律诗上。律诗的写法，前面已经说过，一般是首尾四句比较直接地写主题思想，中间四句则渲染发挥使它更为形象化。这办法当然很好，可是如果每首诗都这样写，那就未免呆板，使思路按照一个固定的步骤来发展，也就容易使思路定型化。例如有人就把律诗八句分为起、承、转、合四个步骤。第一、二两句是“起”，第三、四两句是“承”，第五、六两句是“转”，第七、八两句是“合”。这样每两句就都按照一个固定的步伐迈进一步，是难免拘谨的。唐诗的成就因此更多地是在绝句和古体上。

先说绝句，它是一种四句的民歌体，南北朝的民歌一般就是这样的。所以绝句在唐代常用来歌唱（“旗亭画壁”的故事里所唱的、李龟年在江南采访使筵上所唱的，都正是绝句）。绝句一般也讲平仄，但不是太严格。例如王维的《送元二使安西》：

渭 城 朝 雨 浥 轻 尘，客 舍 青 青 柳 色 新。
（仄）（平）（仄）
劝 君 更 尽 一 杯 酒，西 出 阳 关 无 故 人。
（平）（仄）（平）

这首诗又叫《阳关三叠》或《渭城曲》，是最有名的送别诗。但按照平仄的规律，第二句与第三句应该相同，而这里却是完全相反。绝句中这种情况很随便，只是唐代既然掌握了平仄的规律，使得诗歌更为顺口，在短短的四句里，自然也就要求它尽可能地读起来动听。至于对仗则更是不讲究的。过多的偶句对于以自然流露为主的绝句是不甚适宜的，例如杜甫的《绝句四首》之一：

两个黄鹂鸣翠柳，一行白鹭上青天。窗含西岭千秋雪，门泊东吴万里船。

前人便说这是“半律”而不像绝句。这当然还得叫绝句，只是它偶句过多，所以不是绝句的正格。绝句一般是轻快的，它正像民歌一样，思路十分自然而富于启发性；它仿佛通过一点的启发，便引起了无限的想象。例如王昌龄的《闺怨》：

闺中少妇不知愁，春日凝妆上翠楼。忽见陌头杨柳色，悔教夫婿觅封侯。

这首诗只借春天的柳色这一点启发，就唤起了征人思妇的全部思想情感。再如一首叫《西鄙人歌》（也叫《哥舒歌》）的：

北斗七星高，哥舒夜带刀。至今窥牧马，不敢过临洮。

这里只借一个简单的哥舒翰的形象，就唤起了边塞上整个严肃而苍茫的景象，这实际上就是一首民歌。

所以绝句好像是投一块石子到水里，它不但打起一个浪花，而且还引起了整片的涟漪；又好像是一个插入天空里去的青翠的山峰，我们自然就想起那连绵的山脉。一首绝句只有四句，其所以不嫌短的缘故，就在于一点突破、全面展开；如果没有这个作用，绝句就失去了它的特色。绝句就是这样自然流露而意味深长的一种诗歌形式，也可以说它是一种最单纯的诗：它既不容许过多的加工，也不容许故事的叙述，好像找着了窍门似的，一下子就打开了诗的窗子。这个体裁在唐诗里特别发达，说明唐代诗歌是非常富于启发性的。

古体一般是不讲平仄和对仗的，但是在五古和七古之间，这个情况也有所不同。七古比起五古来这方面的成分要多些，当然那只是自然而然的，并不是规律。在篇幅上，它们一般是长篇，但是也偶有较短的，例如王维的《送别》只有六句：

下马饮君酒，问君何所之？君言不得意，归卧南山陲。但去莫复问，白云无尽时。

再如李白的《乌栖曲》也只有七句：

姑苏台上乌栖时，吴王宫里醉西施。吴歌楚舞欢未毕，青山欲衔半边日。银箭金壶漏水多，起看秋月坠江波，东方渐高奈乐何。

但是总的说来古体中长篇是居多的。

五古的来源较早，从建安以来到齐、梁以前二三百年间都是五古独盛的时代。当然到了唐代，语言可能更通俗些，也更流畅些。可是由于五古的来源较早，所以也保留下一种古朴的风格。一般说来，五古是唐诗中语言最素朴直率的一种体裁。例如杜甫的《自京赴奉先县咏怀五百字》中的名句：

朱门酒肉臭，路有冻死骨。

语言非常简要质朴，不但没有对仗，而且“路有冻死骨”一整句连用了五个仄声字，这也只有五古是会这样的。律诗、绝句固然不能这样，就是七古也做不到这样。而这样也就构成五古这一体裁的特色，这特色使得它更为沉着。因此，五古的仄声韵也用得远比其他体裁多。前面已经说过，仄声字沉着，平声字开朗。律诗一般用平声韵，绝句里七绝也是平声韵，而五绝就有很多仄声韵，例如孟浩然的《春晓》：

春眠不觉晓，处处闻啼鸟。夜来风雨声，花落知多少？

这里也可以看出五、七言之间的不同。五言发达得较早，七言则迟了三四百年，到隋唐时代才发展起来。所以五言就比七言更显得质朴些，古色古香些。特别是五古，它是直接继承较早的古诗传统的，所以从声调到语言的表现手法，都是平实沉着的。杜甫写“三吏”、“三别”、《北征》、《自京赴奉先县咏怀五百字》等这些反映时代苦难的沉痛的诗篇，就多半是采用五古这一体裁。

五古因为形成的时期比较长久，离汉魏乐府的阶段也就比较远。它最初虽然曾从乐府中发展出来，但是更为加工和更为谨严的发展过程使它实际上离开了乐府。唐代的乐府以五古形式出现的较少，例如：李白的乐府诗大部分是七言，而李白的古风用的是五言。这说明五古在唐诗中是最具有古诗风格的一种。它是久已成熟的一种体裁，因此也缺少乐府诗中所常见的杂言的形式，一般都是五言到底。五古一方面是朴质，一方面又比较严肃，形成一种沉着而谨严的风格。这就是五古的特色。

七古比起五古来要年轻得多，它是到了隋、唐才真正发达起来的一种形式，叫它古诗不过是区别于律诗、绝句罢了。而且它是在齐、梁讲究骈俪声律的影响下成长的，在陈、隋间以歌行的形式出现，到了初唐一般还显然带着齐、梁的余波，直到盛唐才完全摆脱了那个影响，成为最豪放的一种体裁。它既是到了唐代才完全成熟，也就自然而然地出现平仄对仗这种属于近体诗的特点，这不是作为一种格律，而是毫无拘束地利用着诗歌语言上这一方面的特点。

七古是从歌行中成长起来的，它与乐府的关系既深，因此在篇中也就允许出现杂言，例如一篇中同时出现五言、四言、三言，甚至于更为变化不定的句法。李白的《蜀道难》就突出地表现了这个特点，再如陈子昂的《登幽州台歌》：

> 前不见古人，后不见来者。念天地之悠悠，独怆然而涕下。

这首诗里没有一句是七言的，但前人也把它列入七古，正因为七古是可以容纳杂言的。但是这种杂言的成分究竟是不占主要的，就在乐府中也是居于绝对的少数。比较多见的是七古中加进了五言，例如岑参的《登古邺城》：

> 下马登邺城，城空复何见？东风吹野火，暮入飞云殿。城隅南对望陵台，漳水东流不复回。武帝宫中人去尽，年年春色为谁来？

这前面四句五言、后面四句七言的形式，曾出现过不少好诗。这里虽然五言七言一样一半，却仍叫作七古。又如李白的《杨叛儿》：

君歌杨叛儿，妾劝新丰酒。何许最关人，乌啼白门柳。乌啼隐杨花，君醉留妾家。博山炉中沉香火，双烟一气凌紫霞。

这里六句是五言，只有末两句是七言，却也叫作七古。

七古更多的成就还在于长篇上，大开大阖的变化、一气呵成的气派，使得七古成为最具有个性解放的一种体裁。一般擅长七古的诗人们在性格上往往都是属于豪放一派的。它特别宜于诗人们驰骋雄健丰富的想象。所谓“黄河之水天上来”这种形象，正是出现在七古之中的。这就是七古的特色。

无论五古或七古，由于篇幅较长，在用韵上都允许换韵。特别是七古，变换的情形更是习见的。

总的说来，律诗富丽，绝句空灵，五古沉着，七古豪放。

当然，这所说的又都只是一般的特点，至于诗人运用起来，随着诗的内容，就还有更多的变化和发展。

（原载《语文学习》1957年9月号）

李白的艺术成就

一、李白诗歌中所表现的典型性格

李白在诗歌上杰出的成就，又由于他代表了盛唐诗歌突出的优点，而且形成一个典型的风格，这典型更进一步，也就使得李白成为历史上一个最具有鲜明性格的诗人。那丰富的想象、解放的个性、通俗而飞动的歌唱、青春与浪漫的气质，无一不是属于那一个时代的精神面貌。这些表现为太阳般鲜明的形象，感染了无数的人们，这就是属于李白的光辉的成就。

我们如果以为在封建时代中，人民所有的只是痛苦的呻吟声，那么我们就不会了解李白，而且我们也同样不会了解唐代那么壮丽飞动的壁画、雕刻等是从哪里来的。我们今天之所以喜爱我们的文化遗产，不正是因为它们是那么丰富、那么生气勃勃、那么壮丽飞动吗？这里我们听见了古代人民胜利的声音，而人民在社会发展中原是不断胜利的，否则社会就不会一天一天进步，“美”正是孕生在人民的胜利之中，这就是我们所永远引为骄傲的。那从贵族文学中解放出来的平民的生动的歌唱，那从封建礼教中解放出来的自由的个性的歌唱，李白的出现，就集中地完成了这个表现。他浪漫的、豪放的性格，就正是盛唐这典型的时代中典型的性格。

李白的脚步走遍了祖国长江、黄河两岸，他访问过无数的名山胜水，过去封建时代中，有多少足不出户的人是凭着这些诗篇，才认识了祖国的壮大美丽。《望天门山》：

天门中断楚江开，碧水东流直北回。两岸青山相对出，孤帆一片日边来。

在祖国的怀抱中，正展开着多么广阔的眼界。《下江陵》：

朝辞白帝彩云间，千里江陵一日还。两岸猿声啼不尽，轻舟已过万重山。

在这些河山中，又奔腾着多么新鲜的生命力量，这里应当有着自由的呼吸。这就是李白所带来的对于祖国河山的礼赞。《灞陵行送别》：

送君灞陵亭，灞水流浩浩。上有无花之古树，下有伤心之春草。我向秦人问路岐，云是王粲南登之古道。古道连绵走西京，紫阙落日浮云生。正当今夕断肠处，黄鹂愁绝不忍听！

长安一带是中华民族悠久文化的发源地，又是唐代当时的首都，这里带着多少的历史感情与爱国的思想。那“无花之古树”何等久远；那“不忍听”的“黄鹂”又是何等亲切；那“伤心之春草”就如同童话中一切善良的心一样，好像真是在落着同情的眼泪；那浩浩的灞水却是从古到今地奔流着；那漫长的古道仍是从东到西地通行着，时间与空间、现实与想象，交织成一幅丰富的历史的图画，集中在祖国当时的首都之前，“紫阙”“落日”“浮云”，无一不含有爱国思想的启发，这歌唱是味之无穷的。至于他的《蜀道难》之交响乐般的雄伟，《庐山谣寄卢侍御虚舟》之雕刻般的明晰，《梦游天姥吟留别》之戏剧般的发展，在那惊险壮秀的山峰上，在那奔腾明丽的江流中，在那古代遗留的传说里，那里有自由的呼吸，那里有民族的血脉，这些又都汇成为李白飞动的、长篇巨制的歌唱，代表了盛唐解放的朗爽的风格。

正如同对于祖国河山的歌唱一样，李白是爱好大自然的。他要求广阔的空间，他不能忍耐囚笼式的任何束缚。他说“头陀云月多僧气，山水何曾称人意”（《江夏赠韦南陵冰》），他是不满意于这样低沉的气压的。他要求的是：

> 庐山秀出南斗傍，屏风九叠云锦张。……登高壮观天地间，大江茫茫去不还。黄云万里动风色，白波九道流雪山。
>
> ——《庐山谣寄卢侍御虚舟》
>
> 黄河落天走东海，万里写入胸怀间。
>
> ——《赠裴十四》

那么开朗广阔的天地，就成为李白思想与感情的解放之地。李白是布衣，是在野的，他有着更多的机会接触到大自然。在李白一生的活动中，大自然就是李白的出处，大自然就是李白的布景，这些都作为李白生活中的伴奏，常常如一幕剧景的出现。《答王十二寒夜独酌有怀》：

> 万里浮云卷碧山，青天中道流孤月。孤月沧浪河汉清，北斗错落长庚明。怀余对酒夜霜白，玉床金井冰峥嵘。

这就是那首反对哥舒翰“西屠石堡取紫袍”的诗，而那“浮云”“碧山”“青天”“孤月”“河汉”“北斗”“长庚”“夜霜”“金井”就都成了李白这一个主角出场的伴奏，这些也就都染上了李白的性格。“阳春召我以烟景，大块假我以文章”（《春夜宴从弟桃花园序》），大自然让李白的性格通过这些伴奏，表现得更为鲜明更为形象。

李白的诗是最天真的，这使得他的风格达于惊人的淳朴。那首有名的《静夜思》：

床前明月光，疑是地上霜。举头望明月，低头思故乡。

是如此普遍的主题，如此简单的诗材，如此素朴地写出，不加一点渲染，不做一句说明。历来多少写离情的名诗，相形之下都不免显得吃力；而这里只是低头看见月光，抬头望见月亮，再低头时就是进入思故乡了。这一个辩证的过程，如一幕哑剧，何等地淳朴丰富，何等地明晰自然，所谓“天衣无缝”，这就是李白诗歌艺术天才的表现。至如《独漉篇》说：

罗帏舒卷，似有人开。明月直入，无心可猜。

这些罗帏与明月，通过李白天真而淳朴的想象，就都成了活生生的事物。又像：

独漉水中泥，水深不见月。不见月尚可，水深行人没。

从那水中的“无心之月”，竟唤起了现实生活中的“行人之苦”的同情，这共鸣是何等地高贵。这是吟风弄月的轻薄之徒所能想象得出来的语言吗？在这里我们真正看见了李白的赤子之心，那是一个天真的、广大的胸怀，在这里我们也认识了什么叫深入浅出。他说：

弃我去者，昨日之日不可留。乱我心者，今日之日多烦忧。

——《宣州谢朓楼饯别校书叔云》

李白把他的心，正是这样，通过形象的语言完全亮给我们。读到了这样的诗句，没有人会感受不到那明朗的风格，这就是李白诗歌“雅俗共赏”“百读不厌”的缘故，这也是盛唐诗歌的特色，通过李白而得到了尽情的表现。

李白的诗歌语言，有时简直就如同说话一般，像“李白乘舟将欲行”（《赠汪伦》）这种“我乃燕人张翼德”的写法，也只有李白能够掌握而成为人人传诵的好诗。在这里李白真正做到了提高与普及的统一。正是这深入内心而又自然流露的歌唱，他倾吐了、解放了人们藏在心底的语言，李白乃成为人民所最喜爱的诗人。人民到处欢迎他，于是李白就到处都有传说；连李白的妹妹都有一个“月圆之墓”的古迹，历来诗人中，只有屈原的姊姊女媭有过这样的光荣。在这里，人民批准了李白诗人优秀的天才。

要说明李白的诗浅近而不浅薄，通俗而不庸俗；区别出那明朗的风格不是由于一目了然，而是由于无尽的展望，不是由于简单，而是由于丰富；它的感染力之强，正因为它是美不胜收。当时的人有一段评语说：“诸人之文，犹山无烟霞，春无草树。李白之文，清雄奔放，名章俊语，络绎间起，光明洞彻，句句动人。”（《上安州裴长史书》）这虽是指一般“文”说，当然“诗”就更能当之无愧了。《金陵酒肆留别》：

风吹柳花满店香，吴姬压酒劝客尝。金陵子弟来相送，欲行不行各尽觞。请君试问东流水，别意与之谁短长？

这么富丽鲜明的形象，却是如此素朴浅近的语言。这就自然要说到李白的独创性与想象力的丰富。李白说：

白发三千丈。

——《秋浦歌》

历来诗人没有过这样的奇句，然而谁能说这句诗不好懂呢？这杰出的表现就成为诗歌语言典范的例子。这里说明了李白的独创性与个性的解放。又如：

我寄愁心与明月，随风直到夜郎西。

——《闻王昌龄左迁龙标尉遥有此寄》

李白简直想象着他天真的心是可以离开身体直接飞出去的。前面提到过的“狂风吹我心，西挂咸阳树”，可以共同说明这一个想象。这也是千古未有的奇想，但是对于李白来说又是出之于那么自然的。李白丰富而天真的想象，好像把世界上一切事物都赋予了人的生命。他说：

相看两不厌，只有敬亭山。

——《独坐敬亭山》

历来都只是人在看山，而李白却想象着山也在看人。如说：

黄河落天走东海。

——《赠裴十四》

古道连绵走西京。

——《灞陵行送别》

黄河、古道也都人格化地走动起来。至如：

山月随人归。

——《下终南山过斛斯山人宿置酒》

这样的月亮也是李白所特有的。陶渊明说“带月荷锄归”，也还是人“披星戴月”，而李白却是月随着一个人走了。这些天真的丰富的想象，就是李白创造性的解放。这解放越有力，李白的诗歌也就越能深入浅出。如果说在诗歌之中，也可以如同在故事之中一样，有着相当于童话神话的作品，李白有许多的诗篇，就正是这样的表现与诗歌的结合，那仿佛就是诗中的童话神话。如果说童话神话乃是故事创造的源泉，那么在诗里，“李白斗酒诗百篇”就可以从这里得到解释。这些都使得李白具有最鲜明的风格，因此也就最具有性格。这性格典型地说明了盛唐那样一个解放的、富于创造的光辉时代，使李白不但以“诗”为人所爱，而且也以“人”为人所爱。“诗人”这个称号，对于李白来说，是完全可以当之无愧的。

二、李白与民族形式

中国古典诗歌发展到唐代，一切都达于最成熟的阶段，在形式上，四言、五言、七言都已先后出现，古体、律体、绝句正在推陈出新，李白承继前代文学优良的传统，受到当代文坛主流的影响，他的学习精神，研究李白的学者们多已指出过[1]。而在这些发展之中，就形式来说，五七绝与七古乃是最进步的。这进步，一方面由于它是全新的，是真正代表了盛唐这个高潮中的产物；一方面则由于它批判并解放了六朝绮丽骈偶的作风。事实

[1] 参见李守章《李白研究》第三章，上海新宇宙书店1930年版；李长之《李白》第七章，生活·读书·新知三联书店1951年版。

上，五七绝与七古之中也并不完全拒绝偶句的出现，但是其主导精神则在于更能满足通俗而解放的歌唱。盛唐最突出的诗人像王昌龄、李颀、高适、岑参，以及王维在早期的写作中也都是以绝句与七古闻名诗坛的；而在绝句之中，七绝又更为突出活跃，这缘于在唐代七言是比五言更为全新的。这就是民族形式上的推陈出新。这些站在时代最前线的形式，也就是盛唐诗歌主导的形式。

李白在诗歌形式上，无疑地正是以七古与七绝最为杰出，那奔放不羁的歌唱、那天真解放的情操，《唐诗别裁集》说："太白七古想落天外，局自变生，大江无风，波浪自涌，白云从空，随风变灭，此殆天授，非人所及。"《诗薮》说："太白五七言绝，字字神境，篇篇神物，于鳞谓即太白不自知所以至也。"又说："太白五言，如《静夜思》《玉阶怨》等妙绝古今，然亦齐、梁体格。他作视七言绝句，觉神韵小减，缘句短逸气未舒耳。"这些都是历来一般的公允之论，当然这并不等于说李白就不写其他的形式，相反地，李白有许多五言杰作，在四言上也还有绝佳的成就，然而我们却不妨说七古、七绝乃是李白最杰出、最典型的成就。这里也说明着李白的性格，李白诗歌其他的形式也都是环绕着他这样一个中心形式而写出的。正是因为他这个主导的形式有力地带动了一切，所以别人不能措手的四言，李白竟也能运用自如。

七古与绝句的形式如果统一起来看，那就是一个"歌"的传统（即一般所称的乐府）。七古原就是隋唐以来风行的新歌行，绝句更是唐人随处都在口头歌唱着的，中国古典诗歌的发展尽管不断地加工提高，却并不离开“歌”的道路，它始终与民歌息息相通，这正是中国诗歌优秀的特色。中国古典诗歌在形式上，只有律体是与民歌比较疏远的，而李白一生也绝少写律体。这“歌”的道路，表现了诗歌从六朝带有贵族气息的骈俪中真正解放出来，而回到平民的手中；也正是这样的发展，唐诗才走上了诗国的高峰，这就是李白在民族形式上所走的进步道路。

民族形式更广泛的意义就是民族风味，例如中国因为长期在封建社会中，广大的农村使人民熟悉了大自然，而中国诗歌从《国风》起就有“嘒彼小星，三五在东”“山有乔松，隰有游龙”一类的写法，这基于民歌中“起兴”的传统，启发了诗歌语言丰富的比喻与联想，也就丰富了诗歌表现上的变化。人乃能创造人以外的事物来写自己，这也就是中国民族风味的特色。例如：

抽刀断水水更流，举杯消愁愁更愁！

——《宣州谢朓楼饯别校书叔云》

请君试问东流水，别意与之谁短长？

——《金陵酒肆留别》

这“水”对于中国民族来说正是何等亲切的语言，在此之前，孔子就感叹过“逝者如斯夫，不舍昼夜”；荆轲又唱过“风萧萧兮易水寒，壮士一去兮不复还”；《青溪小姑曲》说“开门白水，侧近桥梁，小姑所居，独处无郎”；卢思道《从军行》又说“流水本自断人肠，坚冰旧来伤马骨”。正是这“水”，启发了诗人丰富的诗情，这也就是人民所熟悉的表现形式。而在这些传统中，李白诗中的月亮乃是历来最引人注意的一件事情。

原来中国民族由于习用阴历，对于“月”是具有特别深厚的感情的，农民的生产劳动要看着它，离乡背井的人们要看着它，元宵节时要看着它，中秋节时要看着它——吴刚伐桂的故事、嫦娥奔月的故事、玉兔捣药的故事，它乃是一切美的想象的总汇。吴歌："月子弯弯照九州，几家欢乐几家愁！"中国人民是多么熟悉这个"月"，人民的苦乐都在它的照耀之下，它成为古代人民生活的一部分，它是一个日历，一个活的月份牌，所谓"三五明月满，四五蟾兔缺""闻道欲来相问讯，西楼望月几回圆"。这一个人民所喜闻乐见的形象，它是结合着中国人民感情的月，是被中国民族传统所丰富了的月，一般说来，比西洋诗中"月"的接触面要宽阔得多，这就是广泛意义的民族形式。而李白通过这人民所喜闻乐见的形式，写成了无数千古传诵的诗篇。他说：

长安一片月，万户捣衣声。秋风吹不尽，总是玉关情。何日平胡虏，良人罢远征？

——《子夜吴歌》

这一片挂在长安城头的月亮，唤起了如千军万马的捣衣声，任那秋风怎样吹也吹不尽，这就是李白诗中习见的"月"。至于他说：

月下沉吟久不归，古来相接眼中稀。

——《金陵城西楼月下吟》

迁客此时徒极目，长洲孤月向谁明？

——《鹦鹉洲》

"月"在生活的各方面都成为李白思想感情的解放。《峨眉山月歌》：

峨眉山月半轮秋，影入平羌江水流。夜发青溪向三峡，思君不见下渝州。

我们仿佛觉得"月"永远就照耀在李白的身旁。所谓："唯愿当歌对酒时，月光长照金樽里。”（《把酒问月》）他对于“月”因此就亲密到“山月随人归”，热烈到“欲上青天览明月”。正是通过这些，李白的诗就更为人人所能懂得，李白的诗歌语言就显得那么通俗、那么具有民族风味、那么富有民歌情调，这当然也就同时可以说明李白对于其他大自然景物的写出。这既都是属于人民所喜闻乐见的，也就使得李白在民族形式上获得广泛的、典型的成就。

李白在艺术上是否也有缺点呢？那当然也是有的。他的天才式的“斗酒诗百篇”，不免会有不够严密的地方，也有人指出过他在词汇上常有许多雷同重复的地方，这都是无可讳言的。然而如果我们对于一个作家主要是看他成功的作品，而不是看他失败的作品，看他总的成就，而不是看他枝节之处，那么李白在艺术上的高度的统一性、典型性、独创性、普遍性，就是属于世界上最伟大诗人的范畴，创造了中国诗歌高潮中最杰出的表现与典范。

漫谈李白诗歌中的夸张

李白有一首《长相思》，诗中说："忆君迢迢隔青天，昔时横波目，今成流泪泉。不信妾肠断，归来看取明镜前。"这是一首闺中人思念征夫的诗，相思之苦，以至于到了"昔时横波目，今成流泪泉"的程度。美妙的眼睛竟成了一口泉眼，这当然是有些夸张；却还不能说就怎么不合理，还可以算在合理的夸张之列；但也有其不合理处，这不合理处在于她还要证明原来是秋波横生的眼睛，真的变成了一口泉眼，并要求那面镜子到时候为她作证。因为如果真到那征夫回来的时候，她即使还很憔悴，即使是当时快乐得又哭了起来，那神情毕竟会大不相同。要证明她真正肠断的情形，只有那面镜子才最清楚。可是除非那面镜子是魔镜，又怎能重现她那已经成为过去的容颜呢？也许今天有了录像可以做到这一点，可是如果真有一位妻子录好了像专等她丈夫回来时证明这一切，恐怕她的丈夫反而会更不相信呢。何况古代并无录像这种先进技术。假定真能录像，也许看来是合理的，却反而近于荒唐；假定镜子可以证明过去，看来好像是不合理的，却反而更近于真实。艺术的魔力竟然真能把一面普通的镜子变成魔镜吗？反正我们读这首诗，读到这里时早已忘记了那不合理性，而只感到分外亲切、分外动人。从日常的尺度来说乃是不合理的，从艺术的尺度来说却是更为合理的。那么所谓合理的夸张到底该怎样来理解呢？

“白发三千丈”，这是人们谈到李白诗中夸张时最爱引的名句。在这首《秋浦歌》中，乃是轮到李白自己面对着一面镜子了，所以说：“不知明镜里，何处得秋霜。”从日常的尺度来说，这个“三千丈”简直是违背常识；从夸张的尺度来说，也未免无边无际。如果这样夸张起来也算合理，那么究竟夸张到什么程度才算不合理呢？李白有一首经常为人们所称道的《望庐山瀑布》，诗中说：“飞流直下三千尺，疑是银河落九天。”这瀑布仿佛是一道银河自天而降，也不过才夸张到三千尺，而白发从头上算起，竟能达到三千丈。艺术的魔力似乎正是通过战胜那日常尺度认为的不合理而变得更为合理，这能不令人为之惊异叹服吗？

有些人认为夸张是浪漫主义作品的主要特征，这可能有些道理，可也并不尽然。夸张几乎可以在各种类型的作品中出现，而且夸张在许多场合中，往往最容易产生使人发笑的效果。这与浪漫主义作品之多少带些悲剧性格或英雄性格的特征是毫不相干的。王之涣的《登鹳雀楼》：“白日依山尽，黄河入海流。欲穷千里目，更上一层楼。”这里除了“千里”这个习见的词汇外，有什么可以算得上是夸张呢？而这首诗却无疑乃是浪漫主义的杰作名篇。

然则夸张既不是浪漫主义所必有的，也不是浪漫主义所特有的，只不过是一种通用的表现手法而已。如果说夸张与浪漫主义之间也存在着某些特殊缘分的话，那只能说夸张的手法到了浪漫主义的创作方法中，似乎可以尽情发挥到完全不合理的程度。这并不是由于夸张手法有什么特别之处，而是由于本质上浪漫主义乃是一种近于“宏观”的创作方法，正如现实主义乃是一种近于“微观”的创作方法，并由此自成不同的局面。

《傀儡家庭》中娜拉的出走，从日常的尺度来说，她是完全可以不必出走的，但娜拉却决然出走了。《秋浦歌》中的白发，从日常尺度看来，那白发只不过是映在咫尺明镜之中，而它却能直达三千丈。用日常的尺度去衡量微观或宏观世界中的一切，有时常会出人意料。例如在近于光的高速运动中，人竟能青春不改，这不简直如神话之不可思议吗？日常范畴的尺度，与艺术的无限魅力，在这里两相对照，也正如面临着一面魔镜，不禁令人为之深思神往！

1980年9月于北京大学

（原载《唐诗鉴赏集》，人民文学出版社1981年版）

从唐诗的特色谈起

唐诗为历代广大读者所喜爱，这究竟是为什么呢？朱彝尊《静志居诗话》引的两句话说得好：“唐诗色泽鲜妍，如旦晚脱笔砚者。今诗才脱笔砚，已是陈言。”这里所谓的“今诗”指的是明诗。明代以七子为代表的诗坛专意摹仿唐诗，但摹仿是陈陈相因没有生气的，所以“才脱笔砚”便“已是陈言”。至于唐诗本身呢，则千载之下仍是那么“色泽鲜妍，如旦晚脱笔砚者”。两者之间，相去又如何之远呵！

我们今天学习唐诗，当然就更不是要去摹仿唐诗，而是要从中感受到那“色泽鲜妍，如旦晚脱笔砚者”的新鲜活力。正是这种新鲜的活力，带着蓬勃的朝气，而成为盛唐之音，展现为绚丽壮观的广阔天地，使我们感受到饱满的艺术享受。这就是唐诗使我们百读不厌的缘故。

马克思说：“人不仅通过思维，而且以全部感觉在对象世界中肯定自己。”“一句话，人的感觉，感觉的人性，都只是由于它的对象的存在，由于人化的自然界，才产生出来的。五官感觉的形成是以往全部世界历史的产物。”[1]优秀的诗篇因此总是不断地激发着、唤醒着人们新鲜的感受，又以这方面的素养促进了诗歌的创作发展，这乃是一个辩证的历史过程。唐诗正是在这样一个过程中出现的，又以它全新的创作不断地启发着人们，美正是面向于无限，这就是我们学习唐诗时最感兴趣的地方。我们一方面在欣赏着那些最富于生活气息的名章秀句，一方面探索着那蓬勃涌现的过程与法则。唐诗由于它具有最鲜明的艺术感染力，因此就成为我们最好的学习典范。

唐诗的语言明白易懂，这是大家都能感受得到的。它不但比起唐以前的诗坛来是如此的，而且比起它以后的诗坛来也是如此的。例如明、清的诗歌，它离我们的时代比唐诗要近得多，那么为什么反而不如唐诗那么明白易懂呢？这难道不足以引起我们的深思吗？明白易懂也并不难，难得的是以那么浅近的语言却能取得那么精湛的艺术成就。这深入浅出的诗歌造诣，又正是唐诗为人们赞赏的一个缘故。明白易懂自然更不等于一览无余，一览无余又怎能百读不厌呢？而唐诗却正是以其明白易懂而更为人们所百读不厌。这之间既有统一又有矛盾，唐诗中有一些人人传诵的名篇，其间的诗歌语言就不一定都那么明白易懂。即以杜甫而论，也有“香稻啄余鹦鹉粒，碧梧栖老凤凰枝”并不那么易懂的诗句，但无疑又是好诗。

这里的情况应该做具体的分析。诗歌语言本来是允许有一定

[1] 马克思：《1844年经济学哲学手稿》，《马克思恩格斯全集》，人民出版社1979年版，第42卷第125、126页。

跳跃性的，有时跳跃得比较突出了些，就可能感到不那么平易；可是如果它因此却取得了强烈的艺术实感，那么人们就会爱不忍释——杜甫《秋兴八首》中这两句诗的情况可能就是如此的。但这样的诗句在《秋兴八首》中毕竟是偶然出现的。而语言的明白易懂乃是语言的美德，诗歌虽然是一种特殊的语言艺术，却不能不植根于日常生活语言之上，远离了生活语言，诗歌的花果就容易枯萎，明白易懂乃是诗坛的一条康庄大道。

唐诗中既有大量明白易懂的杰作，又有少量不太明白易懂的名篇，这里的矛盾统一可以成为我们探索诗歌语言艺术奥秘最好的桥梁。而唐诗的可贵正在于语言艺术上深入浅出的统一，这乃是它最高的成就、最鲜明的特色，这也是唐诗能那么繁荣旺盛的一个原因。唐代诗人辈出，他们好像得天独厚，信手拈来多成好诗，都与这一鲜明的特色是分不开的。

研究唐诗繁荣的原因，也是我们学习唐诗一个方面的课题，我们很少看到人们对于其他时代诗歌繁荣的原因有那么大的兴趣去进行研究。这当然首先由于唐诗是一个大家公认的诗歌高潮，而这个高潮又被传统地分为初、盛、中、晚起伏分明的四个时期。我们也很少看到其他时代的诗坛有这么完整的时代性的划分，这当然也由于它是一个波澜壮阔巨大持久的高潮，所以才能分得清它的潮头、潮尾、顶峰与转折。而这个初、盛、中、晚的四个时期，又恰恰与唐代整个社会的起伏发展如影随形，相为终始。唐代社会的发展乃是整个中国封建社会上升发展的高潮，这也是为大家所公认的。这两个高潮的息息相通，就更增加了初、盛、中、晚的鲜明性。这里值得我们探索的问题也就不限于诗歌本身，而是诗歌与时代的关系。诗歌作为一种特殊的语言艺术，它的发展有其自身的内部规律，而它的发展如何才能获得充分的成熟，则又取决于它所处的那个时代的客观条件。这里包含着政治、经济、文化等各方面的广泛生活内容，是我们研究唐诗的广阔领域。唐诗的时代感越鲜明，它的生活气息也就越浓厚。唐代诗坛的这一特色，又是对唐诗自身的一个高度概括。

以上举出的这些鲜明特色，并不是什么结论，而只是最亲切的感受。我们的感受可能还有更多的方面，那就更好。我们研究任何课题，总是需要掌握它特殊性的第一手资料。这些客观存在的鲜明特色，其实就正是唐诗的第一手资料。我们从事唐诗的研究，可以从任何问题入手，但目的总是在向精华所在进军；而这些鲜明的特色，就正是唐诗的精华之所在。离开了这些特色，我们就感觉不到唐诗为什么可爱，认识不出唐诗的特殊成就，摸索不到唐诗起伏的脉搏。在我们学习唐诗的道路上，这些鲜明的特色，随时都将成为治学中一个最亲切的路标。

（原载《文史知识》1982年第10期）

唐诗随笔

“阳春召我以烟景，大块假我以文章”，李白这种自豪感，也正是唐诗的时代感。“海日生残夜，江春入旧年”（王湾《次北固山下》），这么富于青春旋律的诗句，的确足以代表唐诗的本色。建安时代的诗坛以“秋风萧瑟”“高台悲风”的慷慨悲歌为其本色，而唐诗则是以春风得意的新鲜朝气占据了诗坛。“客路青山外，行舟绿水前。潮平两岸阔，风正一帆悬”（同上），这青山绿水在诗人的笔下透露着多少欣欣生意，没有这种生意，“海日”“江春”的名句也就无从产生。“红豆生南国，春来发几枝。劝君多采撷，此物最相思”（王维《相思》），这么一颗小小的红豆，可是那“春来发几枝”的这一萌发，带给我们以何等新鲜的感受，没有这一有力的萌发，这首诗就不过是说明红豆又名相思子而已，而它之所以会那么流传人口，便全得力于这萌发的生意。王维早年就以诗成名，乃正是以这种蓬勃的生意感染着人们。再看他的：

杨柳渡头行客稀，罟师荡桨向临圻。唯有相思似春色，江南江北送君归。

——《送沈子福归江东》

这里与其说是写相思，毋宁说写的乃正是无边春色，杜甫的《夜宴左氏庄》写道：

风林纤月落，衣露净琴张。暗水流花径，春星带草堂。

在一片黑夜中把饱满的春的气息，悄悄地、不知不觉地带给了人们，这种高超的艺术造诣，在中国诗中是不可多得的。这种造诣又同样见于他的《春夜喜雨》一诗中，所谓：

好雨知时节，当春乃发生。随风潜入夜，润物细无声。

这种细微潜在的感觉，已到了听不到看不见的程度，却又透露着多少欣欣生意，它的力量终于带来了“晓看红湿处，花重锦官城”那么新鲜饱满的感受。

杜甫在安史之乱中，忧心忡忡，写了大量苦难岁月的名篇，但只要局面一有转机，那大地回春的火焰便在杜甫的心中点燃，他的《洗兵马》简直就是一首春的旋律的长篇交响诗，把压抑在深处的感情一下子爆发出来，从“中兴诸将收山东，捷书夜报清昼同。河广传闻一苇过，胡危命在破竹中”，直到“隐士休歌紫芝曲，词人解撰河清颂。田家望望惜雨干，布谷处处催春种。淇上健儿归莫懒，城南思妇愁多梦。安得壮士挽天河，净洗甲兵长不用”，一气呵成，千古绝唱，仿佛是大地回春的一支凯歌，尽管这以后战局又再次遭到挫折，可是四年后（763年）当安史之乱终于平定时，杜甫就又写出了《闻官军收河南河北》那首充满豪情的诗篇，唱出了“白日放歌须纵酒，青春作伴好还乡。即从巴峡穿巫峡，便下襄阳向洛阳”那么奔放的歌声。这末后两句的流水对，把诗人欢快的心情写得何等充沛，春的旋律便又回到诗人的心中，这一再点燃的春回大地的心情，在安史之乱中从未熄灭过，只是暂时被压抑着而已。

直到安史之乱完全过去以后，诗人在766年才以《秋兴八首》《咏怀古迹》等大量的七律，集中地追悼这盛世的一去不可复返，这里已不再有春天的消息，而是一片萧条的秋天的悲歌了。这些大量七律的成就，在唐诗中也是绝无仅有的，成为杜甫晚年最有代表性的诗章，也正因为那春回大地的希望在诗人心中原来是如此强烈，一旦清醒地看到它终于无力挽回，便无往而不成为悲凉的歌唱了。

杜甫之后，中唐又曾给人们带来一点中兴的希望，我们乃又听到白居易“离离原上草，一岁一枯荣。野火烧不尽，春风吹又生”（《赋得古原草送别》）的响亮的歌声。这“野火烧不尽，春风吹又生”简直可以与“海日生残夜，江春入旧年”先后媲美，春天的旋律在唐代诗人们的心中真是何等地深远。白居易之所以能有那么大的勇气，写出那么多拯物济世的讽谕诗，不正是这种春回大地的愿望吗？这当然不是说唐诗中就不见其他季节了，而只是说这种旋律在唐诗之前乃不可多得，到了唐诗中却成为那么动人心魄的主旋律；就是到了晚唐，尽管是“东风无力百花残”，也还有“春蚕到死丝方尽，蜡炬成灰泪始干”的一片苦心。当然中晚唐以来春的旋律已经为一种无力的柔情、梦幻的追寻所笼罩。这时请再回头听一听那雄浑奔放的歌声：

深山大泽龙蛇远，春寒野阴风景暮。

——杜甫《送孔巢父谢病归游江东兼呈李白》

我们将会有什么感想呢？春天也并不总是“蓝田日暖良玉生烟”的好天气，也会有阴天，也会有春寒，这才成其为真正的春天，这都将更加见出那春的旋律的深远的呼唤。但愿这春的旋律，永远活在我们的心中。

1932年12月冬至次日

（原载1983年《唐代文学研究年鉴》）

“边塞诗”随笔

近年来一直在编写魏晋南北朝隋唐一段的文学史参考资料，其中一大部分工作是要注解许多选出来的作品，这里碰到了一些有关边塞诗的问题。例如高适的《燕歌行》：

> 汉家烟尘在东北，汉将辞家破残贼。男儿本自重横行，天子非常赐颜色。摐金伐鼓下榆关，旌旆逶迤碣石间。校尉羽书飞瀚海，单于猎火照狼山。

这里说“汉家烟尘在东北”，又说“单于猎火照狼山”，这两者究竟是什么关系呢？狼山在河套五原之北，与东北的榆关（山海关）一西一东相去千里。“单于猎火照狼山”难道是准备去打山海关吗？似乎不是这样的，或者说“摐金伐鼓下榆关”是准备出山海关去打狼山吗？似乎也没有这种办法。那么到底是怎么回事呢？这就需要交代明白。而事情又是无独有偶的，徐陵的《出自蓟北门行》说：

> 蓟北聊长望，黄昏心独愁。燕山对古刹，代郡隐城楼。

《出自蓟北门行》与《燕歌行》本是近似的主题，所以《燕歌行》

下文就说“征人蓟北空回首”了。主题近似，问题也近似，那就在“代郡隐城楼”这一句上。单就“隐”字而论，隐就是看不见，这个好懂；“蓟北长望”，当然看不见遥远的“代郡城楼”，这也好懂；上句说“燕山对古刹”写看得见的，下句说“代郡隐城楼”写看不见的，这更不失为好对仗，可是问题就在于既然根本没有看见，为什么要写呢？把一个明明看不见的城楼却写得煞有介事，这里艺术性当然不错，思想性该怎么理解呢？这就又是需要交代明白的。而两首诗中所遇见的问题，实际上又都是一东一西发生在燕山和阴山两个方面的，所以说是无独有偶。我们如果能够解决其中一个，那么别的也就有希望迎刃而解。

先说《出自蓟北门行》中的代郡，位置居临雁门关之南，在它的前后有内外两道长城，也就是古赵长城。一道沿太行山脉，有所谓太行八陉，其第八陉曰军都，唐代称蓟门关，也就是今之居庸关。另一道自居庸关附近沿阴山山脉直到狼山以西的高阙（《史记·匈奴列传》有“筑长城，自代并阴山下，至高阙为塞，而置云中、雁门、代郡”），也就是外长城。代郡居于内外两道长城之间，地势险要，成为北部边防的重镇，这就是它经常在边塞诗中出现的缘故。庾信有《燕歌行》，一开头就说：

> 代北云气昼昏昏，千里飞蓬无复根。寒雁邕邕渡辽水，桑叶纷纷落蓟门。

代北、辽水、蓟门，不又正是这几个有关的地点吗？代北、辽水，一西一东，而蓟门正在中央，它们就这样仿佛三位一体地常在边塞诗里出现。原来蓟北的东边就是燕山山脉，西边就是太行和阴山山脉。燕长城和赵长城就首尾衔接在这里，成为中国北部和东北的屏障，以抵抗越过阴山或燕山而来的游牧民族的入侵。蓟北居于两大山脉与两大长城线的枢纽之处，因此《燕歌行》《出自蓟北门行》就成了边塞诗中的流行标题，也就必然会经常提到有关的东西两面。碣石、榆关、辽水等属于燕山燕长城这一面，代郡、代北、狼山等属于阴山赵长城这一面。因为心里有它而眼前却没有它，所以说“代郡隐城楼”，仿佛它本来是应该有的，却远远地隐藏了起来，这才是诗人当时的思想感情。由这里自然就可以发展到更远去，《出自蓟北门行》在下文中所以又提到“援绳缚凉州”有关西北边防的话。至于高适的《燕歌行》，则是把转战于两个长城线上的情况说得更为具体。《唐会要》卷七十三：

置单于瀚海二都护府。单于（都护府）领狼山、云中、桑乾三都督府，苏农等十四州。瀚海（都护府）领金微、新黎七都督府，仙萼、贺兰等八州。

所谓“校尉羽书飞瀚海，单于猎火照狼山”，写的就是这个战区，而狼山、云中、桑乾，也就是代北所面临的边防。然则《燕歌行》所写的乃是概括了既要面临东北的烟尘又要迎接来自北部的威胁，而东北的烟尘还不过是“残贼”，北部才是真正的威胁，战斗也就更为艰苦，因此诗中以绝大的篇幅描写了“大漠穷秋塞草衰，孤城落日斗兵稀。身当恩遇常轻敌，力尽关山未解围”的情况。这种士卒转战的概括，薛道衡有《昔昔盐》说：

前年过代北，今岁往辽西。一去无消息，那能惜马蹄。

这里说过代北转战到辽西，《燕歌行》说从辽西转战过代北，总之战士们是“那能惜马蹄”的。这也就进一步说明了为什么在

“燕山对古刹”之下会那么容易想起“代郡隐城楼”了。徐陵的作品，还在南北朝时期，其心情更是复杂的。燕山只静对着古刹，代郡也不见其城楼，北方的山城已非复往日！这就不在话下了。

从秦汉统一到隋唐统一，长城虽略有变动（如东北只到榆关为止，而燕长城原来的外线却是北跨辽东的），基本上不出这原来的防线，秦统一后连接了燕、赵、秦三部分的长城，东起辽东直到甘肃的临洮，西汉时期又增修了到敦煌玉门关的一线，这就是世界古迹万里长城。隋及初唐的边塞诗仍多以燕山和阴山为中心，如陈子昂《感遇》诗“朝入云中郡”“朔风吹海树”，沈佺期《杂诗》“闻道黄龙戍”、《古意》“卢家少妇”等可以说明这个。

到了盛唐时期边塞诗最盛，而中心却移到了西北一带，也就是秦长城到临洮的一线与汉长城到玉门关的一线，居于这两大长城线之间的就是凉州，凉州于是代替了代郡的地位，成为边塞诗中最习见的歌唱。所谓“平沙日未没，黯黯见临洮”“青海长云暗雪山，孤城遥望玉门关”“前军夜战洮河北，已报生擒吐谷浑”，就都是以凉州为中心了。当然关于北部及东北部也是有诗的，高适的《燕歌行》就是例子。王昌龄的《出塞》：

> 秦时明月汉时关，万里长征人未还。但使龙城飞将在，不教胡马度阴山。

也可以说是例子。唐人的边塞诗因此基本上乃是长城线上的边防歌，以保卫边疆的爱国热情、昂扬饱满的基调，丰富了一代的歌唱。

前些时候在《人民日报》上读到了翦伯赞同志的一篇富有诗

情画意的文章——《内蒙访古》，恰好也接触到这个问题，历史家从另一个角度生动地揭示了古代边塞上游牧民族活动的规律，使得边塞诗的历史背景宛如重现于纸上，对于理解边塞诗的性质乃是绝好的说明。文章中说：

> 阴山以南的沃野不仅是游牧民族的苑囿，也是他们进入中原地区的跳板。只要占领了这个沃野，他们就可以强渡黄河，进入汾河或黄河河谷。……汉族如果要排除从西北方面袭来的游牧民族的威胁，也必须守住阴山的峪口，否则这些骑马的民族就会越过鄂尔多斯沙漠，进入汉族居住区的心脏地带。

这样“不教胡马度阴山”的历史意义就完全明白，“校尉羽书飞瀚海，单于猎火照狼山”的紧急状态也就了如指掌了。文章中又说：

> 这些牧人、骑手或战士总想把万里长城打破一个缺口，走进黄河流域。他们或者以辽河流域的平原为据点，或者以锡林郭勒草原为据点，但最主要的是以乌兰察布平原为据点，来敲打长城的大门。……如果这些游牧民族，在阴山也站不住脚，他们就只有继续往西走，试图从居延打开一条通路进入洮河流域或青海草原；如果这种企图又失败，他们就只有跑到准噶尔高原，从天山东麓打进新疆南部；如果在这里也遇到抵抗，那就只有远走中亚，把希望寄托在妫水流域了。

古代游牧民族的历史面影在这里显示得生动如画。而从辽河流域敲打长城的大门，遇见的就是燕山防线；从乌兰察布平原敲打长城的大门，遇见的就是阴山防线；从居延打开通路进入洮河流域或青海草原，遇见的就是凉州防线。这就是古代边塞诗产生的主要地带。中晚唐后，这些防线上力量的对比发生了变化，五代以后更失去了原来的面目，盛极一时的边塞诗也就随之消歇，这些对于边塞诗的理解乃是足以令人深思的。

正如文章中所说的，历史上民族之间的矛盾原是古代人民的不幸，古代的边塞诗因此乃是悲壮的、豪迈的，又是心情复杂的。“昔日长城战，咸言意气高。黄尘足今古，白骨乱蓬蒿！”不理解这种复杂的心情，也还不足以完全说明边塞诗。

（原载《文汇报》1962年2月3日）

王之涣的《凉州词》

黄河远上白云间，一片孤城万仞山。羌笛何须怨杨柳，春风不度玉门关。

这是一首有名的绝句，王之涣仅仅只是保存下几首诗来，便成为唐代令人难忘的诗人，其中这首诗是起着重要影响的。有人也许怀疑这首诗第一句的“上”字有些费解，因为河水只应该向下流，不应向上去，这当然符合于物理学的原理，可是诗人也许只是从远处眺望这条大河，未必就注意到水流的情形，何况“横笛能令孤客愁，渌波淡淡如不流”（刘长卿《听笛歌留别郑协律》）呢？这时就主要不是物理学的问题而是绘图学的问题，我们画一幅山水画，远处的水总要画得高些，何况黄河的斜度本来较大，说“黄河之水天上来”或“黄河远上白云间”，不过一个是从远说到近，一个是从近说到远，但却有着动静的不同。“黄河之水天上来”是结合着水势说的，是动态；“黄河远上白云间”是作为一个画面来写的，是静态。“黄河之水天上来”因此带有强烈的奔流的感情，而“黄河远上白云间”却近于一个明净的写生。

也许就是由于引起了怀疑的缘故，这第一句又作“黄沙直上白云间”，“黄沙”当然是可以“直上”的，但《国秀集》明翻宋刻本这句则又作“黄河直上白云间”，这样“黄河”就变本加厉地不但可以“上”而且简直可以“直上”了。出现三种不同的句子，这里当然有版本问题，本文不想作版本上的考证，只是看起来，赞成“黄河”的还是比赞成“黄沙”的多些，读者是有眼力的，大多数选择了“黄河远上白云间”，这究竟是什么缘故呢？从形象上说，“黄沙直上白云间”确是不太理想，因为“黄沙”如果到了“直上白云间”的程度，白云势必就早变成了黄云，所谓“黄云断春色，画角起边愁”（王维《送平澹然判官》），乃是边塞的典型景色，而这里也还没有到黄沙蔽天的程度，若真是“大漠风尘日色昏”（王昌龄《从军行》）了，怎么还能有白云的联想呢？“黄沙”“白云”在形象上是不统一的、不完整的。至于“黄河直上白云间”，当然也不好，简单地说就是有点太像瀑布，而不太像河流。那么“黄河远上白云间”就那么好吗？本文就想说说这个。

要说明这首诗以至于这一句究竟好在哪里，首先得讲清楚诗中的最后两句。可是这后两句到底说的什么呢？是说玉门关一带十分荒凉呢，还是说那里是一个美好的地方？这就仿佛有点讲不清楚。

诗中用了北朝《折杨柳》歌辞里的意思：“上马不捉鞭，反折杨柳枝。下马吹横笛，愁杀行客儿。”这原是表达行客离情的歌曲，而且曲子是用胡笛吹的，自然更是带着浓厚的异乡情调。唐人诗中常常写到这个曲子如何动人，李白《春夜洛城闻笛》说：“谁家玉笛暗飞声，散入春风满洛城。此夜曲中闻折柳，何人不起故园情。”刘长卿《听笛歌留别郑协律》也说：“又吹杨柳激繁音，千里春色伤人心。随风飘向何处落，唯见曲尽平湖深。明发与君离别后，马上一声堪白首。”诗中的“折柳”“杨柳”就都是指的这支曲子。同时更值得注意的是，这支曲子又总是与春风紧密联系着的，李白诗中如此，刘长卿诗中也如此。王之涣又有一首《送别》诗说：“杨柳东风树，青青夹御河。近来攀折苦，应为别离多。”“杨柳”既是“东风树”，当然与春风就密不可分。青春是快乐，离别是苦事，杨柳却兼而有之，这就成了一种复杂心情的交织。王维有名的《送元二使安西》说：“渭城朝雨浥轻尘，客舍青青柳色新。”一方面是“客舍”，是“离情”，一方面是“柳色”，是“青春”，正是利用了这个矛盾，写出了丰富的思想感情。

而《折杨柳》这支曲子又多了一段历史关系。它的另一首歌调里说“遥看孟津河，杨柳郁婆娑。我是虏家儿，不解汉儿歌”。孟津河在今河南，那里古代原是中原地带，本土所习见的杨柳当然很多，歌曲就是由此而产生的。可是杨柳虽是本土习见的，歌曲却是胡曲。从“昔我往矣，杨柳依依”（《小雅·采薇》到“青青河畔草，郁郁园中柳”（《古诗十九首》之二）“荣荣窗下兰，密密堂前柳”（陶渊明《拟古》），这个带有浓厚民族感情的杨柳，如今却出现在一支动人的“不解汉儿歌”的典型胡曲之中，这就又多了一层复杂的情调。

历史是发展的，南北朝结束后，胡汉边界已经不在中原，而是远远地在玉门关一带，那么还有那么多习见的杨柳吗？那里的春天既然很少，作为“东风树”的杨柳想来也是难得的，那么胡笛的曲子里为什么还要吹起杨柳的哀怨呢？这就是诗人天真的发问。诗写的是凉州，但还没有到玉门关，却已是胡汉杂居的地方，所谓“毡裘牧马胡雏小，日暮蕃歌三两声”（耿沣《凉州词》）。实际上，边塞的情调已很浓厚，从这里再想象玉门关，就愈觉得离祖国远了，也就愈多了乡土的怀念，这是一种愈稀少愈珍惜的感情。而到了连杨柳都没有的时候，笛中的杨柳也就成了美丽的怀念，因此诗人的发问仿佛是责备这个曲子，其实正是想听到这个曲子。我们不妨把这两句话的逻辑翻过来想想，那就是说：既然羌笛还在怨杨柳（这是客观事实，耳朵听到的），春风岂不是已到了玉门关吗？这就出现了语言上的奇迹，说“春风不度玉门关”，而在悄悄里玉门关却透露了春的消息；然而诗中究竟说的是“不度”，这就又约制了尽情度过，仿佛春风在“关”上欲度未度的当儿。这乃是一个边塞之春，而边塞的春天愈少，一点的春意就更觉得令人向往，正像严冬之后，冰河初解，原野明净，出现在初春的转折点上的景象，别有一番新鲜迷人的地方。

在这样的情景下，究竟是“黄河远上白云间”好呢，还是“黄沙直上白云间”好呢？岂非十分明白的事吗？正是诗中这一点清新明晰之感，迢遥的向往之情，构成了边塞之春的图像，它才为“春风不度玉门关”做好了翻案文章，于是玉门关不再是荒凉的而是美丽的，正如“玉”所给人们的印象一样，恰恰符合于它的名字。

（原载《诗刊》1961年第4期）

附“答读者问”

编辑同志：

读了你刊第421期王汝弼同志的《对王之涣〈凉州词〉的再商榷》以后，觉得仍难同意他的论点。我的理由，简述如下：

（一）文章里根据王昌龄的诗中称玉门关为孤城，就断定王之涣的诗中的孤城一定就是指玉门关，这是不妥当的。孤城是一个很普通的词汇，“夔府孤城落日斜”，则孤城既不一定是边塞，更不一定是玉门关，“陇西岐路足荒城”，这荒城又何尝不可称之为孤城呢？至于玉门关和孤城同在一首诗里出现，它可以是一件事物也可以是两件事物，这并不足以成为论据。

（二）文章中根据《乐府诗集》《凉州歌》下的题解，认为这诗歌中所写的凉州“决不是泛指凉州全部，而具体的是指西凉”“在今甘肃敦煌、酒泉一带”。可是《乐府诗集》所收的《凉州歌》中却偏偏并没有具体地写敦煌酒泉一带，而乃是泛写，例如“朔风吹叶雁门秋，万里烟尘昏戍楼。征马长思青海北，胡笳夜听陇山头”。这里正具体地说明了这《乐府新声》乃是泛写的。

（三）作者以为诗人渡黄河初入凉州界时就泛写起整个凉州是“无论如何也说不过去”的，其实这并不奇怪。如王褒《渡河北》诗中就写到“常山临代郡，亭障绕黄河”。代郡与黄河相去颇远，而诗人在初渡过黄河北岸时就写了代郡，而且与黄河兼写，这难道也是“无论如何说不过去”的吗？诗人初入凉州境，感到一种陌生的边塞的情调，这里春天已经很少，因而感到春天仿佛将要消失在凉州的境内，到了玉门关怕就没有春天了。于是说：对于如此少的代表春天的杨柳，羌笛何必还多所怨呢？这不但没有什么说不过去的，以我的浅见，这还是很好的。

以上是文章中几个主要论据，我简单表示了自己不成熟的意见。至于说某些部落“寄居”凉州界就等于“占领”了凉州那一部分，“黄河九曲”因而就不可以写它“直上”等（黄河长约九千里，纵然九曲，那“直”处不是还不妨长达千里吗），都应是不辩而自明的。这里就不一一作答了。

敬礼

（原载《光明日报》1962年7月15日）

唐诗远音

漫谈中国古典诗歌的艺术借鉴

——诗的国度与诗的语言

中国是一个诗的国度，诗歌历史很长，而且从没有间断过，为我们留下了丰富的文学遗产。这其中有哪些东西值得思考，可以成为我们的借鉴呢？这里打算从艺术借鉴的角度谈谈这个问题。当然，艺术性与思想性有区别，又有着千丝万缕的联系。例如我们谈起诗歌艺术时常常会涉及“境界”，而这个“境界”难道就只是一个单纯的艺术性问题吗？

陶渊明的“采菊东篱下，悠然见南山”，境界极高，就因为这两句诗寄托了诗人全部的身心，凝结着诗人全部的思想。诗人“种豆南山下，草盛豆苗稀。晨兴理荒秽，带月荷锄归。”（陶渊明《归田园居》）南山就是他生活唯一的见证，南山就是他心安理得的归宿，这里有多少说不尽的言语，所以又说“此中有真意，欲辨已忘言”。这应该可以算是思想性了。可是我们知道这两句好，却并不待读到那后两句，因为它们本身就蕴含了这丰富的一切，而把本来是属于“忘言”的“言”了出来，这难道不又是最上乘的艺术造诣吗？其实这首诗如果去掉“采菊”这两句，思想性的表现也完全是文通字顺的，但有了这两句，才成为陶诗突出的代表作。

因此，我们从思想性的角度来说它就是思想性，从艺术性的角度来谈它就是艺术性。它们原来就是一个整体，只是就具体作品来说，有的这方面可能突出些，有的那方面可能鲜明些，不一定那么平衡而已。我们这里便是侧重从艺术的方面来谈谈古代诗歌的艺术借鉴。

一

我们首先从这个题目开始：中国怎样成了一个诗的国度呢？

中国是诗的国度，诗成为我们民族的骄傲。但我们要知道，这个成就曾经付出了很大的代价。从文学史上说，我们缺乏史诗，西方文学史一上来就讲史诗，而我们很少。那么，既然是一个诗的国度，为什么缺少史诗呢？是不是缺少史诗的素材呢？不是的。《诗经》的《大雅》中就有反映周民族历史的诗歌，《生民》《公刘》《绵》《皇矣》《大明》等分别记载了周民族源起、发展的重要事件。但它们是祭歌，属于赞美歌的性质，叙事、描写只是粗陈梗概。例如，周武王最后伐殷以取得天下，姜太公率八百诸侯围攻纣王，其中战争的场面在史诗中正是大可以写得有声有色的，但在《大明》中却只用了短短的十四句，就结束了这场战争。

这就是说，我们虽有史诗的素材，但它们只构成了诗歌的背景，真正写出来的是抒情的赞歌。这表明中国的诗歌一开始就走上了一条抒情的道路，而不是叙事的道路。

因为同样的缘故，中国的戏剧也产生得很晚，西方在古希腊时代就出现了戏剧，而我们直到元代才出现。其实，可以构成戏剧的素材也是很早就有的，只是没有发展成为戏剧。例如，《楚辞》中的《九歌》乃是富于神话性的祭神乐歌，如《湘君》《湘夫人》就是两幕歌舞场面，暗含着湘君、湘夫人悲欢离合的一段过程。但这故事背景我们已经不清楚了，因为诗中没有交代。这两首诗都是用抒情的笔法，抒写了湘夫人对湘君的思念，成为《九歌》中最富于抒情性的作品。那么，有神话，有故事，有舞台，有表演，为什么没有发展为古代的戏剧呢？我们都知道，欧洲的戏剧就是从酒神节的赞歌中逐渐发展成为戏剧的，而我们的《九歌》却是将可以写成戏剧的素材写成了抒情的诗章。这原因同样是因为我们的诗歌一开始就走上了一条抒情的道路。

就文学史来说，这的确是一个很大的损失，并且没有含有神话的悲剧和史诗，古代完整的神话保留下来的自然也就较少。付出了这么大的代价，得到的是什么呢？那就是以“十五国风”为代表的抒情传统。我们长篇的叙事诗因此也出现得很晚，而且数量也不多。即便是有一些叙事诗，篇幅也不算长。欧洲的叙事诗动辄千行、几卷，而在我们这里，《长恨歌》就算是长的了，也不过一百二十行而已。我们真正可算是长篇叙事诗的作品要到了明代才有，那就是鼓词和弹词。鼓词大多叙述历史兴亡、战争之事，弹词则写爱情故事多一些，也有写历史故事的，如《二十一史弹词》。鼓词、弹词都采用弹唱的形式，有点像今天的大鼓书。可是这类长篇叙事诗，篇幅越长，故事情节越多，诗意也就越少，只是具备了诗的形式而已，其实质就是小说。中国早期的小说本来也有弹唱的成分，如小说原名“银字儿”，最初也用乐器伴奏，陆游《小舟游近村舍舟步归》诗云：“斜阳古柳赵家庄，负鼓盲翁正作场。身后是非谁管得？满村听说蔡中郎。”写的便是民间说唱蔡伯喈故事的情形，这颇可以使我们想象古希腊时代史诗流传的情景。但这已是南宋的事情，可见我们的故事多是在小说发达以后才大量成长起来的。唐人的传奇几乎没有不入戏曲的，这说明是小说发展了叙事的特长，才带来了丰富的人物故事情节，于是才有了戏剧和长篇的叙事诗。而小说又总是晚出的，中国如此，欧洲也是如此。不同之处只在于，欧洲的诗歌在小说出现之前承担了一部分叙事的使命，而中国的诗歌则一开始就以抒情为中心，等到小说发达时，抒情诗的传统早已充分发展，诗的国度也早已形成。

从这里，我们可以得出怎样的结论呢？这就是：中国的诗歌是依靠抒情的特长而存在和发展的，并不因为缺少叙事诗，诗坛就不繁荣；相反，正因为走了抒情的道路，才成其为诗的国度。从文学史上说，付出的代价是无法补偿的；但就诗歌来说，这个路子是走对了。

我们认识事物的本质，就是要把握住它的特殊性。一个事物能否继续存在，就看它的特长能否为别的事物所取代，如果能被取代，它最终就将遭到淘汰。就抒情和叙事的功能而言，显然，用诗歌叙述故事就比不上小说，因此，小说可以逐渐取代叙事诗。而诗歌抒情的特长则是小说、戏剧所无法与之相比的，也是无法取代的，诗歌因此也就将会永远存在和发展下去。

中国古典诗歌发挥了诗歌的特长，以抒情为核心，使它的本质和特征发展得很充分、很全面。例如我们今天常说的朦胧诗，中国其实就古已有之。如李商隐的“沧海月明珠有泪，蓝田日暖玉生烟”，难道还不够朦胧吗？可它乃是流传人口的好诗。而这里又岂止是“一篇《锦瑟》解人难”呢？就连白居易那么平易近人的诗人也还有“花非花，雾非雾。夜半来，天明去。来如春梦几多时，去似朝云无觅处”的作品，谁又能说清楚到底写的是什么呢？

在诗歌领域，古人很早就从多方面探索着诗的奥秘，使诗歌园地中百花盛开，光辉夺目，诗歌在中国古典文学中因此成熟得最早，深入到生活的每个角落。正是这个缘故，中国的政治诗、山水诗都特别发达。政治诗而不流于口号式，这是深厚的抒情力量才能完成的，而山水诗的发达又促进了政治抒情诗的多样化。“何必丝与竹，山水有清音。何事待啸歌，灌木自悲吟”（左思《招隐》），“高树多悲风，海水扬其波”（曹植《野田黄雀行》），“大江流日夜，客心悲未央”（谢朓《暂使下都夜发新林至京邑赠西府同僚》）。这究竟是山水还是政治呢？“海日生残夜，江春入旧年”（王湾《次北固山下》），“野火烧不尽，春风吹又生”（白居易《赋得古原草送别》），难道仅仅是山水草木之情吗？而山水中既无人物，也无情节，这是叙事诗所难以措手的，却正是抒情诗所最擅长的。

值得注意的是，中国的绘画中山水画也特别发达。中国早期的绘画也多表现人物，六朝时随着诗歌的发展，山水画开始出现，历经唐诗的高潮，山水画就越来越占主导地位，人物逐渐变成了山水中的点缀、陪衬，这种变化还不足以发人深省吗？并且不仅诗歌、绘画长于写山水，中国建筑的园林化，也是要与山水自然融为一体的。中国的建筑之美不全在建筑主体，回廊画桥，石径通幽，使整个建筑同自然环境打成一片，处处富于诗情画意。“山外青山楼外楼”（林升《题临安邸》）之所以成为那么脍炙人口的名句，正因为它概括了中国建筑之美与山水自然之间的那种默契。

这一系列的因素构成了整个中国文化的传统，又岂止是“诗中有画，画中有诗”呢？连小说中也常要说道：“有诗为证。”诗简直成了生活中的凭证，语言中的根据，它无处不在，它的特征渗透到整个文化之中去。中国的文化就是以诗歌传统为中心的文化，因此才真正成为诗的国度。

二

以上谈的是中国怎样成为一个诗的国度。那么我们今天如何借鉴这一传统呢？从艺术的角度说，我们能够借鉴的主要就是诗的语言。因为小说有人物、情节，戏剧还有舞台、表演等，而诗歌则除了语言以外，什么都没有。语言是人类非常宝贵的创造，有了语言，才有充分的思维，才有从感性认识到理性认识的飞跃，使人类从本能向无限发展。可是，艺术需要鲜明的感性，而语言中的感性却是间接的。音乐可以使用音响，绘画可以使用色彩、线条，它们都能直接诉诸听觉和视觉。而语言就不能直接被感受，而是通过许多概念的间接认识。所以，这是一个困难，诗歌的艺术性就在于能充分地发挥语言的创造性来获得最新鲜、最丰富的感受。杜甫的名句“落日照大旗，马鸣风萧萧”（杜甫《后山塞》）给我们以何等深刻的印象！但诗人不过是使用了“落日”“大旗”“马”“风”这样一些概念。这便是语言的艺术性，证明了诗歌创作的成功。

也许有人会问，既然语言表达直接感受有这样那样的困难，那么又何必作诗呢？像这两句诗画出来不就行了吗？可是又有哪幅画能取代杜甫这两句诗带给我们的鲜明的艺术感受呢？这正是各门艺术各有各自所取得的成就。其实，归根结底，任何一门艺术都不能没有思想上的活动，若单凭感官功能，我们在视力上、听力上都不如飞禽走兽，那么还谈得上什么高度的艺术呢？形象因此也要通过思维。而语言乃是思维的翅膀，各门艺术在这里就都不妨称之为是一种语言。诗歌凭借语言因此是占了便宜，而并不是吃了亏。当然也存在着需要克服的难处，而掌握任何一种艺术手段也总是难免有难处的，问题在于能否创造性地充分运用这所有的便宜，突破其中的难关而已。

诗歌作为语言的艺术，既不能舍弃语言，又不应被概念和逻辑性所局限，这就要有特殊的处理办法，诗歌因此又是一种特殊的语言。最起码的一点，在形式上，诗歌要分行。古典诗歌过去是可以不必分行的，那是因为古典诗歌在形式上具有鲜明的节奏性，不分行也等于分了行。分行也好，节奏也好，都是为了有利于摆脱散文与生俱来的逻辑性和连续性，使语言中感性的因素得以自由地浮现出来，这也就是诗歌语言的飞跃性。节奏是富于跳跃感的，它有利于诗歌语言的飞跃，从日常的语言中萌发出特殊的语言，捕捉到我们日常语言中所难以捕捉到的新鲜感受。

唐诗在诗歌语言上的发展已经达到了这样的程度，那些为语法而有的虚字都可以省略，因为这些虚字都没有什么实感，省略了就更有利于飞跃。可是我们又不能失掉现实生活中的语言，省略掉这些字因此要经历一个漫长的掌握过程。我们新诗的这个过程还很短，就还不容易做到这一步。比方唐诗中可以完全不用“之”字，而新诗中“的”字就还不能完全不用。例如“无边落木萧萧下，不尽长江滚滚来”，若用我们今天的话，还不得不说“无边的落木”“不尽的长江”，省不下这“的”字。古典诗歌的语言越是具有这种特征，也就离散文越远，这也就是“诗化”的过程。诗化而自然天成，一点也不别扭，这标志着古典诗歌语言的真正成熟。诗的语言因此才更灵活、更有弹性，一瞬间便能捕捉住新鲜的印象。

古人谈画竹，“如兔起鹘落，少纵则逝矣”（苏轼《文与可画筼筜谷偃竹记》）。作诗也是如此，“作诗火急追亡逋，清景一失后难摹”（苏轼《腊日游孤山访惠勤惠思二僧》）。感受是瞬息万变的，诗的语言也必须具备这种飞跃性。这是诗歌语言的能力问题，有了这种能力，才有表现的自由。

当然，唐人的诗歌也不一定都不用“之”字，如李白就有“上有无花之古树，下有伤心之春草”（李白《灞陵行送别》）。虚字可以不用，也可以用，却不等于非用不可。可用可不用时，我们是自由的；非用不可时，那是不自由的。至于什么时候用、什么时候不用，这完全取决于诗人自己。而最终的目的是为了更好地捕捉到新鲜的感受，完成艺术上的充分表现。

现在再回头来看前面谈到的“采菊东篱下，悠然见南山”，其中的“见”字，一本又做“望”，那么究竟哪个好呢？当然是“见”字好。因为“望”是连续地做了两件事，采菊与望山，而

“见”是从东篱采菊直接飞跃到南山，从隐居的局部生活中飞跃到归隐的终身行止，其所以“悠然”，不正是无愧于平生吗？南山是陶渊明生活中朝夕与共的，看一眼不过是家常便饭，但今天的南山是不待看而来了，倏然映入眼帘，不期然地面对面，仿佛如同初次的相会，因而别有天地。这便是语言的飞跃所带给人的新鲜印象与无尽的言说。古诗中类似的例子还有很多：

曲终人不见，江上数峰青。

——钱起《省试湘灵鼓瑟》

山本来就在那里，本来也是青的。但似乎在曲声完了时，这山峰才宛然在目，让人觉得格外地青。这青不是多染几笔颜色所能有的。从“曲终”到“数峰青”这种从听觉飞跃到视觉的例子也很多：

烟消日出不见人，欸乃一声山水绿。

——柳宗元《渔翁》

也是如此。山水本来就是绿的，不“欸乃”也是绿的，但在这“欸乃一声”中，这绿色就仿佛是第一次在我们的感觉中出现，绿得不同寻常。又如：

曲终收拨当心画，四弦一声如裂帛。东船西舫悄无言，唯见江心秋月白。

——白居易《琵琶行》

四周都沉浸在音乐声中，忽然琵琶声收了，这才发现一轮明月正在波心荡漾，这时候的印象乃是最新鲜的。

生活中的感觉是日常的、习惯性的，艺术则使人又恢复了新鲜的感受。而就艺术来说，它本来就是要唤起新鲜的感受。这种感受是生命的原始力量，而在日常生活中，它往往被习惯所淹没了。因为生活中一切都是照例的，不用去深想，也留不下深刻的印象，所以感觉也就渐渐僵化、迟钝起来。例如我们经常往来于未名湖畔，其实往往是视而不见。我们都有这个经验，如果因久病住院，一旦病愈，带着一片生机走出医院时，看到眼前的一草一木就都会感到特别新鲜。因为使人感觉迟钝的习惯性被割断了一段，就又恢复了原有的敏感。

这敏感正是艺术的素质。谢灵运“卧疴对空林”之后乃出现了“池塘生春草”（谢灵运《登池上楼》）那样“清水出芙蓉”一般的天然名句，其所以鲜明夺目，就因为它生意盎然。因此，艺术并不是生活的装饰品，而是生命的觉醒；艺术语言并不是为了更雅致，而是为了更原始，仿佛那语言第一次的诞生。这是一种精神上的力量。物质文明越发达，我们也就越需要这种精神上的原始力量，否则，我们就有可能成为自己所创造的物质的俘虏。

诗的语言既然有飞跃性，也就自然趋于精炼。应该说，精炼是语言的一般要求，散文甚至论文也都要求精炼，但诗歌因为是一种富于飞跃性的特殊语言，就更为明显。这种精炼不能理解为是越少越好，越简单越好，李后主的《浪淘沙》有一句诗：

别时容易见时难。

有人说是抄了《颜氏家训》中的一句话：

别易会难，古人所重。

是不是抄的呢？我想不是的，既然“古人所重”，人同此心，那么又何劳抄袭呢？但这却为我们提供了一个鲜明的对比，一个是“别易会难”，一个是“别时容易见时难”，从概念上说几乎全同，从艺术上说则有天渊之别。前者只是说明，而后者乃成为千古名句。所谓“言有尽而意无穷”，也就是从概念说是有尽的，都不过是“别易会难”；而作为艺术的表现，则后者的感受显然要丰富得多，印象要深刻得多，这也就是意无穷了。意无穷因此也就是，诗的语言的飞跃性突破了一般概念的局限而翱翔于感性交织的天地。“别时容易见时难”比“别易会难”只多了三个字，而所得的却是更多，这不正是精炼的更为合理的解释吗？

我过去曾写过一篇小文《说水分》，“水分”可以有两种解释：一般说到文章里水分太多，是指空话、滥调太多，因此淡而无味；我所想说的“水分”乃是指水是生命的海洋，任何生命都离不开水分。《红楼梦》中说贾母把鸳鸯调理得像个“水葱”似的人儿。干葱当然不行，光是葱也不行，这里的玲珑传神之处正在于那水分带来的鲜明的生意。王维《积雨辋川庄作》中有两句诗：

漠漠水田飞白鹭，阴阴夏木啭黄鹂。

也有人认为是抄的，说是抄了李嘉祐的“水田飞白鹭，夏木啭黄鹂”。是否抄的姑且不论，反正王维的这两句要高明得多。这两句多了“漠漠”和“阴阴”四个字，为什么就好呢？水田当然是“漠漠”的，夏木当然是“阴阴”的，这不是多了一点废话吗？其实不然。因为“水田飞白鸳”与“夏木啭黄鹂”是平行地写了两个景致，黄鹂在树上叫黄鹂的，白鹭在水田上飞白鹭的，各不相干，这里并没有飞跃的力量。多了“漠漠”和“阴阴”，就把它们连成了一片。阴阴让夏木有了一片浓荫之感，漠漠使水田蒙上了一片渺茫的色调，岸上的一片浓荫与水田的一片渺茫起着画面上的烘托作用，这就是情景中水分的作用。从深处的浓荫到渺茫的水田，到鲜明的白鹭，越发衬托出白鹭之白与茫茫中飞动的形象，使得整个气氛鲜明活跃，潜在的感性因素如鱼得水地浮现出来，这才不是干巴巴的，而李嘉祐的“水田飞白鹭，夏木啭黄鹂”则难免有些干巴，因为它缺少那应有的水分。

水分使感性连成一片，那么飞跃性又到哪里去了呢？这里我们不妨仍引用前面的例子，“曲终人不见，江上数峰青”，这青的感受其实正是出现在曲终的刹那间，真要是余音已不复在耳时，数峰也就不那么青了。“欸乃一声山水绿”，也只是在“欸乃一声”的刹那间，山水才绿得那么新鲜。同时又正是“江上数峰青”，青得那么出色，才更见出“妃瑟泠泠”的不尽之情，正是“山水绿”，绿得那么新鲜，才见出“欸乃一声”中那渔翁的本色，也正是“唯见江心秋月白”，才更见出那琵琶演奏者的感人之深。这便是语言的飞跃带来的感性上的丰富交织，使之在艺术上连成一片。作为诗的语言并不需要拉大距离来证明它的飞跃性，而是需要具备这种充沛的潜在能力。

可怜闺里月，常在汉家营。

——沈佺期《杂诗》

这里是飞跃千里还是连成一片呢？其实正是那飞跃千里才见出那心心相连，也正是那心心相连才有力量飞跃千里。可见若没有感性潜在的交织性，语言上的飞跃就无所凭借，没有飞跃性的语言突破，感性也就无由交织。诗人的创造性正是从捕捉新鲜的感受中锻炼语言的飞跃能力，从语言的飞跃中提高自己的感受能力，总之，一切都统一在新鲜感受的飞跃交织之中。如：

淮水东边旧时月，夜深还过女墙来。

——刘禹锡《石头城》

乃正是在飞跃中又连成一片了。

秦时明月汉时关。

——王昌龄《出塞》

只这么一句，便将那千百年边塞的历史做了何等鲜明的艺术写照，这里飞跃时空，直达唐代。古典诗歌中这些丰富的艺术成就，还不足以使我们认识到诗歌语言的本质吗？

我幼年初读“羌笛何须怨杨柳，春风不度玉门关”时，对于前一句诗其实是不甚理解的，可是立刻就爱上了它。艺术语言的丰富感染性往往先于解释而已深入人心，它因此并无待于解释，也是解释不完的。如再看“烟消日出不见人，欸乃一声山水绿”“曲终人不见，江上数峰青”等，就又都是从“不见”的沉默中飞跃到“山水绿”“数峰青”的有所见，而这有所见乃更加深了对于那“不见”的感受。若再深入下去，还可能有许多言语。如此丰富的感受，顷刻间凝成，仿佛是透明的结晶，使得单线平铺的语言乃焕发出一种立体感，而我们原是生活在立体世界中，这也正是诗歌语言的鲜明性和艺术上的真实感。

诗的语言因此不是徒具形式，而是要在飞跃的交织中创造出仿佛是立体的语言。“秦时明月汉时关”，这统一盛世的边关之情如雕塑般地屹立在汉唐之间，开门见山，流传千古。用散文的语言去追踪这样诗的语言，往往难免要拆成片断，千言万语反而生气全无。这才正见出那刹那的飞跃之所以可贵，那么我们又将如何从中汲取借鉴呢？

古典诗歌的高度艺术成就，给我们以丰富的启发，但启发既不是止境，更不是胶柱鼓瑟。一切烦琐的技巧上、形式上的讲求，都往往只会把诗歌引入歧途，这在古典诗歌史的发展过程中不也是屡见不鲜吗？不也是一种可资借鉴的反面经验吗？正反面的经验都是宝贵的，当然我们更珍惜那正面的成就。然则艺术上的借鉴乃是近于一种修养，说到最后并没有什么灵丹妙药。而积累应该是更有利于新的突破，艺术的高潮也不会是从天上凭空掉下来的，但是我们如果不能创造性地去吸收它，过多的财富反而可能会把我们压垮了。

艺术的修养好比人体丰富的营养，要能够创造性地消化它，才能成为自己的新鲜血液。否则，营养太多了，反而容易使人变成好像不爱多走路的胖子，觉得古诗的语言处处方便，信手拈来，一切都是现成的。不少新诗的作者因此往往写着写着就放下新诗，停下来作旧诗了。可见，没有创造性，积累就可能成为前进的负担，古诗读得越多，也就离新诗越远，那么还谈得上什么借鉴呢？其实，借鉴无非是使人变得更聪明些，“聪明”也就是“耳聪目明”，本来就是指感觉的清醒、感受力的活跃、对于一切新鲜事物的敏感。我们需要古典诗歌的丰富借鉴，但愿这借鉴是创造性的，它将有助于新诗的成熟和发展，而不是拜倒在古典诗歌之前。

1984年12月完稿

（原载《社会科学战线》1985年第4期）

屈原与宋玉

《史记·屈原贾生列传》:“屈原既死之后,楚有宋玉、唐勒、景差之徒者,皆好辞而以赋见称。然皆祖屈原之从容辞令,终莫敢直谏。”王逸《楚辞章句》:“宋玉者,屈原弟子也。闵惜其师忠而放逐,故作《九辩》以述其志。至汉兴,刘向、王褒之徒,咸悲其文,依而作词,故号为‘楚词’。亦承(一作采)其九以立义焉。”宋玉继承了屈原,刘向、王褒之徒又继承宋玉,号为楚词,说明了宋玉在屈原之后被一致公认的承先启后的地位。至于宋玉是否为屈原弟子,那倒是无足轻重的,而且似乎也不怎么可信。《屈原贾生列传》又说:“余读《离骚》《天问》《招魂》《哀郢》,悲其志。”《招魂》居于《天问》《哀郢》之间,代表了屈原之志,无疑自是屈原之作。《楚辞章句》乃以解释《九辩》的方式解释《招魂》,列之于宋玉的名下,显然是错误的。明黄文焕《楚辞听直》早已指出其不当。王逸的误解还影响了此后《招魂》主题上的聚说纷纭,详见拙作《诗人屈原及其作品研究·〈招魂〉解·〈招魂〉地理辨》中,这些本文就不具论了。

楚辞之外，两汉流传的如《高唐赋》《神女赋》《登徒子好色赋》等小赋，也被后人列于宋玉的名下，这些作品几乎把宋玉描绘成一个宫廷弄臣。屈原一生与宫廷弄臣们做殊死的斗争，而屈原的继承者却是这么一个形象，这能令人信服吗？

《九辩》无疑是宋玉的代表作，以《九辩》中的形象来对照，乃也是完全格格不入的。《九辩》中的思想内容一本于屈原，其中有时几乎就直接采用了屈原作品中的原意，如“何时俗之工巧兮背绳墨而改错，却骐骥而不乘兮策驽骀而取路；当世岂无骐骥兮诚莫之能善御，见执辔者非其人兮故骗跳而远去。凫雁皆唼夫粱藻兮凤愈飘翔而高举，圜凿而方枘兮吾固知其鉏铻而难入！”这与那些小赋中宋玉的形象，显然是不相容的。陆侃如《中国诗史》中曾就有关宋玉的资料作过辨伪的分析，可供参考。这里也就从略。

澄清以上这些，说明宋玉真正保存下来的作品，实际上就只有《九辩》一篇。我们也许会惋惜宋玉留下的作品竟如此之少。但历史通过时间做出的判断却常是公允的。张若虚仅存诗两首，而《春江花月夜》以孤篇独传；王之涣仅存诗六首，而诗坛留名千古。《释文》则把《九辩》列在仅次于《离骚》之后，历来研究者们多相信王逸所见的刘向《楚辞》辑录本，也即《离骚》为第一篇，《九辩》为第二篇。兵固在精，棋先一着。《九辩》乃能于《离骚》之后，独树一帜，又谈何容易呢？

屈原既死之后，屈原的一些景仰者们的作品，多以《离骚》为蓝本，《九辩》也并不例外。但《九辩》之所以能在其间出类不群，则更在于《九辩》又不仅仅是以《离骚》为蓝本。仅仅以

《离骚》为蓝本的那些作品，数量虽多，实际上乃无所建树，这是不难理解的。无论屈原的作品多么伟大，对于诗歌的长河来说，总是一件未完成的工作，这就需要无数的来者，但绝不是亦步亦趋的来者。继承和发展原是一件事的两面，无所发展也就无所谓继承，那不过是千篇一律的仿作而已。宋玉的《九辩》，其所以不同于其他的仿作，首先就见于那引人入胜开宗明义的第一章：

悲哉秋之为气也，萧瑟兮草木摇落而变衰。憭慄兮若在远行，登山临水兮送将归。泬寥兮天高而气清，寂寥兮收潦而水清。憯凄增欷兮薄寒之中人，怆怳懭悢兮去故而就新。坎廪兮贫士失职而志不平，廓落兮羁旅而无友生，惆怅兮而私自怜！燕翩翩其辞归兮，蝉寂寞而无声，雁廱廱而南游兮，鹍鸡啁哳而悲鸣。独申旦而不寐兮，哀蟋蟀之宵征。时亹亹而过中兮，蹇淹留而无成。

这一段诗章可谓是面目一新，前无古人，后启来者。仅仅末后的四句就已经明白无误地开武帝《秋风辞》之先河，夺曹丕《燕歌行》之先声。整个建安时代，难道不正是在这高屋建瓴的诗风之下吗？“白杨多悲风”(《古诗十九首》)、“高台多悲风”“高树多悲风”“江介多悲风”(曹植《杂诗》《野田黄雀行》《杂诗》)。这里秋风萧瑟、惊心动魄，直乃一字千金。那么“悲哉秋之为气也”以下这么集中的一大段，登山临水，羁旅远行，一波未平，一波又起，课无责有，寂寞求音。虽万金难买了。

先秦诗歌的发展，屈原的出现如日月经天，衣被百代。而此后数百年间，直到建安之前，诗坛乃竟阒野无人，荒凉冷落。“摇落深知宋玉悲！”(杜甫《咏怀古迹》)宋玉这一段悲秋，乃如空谷足音，传之久远，到了建安前后而唤起了一代诗风。古代诗歌的这一段发展过程，不也值得我们从中吸取些什么吗?

中国是一个诗的国度，诗不依赖于故事情节而独立存在、独自发展。正如大自然乃是人类生产的对象，诗的艺术生产也是以大自然为直接对象的。通过对于大自然的认识与创造，反过来更深地认识人自己本质的无限性，这正是美的法则的体现。大自然最初带给人们以神话，这是人类以大自然为直接对象而产生的艺术成果。神话时代过去了，诗便取代了神话的地位。屈原的伟大创造，从艺术生产上来说，乃正是处于这一演变过程中。而正是屈原，并没有把富于神话性的《九歌》更为故事情节化，相反却把它更为诗化。《九歌》中娱神的情景颇近于希腊酒神节的性质，那正是西方戏剧的摇篮；但是《九歌》却并没有因此诞生戏剧，而是诞生了最优美的诗章。

《九歌》中最动人的《湘君》《湘夫人》并没有以故事情节取胜，而是以美妙的诗句动人。“帝子降兮北渚，目眇眇兮愁予。袅袅兮秋风，洞庭波兮木叶下。”就像一支最美的旋律，留给人们以难忘的印象。这乃是屈原根据原始故事进行的全新创作。从此“秋风”“洞庭”“木叶”在诗坛上就都成了最富于敏感的词汇。读过《湘君》《湘夫人》的人可以对整篇作品只留下淡淡的影子，而这四句却永远鲜明夺目。这说明诗歌正在接替神话，直接以大自然为对象而进行艺术创作。这一发展又普遍地影响到此后中国的绘画、雕刻、建筑等各个方面，使得大自然与中国艺术的一切领域都息息相通、浑然一体。这正是中国成为诗的国度的文化特色。

宋玉的《九辩》正是继承和发展了屈原这一诗化的步骤，而集中全力从秋风这一诗化的突破口扩大战果。荆轲的《易水歌》、刘邦的《大风歌》，直到曹操的“秋风萧瑟，洪波涌起”（《观沧海》），像一条引线把楚辞与建安诗坛连结在一起。宋玉悲秋因此乃传为千古佳话。古人谁不知悲秋呢？而宋玉却是第一个有意识而非偶然地把它揭示出来的诗人，它是属于宋玉个人的，也是属于整个诗坛的。

战国时代乃是一个属于思想家的时代，那是一个波涛汹涌的求真时代，又是一个清醒而严酷的时代。人们从蒙昧的传说中一旦醒觉过来，便不再迷信过去的任何传统而只相信自己的认识，这就是百家争鸣的时代精神。它的清醒程度、在思想上的长远影响，以至于使得此后长期的封建社会中，竟然没有任何宗教能够成为统治势力。这是个非同小可的现象，难道不足以发人深思吗？可知与未可知，默契与神秘，天然与偶然，诗与剧的分野，在这里便都可以寻到解释与见证。

屈原以一个诗人代表了这清醒求真的精神，“路曼曼其修远兮，吾将上下而求索！”他临终时说“知死不可让愿勿爱兮”“定心广志余何畏惧兮”，他对于自己的死也是清醒的、无所畏惧的。他少年时期所写的一首《橘颂》，就是在歌颂一个新生而清醒的品格，他说：“嗟尔幼志有以异兮，独立不迁岂不可喜兮！深固难徙廓其无求兮，苏世独立横而不流兮。”“苏”就是苏醒，“苏世独立”“廓其无求”，正是独立于天地间的清醒形象，所以说“秉德无私参天地兮”。《渔父》中把这一形象总结为“举世皆浊我独清，众人皆醉我独醒”，乃是一个高度性的概括。

屈原在自己的作品中早就说过“众皆竞进以贪婪兮凭不厌乎求索”“世溷浊而莫余知兮吾方高驰而不顾”。

在屈原的诗歌语言中，“众”或“世”都主要是针对宫廷中那些醉生梦死的人们而说的，屈原的一生因此才永远显得如此寂寞。他的寂寞正是他的清醒与伟大，这就是那个时代的启蒙特征。

战国时代思想界所发生的一切，实际上是一次空前的启蒙运动，其规模之广泛，几乎囊括了此后两千多年思想界所能达到的任何领域；直到五四之前，思想上总的说来，不过是一些量变而已。而先秦这一次思想上的爆发则是质变的飞跃。在这一飞跃中，竹帛下庶人，出现了新生的“士”的阶层。孟子说：“诸侯放恣，处士横议，杨朱、墨翟之言盈天下。天下之言，不归杨则归墨。”（《孟子·滕文公》）东方朔《答客难》中概括这一局面为“得士者强，失士者亡”，说明当时士这阶层，虽然无权无势，却以一个新生的力量纵横于天下。它将成为此后中国封建社会统治阶级中民主力量的所在，也是作家群、思想家群的所在。

屈原是在思想家群的浪潮中出现的一个诗人，他的光辉是真与美的统一，是这个启蒙高潮向往于理想的精神体现。他虽然出身于宫廷，却一生为对抗宫廷的庸俗势力而斗争，他与新生的士的阶层实际上是一脉相通、息息相关的。但是屈原的效仿者们却往往只能代屈原立言，不敢离开屈原的身世一步，这本身就不符合于屈原的创新精神，不符合于那时代浪潮奔驰向未来的高远情操。

宋玉的《九辩》之所以能独树一帜，在于他直截了当地就站在新生的士的阶层中，喊出了“贫士失职而志不平”的呼声；在于他于悲秋的同时，却喊出了“去故而就新”的未来。宋玉当然远远没有屈原那么伟大，但是共同的悲剧性格、共同的时代脉搏，把屈原的特殊身世过渡到一般的作家群中，这一发展是势所必然的。宋玉的《九辩》正是起了这桥梁作用。

战国年代是一个兵荒马乱的岁月，频繁的战争连绵无已。以当时的人口而论，一次战争的伤亡动辄便数万，白起一战竟坑赵卒达四十余万。即使这些史载有点夸张，这数字也是惊人的。屈原在《国殇》中描写出征中与战场上的情景："出不入兮往不反，平原忽兮路迢远""天时坠兮威灵怒，严杀尽兮弃原野"，这你死我活的严酷现实、笼罩在时代中的肃杀之气，成为那奔向未来的浪潮中不可分割的气氛。所有这些都汇为一个最敏感的音符，清醒而又严酷，迢远而又现实。荆轲的《易水歌》："风萧萧兮易水寒，壮士一去兮不复还！"仅仅以短短的两句便流传千古，不是由于荆轲的个人身世是否值得同情，而是由于那歌声正打动了一个敏感的音符，唤起了时代普遍的共鸣。

大自然乃以慷慨悲凉的秋风首开纪录，为诗坛创造了最诗意的词汇。宋玉乃是贫士，而贫士不是比荆轲式的英雄更有普遍意义吗？

我们不要以为秋风的爽朗肃杀之气，乃是自然界现成的现象，把它写到诗里去有什么了不起呢？自然界中的诸般景色当然都可以入诗，但是却不一定都是最敏感的。这只要对比一下雨在诗中出现的情况，就可以很容易明白。雨与风都是自然界中常见的现象，"风雨如晦，鸡鸣不已"，早已都在诗中出现过，而且也不失为好诗。但是无论这诗中的风或雨，都还没有成为一触即发的歌声，都还只是一般的自然景色。诗歌要从日常语言中提炼出最诗化的语言，这乃是诗坛成熟、繁荣的一个内部规律。

诗歌乃是一种最纯粹最精炼的语言艺术，诗坛之走向成熟，不仅需要形式上的诗化、语法上的诗化，而且也需要词汇上的诗化。没有这些诗化的步骤，当然也可以出现好诗杰作，但却不能出现诗坛的高潮。高潮不是一两个诗人所能形成的。屈原的成就那么杰出伟大，而楚辞竟后继无人，也正因为这些诗化的过程还在刚刚开始。而词汇的诗化乃是这些步骤中最内在的一环。它仿佛是诗的一个催化剂，一点的突破便带来了全面。“袅袅兮秋风，洞庭波兮木叶下。”秋风还是原来的秋风，木叶还是原来的木叶，但是通过诗人艺术的魔杖，却成为最容易唤起共鸣的焦点。这焦点乃是艺术实践中的偶然产物，之后又为不断的实践所认识、所证明、所掌握。

宋玉正是在实践中把这个焦点放大了，以一整段的篇幅来捕捉它，因而也就促进了这个认识过程，这就是古代诗坛上曾经发生过的事情。但是诗坛上绝大多数的情况却只是通过不断的、偶然的实践，以不为人所察觉的发展，逐渐地被掌握、被认识。

秋风是敏感的，春风难道就不敏感吗？但是春风从什么时候起才在诗中成为这样特殊的词汇呢？“春风不度玉门关”（王之涣《凉州词》）吗？“春风扇微和”（陶渊明《拟古》）吗？“春风复多情”（《子夜四时歌》）吗？“春风缘隙来”（潘岳《悼亡诗》）吗？“春气动、草萌芽”（《孤儿行》）吗？似乎只能若有若无地在那里寻找一些踪迹。“风又飘飘，雨又萧萧”（蒋捷《一剪梅》），雨到了词中简直是在大显身手，这是无需多举例的。晚唐诗人们早已经把这个信息带到了诗坛：“清明时节雨纷纷”（杜牧

《清明》)、“一春梦雨常飘瓦”(李商隐《重过圣女祠》)、“江雨霏霏江草齐”(韦庄《台城》),至于更早些的“斜风细雨不须归”(张志和《渔父歌》)、“寒雨连江夜入吴”(王昌龄《芙蓉楼送辛渐》)。所有这些反正是越往早去就越稀少、越不明显,而总的印象却是清楚的,它距离秋风的得天独厚迟了近千年之久。这当然都有时代的原因,但时代对于诗歌语言的发展来说乃是成熟的条件,它只能选择而不能取代这一内部的发展。时代选择了秋风作为诗化的第一个信号,宋玉便为这个信号大张旗鼓。正如屈原是第一个诗人,第一个把艺术才能分外地集中到个人身上,宋玉的这一“秋之为气也”的集中,乃也没有辜负时代的要求。

正是在这里,宋玉乃是屈原诗歌成就的继承,又是屈原诗歌成就的发展。屈原的崇高伟大,永远令人为之景仰;而宋玉却只是那么平易近人。我们当然最需要屈原,却也因此不能就忘了宋玉。

1981年1月15日

(原载《中华学术论文集》,中华书局1981年11月出版)

说“木叶”

——《九歌》：袅袅兮秋风，洞庭波兮木叶下

自从屈原歌唱出这动人的诗句，它鲜明的形象影响了此后历代的诗人们，许多为人传诵的诗篇正是从这里得到了启发。如谢庄《月赋》说：

若夫气雾地表，云敛天末。洞庭始波，木叶微脱。

陆厥的《临江王节士歌》又说：

木叶下，江波连，秋月照浦云歇山。秋思不可裁，复带秋风来。秋风来已寒，白露惊罗纨。节士慷慨发冲冠，弯弓挂若木，长剑竦云端。

至于王褒《渡河北》的名句：

秋风吹木叶，还似洞庭波。

则其所受的影响更是显然了。在这里我们看见“木叶”是那么突出地成为诗人们笔下钟爱的形象。

“木叶”是什么呢？按照字面的解释，“木”就是“树”，“木叶”也就是“树叶”，这似乎是不需要多加说明的，可是问题却在于我们在古代的诗歌中为什么很少看见用“树叶”呢？其实

“树”倒是常见的，例如屈原在《橘颂》里就说：

后皇嘉树，橘徕服兮。

而淮南小山的《招隐士》里又说：

桂树丛生兮山之幽。

无名氏古诗里也说：

庭中有奇树，绿叶发华滋。

可是为什么单单“树叶”就不常见了呢？一般的情况，大概遇见“树叶”的时候就都简称为“叶”，例如：

叶密鸟飞碍，风轻花落迟。

——萧纲《折杨柳》

皎皎云间月，灼灼叶中华。

——陶渊明《拟古》

这当然还可以说是由于诗人们文字洗炼的缘故，可是这样的解释是并不解决问题的，因为一遇见“木叶”的时候，情况就显然不同起来：诗人们似乎都不再考虑文字洗炼的问题，而是尽量争取通过“木叶”来写出流传人口的名句，例如：

亭皋木叶下，陇首秋云飞。

——柳恽《捣衣诗》

九月寒砧催木叶，十年征戍忆辽阳。

——沈佺期《古意》

可见洗炼并不能作为“叶”字独用的理由，那么“树叶”为什么从来就无人过问呢？至少从来就没有产生过精彩的诗句。而事实又正是这样的，自从屈原以惊人的天才发现了“木叶”的奥妙，此后的诗人们也就再不肯轻易地把它放过；于是一用再用，熟能生巧；而在诗歌的语言中，又不仅限于“木叶”一词而已。例如杜甫有名的《登高》诗中说：

无边落木萧萧下，不尽长江滚滚来。

这是大家都熟悉的名句，而这里的“落木”无疑正是从屈原《九歌》中的“木叶”发展来的。按“落木萧萧下”的意思当然是说树叶萧萧而下，照我们平常的想法，那么“叶”字似乎就不应该省掉，例如我们不妨这么说“无边落叶萧萧下”，岂不更为明白吗？然而天才的杜甫却宁愿省掉“木叶”之“叶”而不肯放弃“木叶”之“木”，这究竟是为什么呢？事实上，杜甫之前，庾信在《哀江南赋》里已经说过：

辞洞庭兮落木，去涔阳兮极浦。

这里与《九歌》的关系是脉络分明的。而杜甫之后，黄庭坚又继续了杜甫的发展，写出《登快阁》那首诗中的名句：

落木千山天远大，澄江一道月分明。

这里我们乃可以看到“落木”一词确乎是并非偶然了。古代诗人们在前人的创造中学习，又在自己的学习中创造，使得中国诗歌语言如此丰富多彩，这不过是其中的小小一例而已。

从“木叶”发展到“落木”，其中心关键显然在“木”这一字，其与“树叶”或“落叶”的不同，也正在此。“树叶”可以不用多说，在古诗中很少见人用它；就是“落叶”，虽然常见，也只不过是一般的形象。原来诗歌语言的精妙不同于一般的概念，差一点就会差得很多，诗歌语言之不能单凭借概念，也就由此可见。从概念上说，“木叶”就是“树叶”，原没有什么可以辩论之处，可是到了诗歌的形象思维之中，后者则无人过问，前者则不断发展，像“无边落木萧萧下”这样大胆地发挥创造性，难道不怕死心眼的人会误会为是木头自天而降吗？而我们的诗人杜甫，却宁可冒这危险，创造出那千古流传形象鲜明的诗句。这冒险，这形象，其实又都在这一个“木”字上，然则这一字的来历岂不大可思索吗？在这里我们就不得不先来分析一下“木”字。

首先我们似乎应该研究一下，古代的诗人们都在什么场合才用“木”字呢？也就是说都在什么场合“木”字才恰好能构成精妙的诗歌语言；事实上他们并不是随处都用的，要是那样，就成了“万应锭”了。而自屈原开始把它准确地用在一个秋风叶落的季节之中，此后的诗人们无论谢庄、陆厥、柳恽、王褒、沈佺期、杜甫、黄庭坚，都以此在秋天的情景中取得鲜明的形象，这就不是偶然的了。例如吴均的《答柳恽》说：

秋月照层岭，寒风扫高木。

这里用“高树”是不是可以呢？当然也可以；曹植的《野田黄雀行》就说：

高树多悲风，海水扬其波。

这也是千古名句，可是这里的“高树多悲风”却并没有落叶的形象，而“寒风扫高木”则显然是落叶的景况了。前者正要借满树叶子的吹动，表达出像海潮一般深厚的不平，这里叶子越多，感情才越饱满；而后者却是一个叶子越来越少的局面，所谓“扫高木”者岂不正是“落木千山”的空阔吗？然“高树”则饱满，“高木”则空阔，这就是“木”与“树”相同而又不同的地方。“木”在这里要比“树”更显得单纯，所谓“枯桑知天风”这样的树，似乎才更近于“木”，它仿佛本身就含有一个落叶的因素，这正是“木”的第一个艺术特征。

要说明“木”字何以会有这个特征，就不能不触及诗歌语言中暗示性的问题，这暗示性仿佛是概念的影子，常常躲在概念的背后，我们不留心就不会察觉它的存在。敏感而有修养的诗人们正在于能认识语言形象中一切潜在的力量，把这些潜在的力量与概念中的意义交织组合起来，于是成为丰富多彩一言难尽的言说，它在不知不觉之中影响着我们，它之富于感染性启发性者在此，它之不落于言筌者也在此。而“木”作为“树”的概念的同时，却正是具有着一般“木头”“木料”“木板”等的影子，这潜在的形象常常影响着我们会更多地想起树干，而很少会想到叶子，因为叶子原不是属于木质的，“叶”因此常被排斥到“木”的疏朗的形象以外去，这排斥也就是为什么会暗示着落叶的缘故。而“树”呢？它是具有繁茂的枝叶的，它与“叶”都带有密密层层浓荫的联想。所谓：

午阴嘉树清圆。

——周邦彦《满庭芳》

这里如果改用“木”字就缺少“午阴”更为真实的形象。然则“树”与“叶”的形象之间不但不相排斥，而且是十分一致的；也正因为它们之间太多的一致，“树叶”也就不会比一个单独的“叶”字多带来一些什么，在习于用单词的古典诗歌中，因此也就从来很少见“树叶”这个词汇了。至于“木叶”呢？则全然不同。这里又还需要说到“木”在形象上的第二个艺术特征。

“木”不但让我们容易想起了树干，而且还会带来“木”所暗示的颜色性。树的颜色，即就树干而论，一般乃是褐绿色，这与叶也还是比较相近的；至于“木”呢？那就说不定，它可能是透着黄色，而且在触觉上它可能是干燥的而不是湿润的，我们所习见的门栓、棍子、桅杆等，就都是这个样子，这里带着“木”字更为普遍的性格。尽管在这里“木”是作为“树”这样一个特殊概念而出现的，而“木”更为普遍的潜在的暗示，却依然左右着这个形象，于是“木叶”就自然而然地有了落叶的微黄与干燥之感，它带来了整个疏朗的清秋的气息。

袅袅兮秋风，洞庭波兮木叶下。

这落下的绝不是碧绿柔软的叶子，而是萧索飘零透些微黄的叶子，我们仿佛听见了离人的叹息，想起了游子的漂泊，这就是“木叶”的形象之所以如此生动的缘故。它不同于“美女妖且闲，采桑歧路间。柔条纷冉冉，落叶何翩翩”（曹植《美女篇》）中的落叶，因为那是春夏之交饱含着水分的繁密的叶子。也不同于“静夜四无邻，荒居旧业贫。雨中黄叶树，灯下白头人”（司空曙《喜外弟卢纶见宿》）中的黄叶，因为那黄叶还是静静地长满在树上，在那蒙蒙的雨中，它虽然具有“木叶”微黄的颜色，却没有“木叶”的干燥之感，因此也就缺少那飘零之意；而且它的黄色由于雨的湿润，也显然是变得太黄了。

所以“木叶”是属于风而不是属于雨的，属于爽朗的晴空而不属于沉沉的阴天，是一个典型的清秋的性格。至于“落木”呢？则比“木叶”还更要显得空阔，它连“叶”这一字所保留下的一点绵密之意也洗净了，“落木千山天远大”充分说明了这个空阔。这是到了要斩断柔情的时候了。而“木叶”呢？它出现在那“袅袅秋风”之中，也仍然带着那袅袅不断的余情，所谓：

日暮风吹，叶落依枝。

——《青溪小姑歌》

恰足以说明这“叶”缠绵的一面。然则“木叶”与“落木”又还有着一定的距离，它乃是“木”与“叶”的统一，疏朗与绵密的交织，一个迢远而情深的美丽的形象。这也正是那《九歌》中湘夫人的性格形象。

“木叶”与“树叶”，不过是一字之差，“木”与“树”在概念上原是相去无几的，然而到了艺术形象的领域，这里的差别就几乎是一字千金。

（原载《光明日报》1958年3月16日）

山水诗是怎样产生的

山水诗是诗歌发展中必然会出现的事情，人类在认识大自然和改造大自然的同时，把大自然对象化，这就必然会反映在诗歌里。最初这种对象化是通过神话的形式出现的，随着生产力的发展，神话的时代过去了，于是大自然直接成了诗歌中丰富想象的一个重要方面。《国风》中的许多起兴，以及《小雅·采薇》中：

昔我往矣，杨柳依依。今我来思，雨雪霏霏。

这类作品无可争辩地说明了这个。但先秦时代不过只是一个开端，从《楚辞》里我们还可以清楚地看到神话的最后光芒，与自然山水新鲜魅力的交替。《九歌》中如果把山水景物的描写都抽掉了去，那将会损失多少光彩！

袅袅兮秋风，洞庭波兮木叶下。

这是多么新鲜动人的诗句。如果诗歌的创作也可以引用马克思的名言“人是依据美的法则来创造的”，那么自然美在诗歌中的出现也是不以人的意志为转移的，而是客观必然的发展。当生产力发展到了一定的时期，特别是以农业生产为主的封建社会成熟，对于大自然的改造开始达到了较为普遍的阶段。神的时代过去了，而人们的主要生活又还是如此地接近于自然，这就是山水诗发展十分有利的条件。中国古代的封建社会文化远较世界其他民族发达，而山水诗的发达情况也正复相应，这难道只是一种巧合吗？诗歌作为中国古代封建社会中的主要文学形式，它成熟得既早，又很少凭借故事情节，就更多地利用了自然景物来丰富它的想象力，于是宋元嘉以来突出地出现了大量的山水诗，使得诗歌的表现方式更为多样，这对于唐诗的艺术成就是起着促进和丰富作用的：

国破山河在，城春草木深。感时花溅泪，恨别鸟惊心。

——杜甫《春里》

这里“山河”“草木”“花”“鸟”都成了内心世界更深的揭示，如果没有山水诗的基础，是不会出现这样类型的诗句的。至如“离离原上草，一岁一枯荣。野火烧不尽，春风吹又生”（白居易《赋得古原草送别》）、“送君灞陵亭，灞水流浩浩。上有无花之古树，下有伤心之春草”（李白《灞陵行送别》），这些丰富的想象，也不是脱离了山水诗方面既有的成就能够单独出现的。

山水诗正如神话仿佛近于一种艺术形式，神话的内容有好有坏，山水诗的内容也有好有坏，但是一般说来神话和山水诗又都是美丽的、令人喜爱的，因为它反映了人类想象力的活泼和无限丰富。神话往往不单纯是神话，神常常和人打交道；山水诗也很少是单纯的自然景物，山水也往往要和人打交道。也许有人会说，和人打交道的山水诗不算山水诗，那么事实上也就很少作品可以算是山水诗了，如果我们并不把宫体诗与山水诗混为一谈，被称为山水诗大量产生的南朝时期，又有多少纯粹描写自然景物的诗篇呢？江南民歌中如《吴歌》《西曲》《神弦歌》，以至《西洲曲》，是结合着爱情主题的；文人的作品则大多数是结合着政治怀抱、游宦生活、游子主题、行旅奔波与乡土之思的。“余霞散成绮，澄江静如练”“天际识归舟，云中辨江树”（谢朓《晚登三山还望京邑》）、“大江静犹浪，扁舟独且征”（阴铿《和傅郎岁暮还湘洲》）、“江暗雨欲来，浪白风初起”（何逊《相送》），这些最有代表性的山水诗篇，又何尝只是自然景物而已。

至如北歌中出现了“遥看孟津河，杨柳郁婆娑”（《折杨柳》歌辞）、“敕勒川，阴山下”（《敕勒歌》）这样的一些作品，难道与南朝山水诗的发达没有关系吗？山水诗确是在南朝发达起来的，但是山水诗的发达却正是结合着南朝的经济发展而出现的，既不由于魏晋以来士大夫们的雅好园林，也不由于隐士们的逃避现实遁迹岩穴。

当然山水诗既近于一种艺术形式，是可以被用来写园林或隐逸生活的，但是就山水诗发生的实际情况来说，则既与园林无大关系也与隐逸很少瓜葛。诗中之有山水景物本不自魏晋六朝始，而是古已有之的，只是数量不多而已。《诗经》《楚辞》而后，汉乐府中如《江南》：

> 江南可采莲，莲叶何田田，鱼戏莲叶间。鱼戏莲叶东，鱼戏莲叶西，鱼戏莲叶南，鱼戏莲叶北。

这可以算是较为集中的山水景物诗。之后文人的作品，大家则公认以曹操的《观沧海》为较早的代表，这些当然都既非园林也非隐逸。魏晋以来园林、隐逸都发达了，而山水诗却并没有长足发展，特别是以园林和隐逸为主的作品中，其成就也不比别的更多。直到梁陈时期，宫体诗起来，才有了较多以写庭苑山水景物为主的一些应制之类的诗篇，这或者与园林比较相近，却已稍迟于山水诗的发展了。而在山水诗发达之前则有玄言诗垄断了诗坛将近百年，也可以说是与逃避现实更为直接有关的，然而其中的山水景物少得可怜。相反地，在并不逃避现实的民歌里，这时倒有了较多山水景物的描写，而且面貌一新，确已非昔日可比了：

春风动春心，流目瞩山林。山林多奇采，阳鸟吐清音。

——《子夜四时歌·春歌二十首》之一

江陵去扬州，三千三百里。已行一千三，所有二千在。

——《懊侬歌十四首》之三

逃避现实的倒没有山水诗，不逃避现实的倒有了山水诗，这究竟应该怎么解释呢？山水诗产生之后却又是以行旅景色为主，连谢灵运也是以一个旅行家的姿态而出现的。至于谢灵运算不算隐士，当然还大可研究，反正不是魏晋以来的那种隐士，隐士们深居简出，清静无为，而谢灵运则特别好动，到处乱跑。据说范蠡泛舟五湖，也算是一种隐士，或者彼此有某些相像，可是范蠡突出的却是以谋士著称的。然则《文心雕龙·明诗》篇说“宋初文咏，体有因革。庄老告退，而山水方滋”，看来还是符合于实际情况的。这是说代表着魏晋隐逸生活的庄老思想退出了诗坛，山水诗才获得了真正的发展；也就是说在当时庄老思想的支配下，并不有利于山水诗的发展。因此这里存在着对立的、变革的过程，这样的事实难道不足以说明山水诗的产生与士大夫们的隐逸生活之间不谐调的关系吗？何况就算谢灵运逃避现实，又自己说过“樵隐俱在山，由来事不同”，也算隐士；而且“凿山浚湖”，又写过“中园屏氛杂”“曾是反昔园”（谢灵运《田南树园激流植援》《还旧园作见颜范二中书》）之类的诗句，也算与园林有关，而他的大量山水诗却仍然不是在隐士或园林这些基础上产生的。这正如谢灵运的山水诗里往往拖个玄言的尾巴，而这个尾巴却并不是他的山水诗产生的基础，相反地，却是山水诗产生的障碍。谢灵运正以其能摆脱了玄言诗的束缚，能从深居简出里跑了出来，从园林里跑了出来，而且跑得很远，才写了那么多较好的山水诗。

至于谢诗中还有割不掉的尾巴，还有逃避现实的严重的一面，这都毋庸讳言，可是这些难道有助于谢灵运在山水诗方面的成就吗？恰恰相反，正因为谢灵运有这么明显的缺点，所以他在山水诗上的成就也就有了非常明显的局限，首先就是大家所经常指出的情景不能交融。大自然作为抒情的对象，本来是应该情景交融的，自从“昔我往矣，杨柳依依”，早就是情景交融了的。为什么到了谢灵运却交融不起来呢？这显然不是山水诗的问题，而是谢灵运个人的问题，不是山水诗发展中必须经过一个不能交融的阶段，而是谢灵运自身的缺点使其不能交融，谢灵运这些缺点也只是属于谢灵运自己，而不属于别人，这只要看看稍前的陶渊明与稍后的谢朓就清楚了。

谢灵运的山水诗的确有其特殊之处，它好像比一般的山水作品更客观些，有点像一个旅行记者，一路上随处用精妙的照相技术拍下了新鲜的风景镜头，而许多镜头之间，甚至于有时即使在一首诗里，也似乎没有多大联系，这到底是怎么一回事呢？这就是说谢诗后半的玄言哲理并不能统一前半的山水景物，因此不但前后两半清新与陈腐往往判若两诗，而前半的山水景物还缺少一个可以统一的、明显的思想，因此也就各自游离着，仿佛还只是停留在感性阶段，而没有提高到完整的理性认识上来。至于那后半玄言尾巴中的理性认识倒是明显的、系统的、固有的，也无待于前半的山水景物，因此两者之间虽然多少有些表面上的逻辑，却没有内在的联系。

我们如果说它的玄言尾巴是把大自然看成“老庄明自然”的抽象玄言的注脚，那么在它的山水景物里则恰恰是把同一个大自然看作是客观的、具体的、变化着的新鲜事物。这两种不同的态度、不同的观点，正说明着世界观上的矛盾，也就是说，在谢灵运的世界观中存在着成系统的、没落的、以其玄言诗为代表的思想体系；而另一方面又有着不成系统的、近于感性的、较为开阔健康的对于自然美的新鲜要求。

这或者正是一个没落阶级中不甘于就此消沉下去的一些人身上可能有的现象：一方面旧的思想意识仍然紧紧抓着他，另一方面在突然没落的现实面前又变得较清醒些，想要从死气沉沉的腐朽堆中挣扎出来，呼吸一口新鲜空气，吸收一点健康的美学观点。然而由于阶级局限仍然牢牢地束缚着他，这清醒也就只能到此为止，因此他的收获又是零碎的、新鲜而有点近于陌生的。这就形成谢灵运山水诗上的独特之处，当然谢灵运的诗篇也并非全都如此，“明月照积雪，朔风劲且哀”（谢灵运《岁暮》）就是情景交融的。这只是就其大多数较成功的山水诗句来说而已。

然而谢灵运如果连这点不甘没落的要求也没有，连一点健康的美学观点也没有吸收到，他只是想逃避在大自然的一个角落里了此一生，而无感于大自然奇伟的变化与新鲜的力量，那么谢灵运大约就只能写玄言诗，而写不出“洲岛骤回合，圻岸屡崩奔”“解作竟何感，升长皆丰容”“援萝聆青崖，春心自相属”（谢灵运《入彭蠡湖口》《于南山往北山经湖中瞻眺》《过白岸亭诗》）这样的一些山水诗来，而且在他的山水诗中也就不会存在着前后两半判若两诗的游离状态。或者是写山水而并无山水之美，为一种玄言的概念所笼罩着，如孙绰的《游天台山赋》之类；或者是情景交融却入于禅寂（谢灵运也是佛教徒），如王维晚年的某些诗篇那样。总之都是统一的，而不是像谢灵运的诗那样游离着。至于谢灵运则正以其能从玄言诗中游离出来，能从贵族们狭小的天地中游离出来，因而在山水诗上取得了一定的新的成就。

我想我们这里如果能够区别一下山水诗与田园诗，也许对于研究山水诗是怎样产生的与怎样发展的会有些好处。实际上到了山水诗大量产生的时期，在祖国的河山原野上纯粹属于洪荒世界的恐怕已经绝少，要么是经过广大人民改造过的，要么是经过统治阶级改造过的。前者就是大自然中的山水，后者就是庭苑园林，当然庭苑园林也是劳动人民建成的，其中也不同程度地吸收了劳动人民的审美观点，但是究竟不免又是根据统治阶级的爱好和偏见来改造的。这两种对于自然界的改造，有着雄伟和细巧、自然和修饰、辽阔和精致、辛勤和享乐、无限和有限等种种不同的倾向，前者正如生活，乃是无限的丰富，其发展则导致对于祖国河山的歌唱以至边塞的向往，所谓“楚塞三湘接，荆门九派通。江流天地外，山色有无中”“大漠孤烟直，长河落日圆”（王维《汉江临眺》《使至塞上》）、“羌笛何须怨杨柳，春风不度玉门关”（王之涣《凉州词》）。而后者由于它们的局限性却曾经为宫体诗做了点缀。这当然不是说诗中不可以写园林风物，“青青河畔草，郁郁园中柳”（《古诗十九首》之二）、“暮春和气应，白日照园林。青条若总翠，黄花如散金”（张翰《杂诗》）固是园中，“风林纤月落，衣露净琴张。暗水流花径，春星带草堂”（杜甫《夜宴左氏庄》），也无疑是好诗。

自然美有其雄伟变化的一面，也同样有其幽静谐和的一面，但两者不应是绝缘的。问题在于它是作为生活的起点还是生活的归宿，是一个展望还是一个结束，是加强生活意志还是玩物丧志，而魏晋以来士大夫们的雅好园林一般却恰恰是属于后者。至于田园呢，当然情况有些不同，那要看主要的究竟是田还是园。陶渊明的田园诗可以说主要的是田，其成就乃是一般山水诗所难以企及的，但是有几个陶渊明呢？一般的所谓田园诗，田不过是园的另一种形态，这我们只要看看大观园中会出现稻香村，就完全可以明白了。事实上如果真能透露一点田的消息，是将要出现好诗的，“平畴交远风，良苗亦怀新”“有风自南，翼彼新苗”（陶渊明《癸卯岁始春怀古田舍二首》之二、《时运》），显示着多么新鲜的活力。“白水明田外，碧峰出山后。农月无闲人，倾家事南亩”（王维《新晴晚望》）也不失为好诗。然而绝大多数的情况，田在这里并不是以田的性格出现，而是以园的性格出现，尽管由于有了田的关系，语言上也许素朴些，却挽救不了与园林诗相差无几的命运，有成就的作品是少得可怜的。

南朝三百年间，除了陶渊明以外，有什么可以称述的田园诗呢？而山水诗却是别有天地的，“春晚绿野秀，岩高白云屯”（谢灵运《入彭蠡湖口》），“鼓声随听绝，帆势与云邻”（阴铿《江津送刘光禄不及》）、“岸花临水发，江燕绕樯飞”（何逊《赠诸游旧》），与民歌中的“阳春二三月，草与水同色”“布帆百余幅，环环在江津”“巴东三峡猿鸣悲，夜鸣三声泪沾衣”（西曲歌《孟珠》《石城乐》《女儿子》），有着多么亲切的一脉相通之处。

这些随处可见的佳作，它们代表着南朝山水诗的成就，却与所谓园林、田园相去是如何之远，与所谓隐逸更是毫不相干。当然隐逸诗中也可以有山水佳作，陶渊明还是“隐逸诗人之宗”呢，至如左思能在《咏史诗》中写出“被褐出阊阖，高步追许由。振衣千仞冈，濯足万里流”那么富有对抗性的作品，也就能在他的《招隐》中写出“白云停阴冈，丹葩曜阳林。石泉漱琼瑶，纤鳞或浮沉。非必丝与竹，山水有清音。何事待啸歌，灌木自悲吟”那样的成功之作，这要看那隐逸主要是对抗现实的还是逃避现实的。我们不妨来推荐一下南朝的山水诗作，一组专选与园林、隐逸有关的，另一组专选与从政、游宦、征人、行旅有关的，看看哪方面更能代表山水诗的成就，我想其结果是不难预料的，而且显然是悬殊的。

这就说明这样一个事实，在山水诗广泛的天地里，园林或隐逸并不占什么重要地位，优秀的山水诗极少出现在那里。理论归根要到实践里去考验，究竟在山水诗方面是优秀的、有成就的推动了山水诗的产生和发展，还是没有什么成就的推动了它的产生和发展呢？本文这里只想说明这样一个具体事实：隐逸正如园林并没有在南朝的山水诗中起多少推动作用；反之，倒是可以说，山水诗的发展曾给隐逸和园林增添了生意，不正是谢灵运写出了“池塘生春草，园柳变鸣禽”的佳句吗？

那么山水诗是怎样产生的呢？我想首先应当承认这是诗歌为了表现上的多样性、想象上的丰富性，必然要产生的一种形象思维。但是产生是有条件的，这条件就是南朝的经济发展与水路交通的发达。为什么“宋初文咏”才“体有因革”呢？这与宋元嘉时代是南朝经济成熟的发展时期分不开的。范文澜同志的《中国通史简编》中说：

> 刘裕幼年贫穷，不得读书，以耕地为业，兼做樵夫、渔父及卖履小贩。……后来积累战功，打下帝业基础，和晋元帝依靠大族推戴的情形完全不同。刘裕所创的宋朝，皇帝独掌大权，主要辅佐多选用寒门，原来的高门大族只能做名大权小的官员，难得皇帝的信任。削弱士族的政治势力，实行皇帝专制的中央集权，宋朝国内的统一程度远非强藩割据的东晋朝所能比拟……424年，宋文帝即位。长江流域在宋文帝统治的三十年中，呈现东晋以来未曾有的繁荣气象。南方经济和文化的发展，到元嘉（宋文帝年号）时期才真正开始。
>
> ——人民出版社1949年修订版，第二编第371—373页

江南山水秀丽，土地肥沃，这是客观存在，这里产生过前面提到的《九歌》以及《江南》一类的作品。但是过去这里却是远离经济政治文化中心的地带，农业技术落后，劳动人口不足，土地没有得到充分的开发，这些现象直到南渡之后才有了根本的改变。

南渡以来历经了一百余年，而自刘裕当政以至元嘉，约半

个世纪，政治上的一定开明又保证了经济的更多发展，就成了真正活跃繁荣的时期，这只要看隋唐以来江南一带成了全中国的粮仓这一事实便可以明白了。而江南商业也在这个基础上空前发达起来。中国古代人民对于大自然的认识与改造，包括水路交通在内，这时就达到了新的阶段。这发展的过程也为人们认识自然美提供了有力的条件，这首先就在江南民歌中表现了出来。刘裕当政以来，一定程度上削弱了门阀垄断的局面，被长期垄断的诗坛也初步摆脱了死气沉沉的重压，尽管这一切都还是缓慢的，却无疑有了起色。于是作家们继民歌而发展了这些，同时自己过着游宦的生活到处奔波，生活中阅历过无数山川景物，作为一个生活的环境，就自然地反映在诗歌里。所谓“落日川渚寒，愁云绕天起。短翮不能翔，徘徊烟雾里”（鲍照《赠傅都曹别》），“大江流日夜，客心悲未央。徒念关山近，终知返路长”（谢朓《暂使下都夜发新林至京邑赠西府同僚》），正是此后所习见的。

我们很难想象只见过一山一水的诗人，能够写出丰富的山水诗来，这里不只是多样化的问题，也是普遍性的问题。所谓“隔水青山似故乡”（戴叔伦《题稚川山水》），旅人的异乡情调中不也正是乡土的爱恋之情吗？扩而大之，就可以走向热爱祖国河山的歌唱，这些就都和诗人们的生活打成一片。生活是文学的源泉，没有生活就没有诗，山水诗绝不能脱离生活仅成为静物写生而发达起来。当然南朝究竟还是门第社会，当时文坛还未能完全摆脱士族的垄断，作家们一般又多是出身于中上层，生活仍然不够充实，因而山水诗上的成就也就并不能太高，历史上公认的成就，数得上的不过是二谢、阴、何而已。然而游宦生活既不同于腐朽生活，旅人主题也不是脱离现实的，作为当时作家们一般的生活内容，也就使山水诗产生了，而又只是达到了一定的水平。

真正把山水诗进一步地提高和发展，是到了唐代。这也是与唐代整个经济政治文化的发展分不开的。更为单纯的山水诗篇，短章如《横江词》《望庐山瀑布》《皇甫岳云溪杂题》，中篇如《汉江临眺》《终南山》《望岳》，长篇如《龙门阁》《桔柏渡》，更长的如《蜀道难》等，也都是到了唐代才较多地涌现。这同时说明并不是先出现单纯的山水诗篇，然后才出现山水诗与生活内容结合的作品；而是相反，山水诗是在结合着表现生活的要求上成长出现的。最初作为诗歌内容的起兴，之后形成更广泛的结合，最后在大量的作品中才出现一些单纯写山水景物的诗篇。而这些山水诗篇即使表面上并不直接道出具体的生活内容，实际上生活的气息、思想的背景、时代的精神面貌是宛然可见的。从曹操的《观沧海》起，单纯的山水诗就不只是作为单纯的景物描写而已。李白说“头陀云月多僧气，山水何曾称人意”(《江夏赠韦南陵冰》)、这位“一生好入名山游”、在山水诗方面成就如此优秀的诗人，到了思想极度苦闷时，平时所爱的山水在诗中也就成了闷人的形象。山水诗是在生活中成长，也是在生活中才走向了繁荣和更高发展的。

如果说山水诗中的山水景物也是一种内容，毋宁说它更近于一种广义的民族形式。从“月子弯弯照九州”，到“月亮弯弯，康定溜溜的城哟”，到“半个月亮爬上来”一直到“唱罢星星唱月亮”，唱到一切自然景物，所谓“清清的流水蓝蓝的天”，这些都是在山水诗的基础上——也是在生活的基础上——培养起来的民族喜闻乐见的表现形式。马克思在《政治经济学批判·导言》中说："一件艺术品——任何其他的产品也是如此——创造一个了解艺术而且能够欣赏美的公众。"如果中国山水诗曾经在中国民族中起过这样的作用，那么在这辩证发展的过程中，它是应该得到发展的，并且将继续为人民所喜爱着。

山水诗最初的来源是民歌中的起兴，这就是说从来是与生活息息相通的，因为起兴本来就是为带进生活的驰想而出现的。然而正如有一些起兴往往可以用在许多歌词上，某些山水诗句也往往能引起多方面的联想。"山有扶苏，隰有荷华"既不一定非引出"不见子都，乃见狂且"的下文不可，"春水满四泽，夏云多奇峰。秋月扬明辉，冬岭秀孤松"[1]究竟是什么主题也很难说得清楚，却可以唤起广泛的起兴作用，甚至于像李白的《答王十二寒夜独酌有怀》那么思想性强烈的诗篇，其开头一大段：

> 昨夜吴中雪，子猷佳兴发。万里浮云卷碧山，青天中道流孤月。孤月沧浪河汉清，北斗错落长庚明。怀余对酒夜霜白，玉床金井冰峥嵘。人生飘忽百年内，且须酣畅万古情。

这里的景物形象，如果作为李白其他一些诗篇的开场白，似乎也都未为不可。而孟浩然《过故人庄》的前四句"故人具鸡黍，邀我至田家。绿树村边合，青山郭外斜"，就曾独立地成为一首诗与原诗各自流传着。这就是说艺术形象有其相对独立性，当然这也是同时说它并非绝对独立的。

---

[1] 此诗见《陶渊明集》中，题作《四时》，汤汉《靖节诗注》云："此顾恺之《神情诗》。"

我们如果由于某些山水诗句里没有具体的语言来交代它的思想内容，就认为只是一片无意识、无观点、无内容的图像，那么我们对于像音乐这样根本没有具体语言的艺术创作，将要做怎样的理解呢？或者岂不都要变成哑谜了吗？山水诗虽源于起兴却并不停留于起兴，如前面说过的，单纯的山水景物诗在山水诗中乃是少数的，它之在诗中，有点仿佛音乐中的轻音乐，既不宜于过高评价，也不宜于低估了它在诗歌中所起的作用。没有这些山水诗中的发展和成就，中国古典诗歌的丰富多彩是不免要为之减色的。

山水诗虽不停留于起兴，却往往带有起兴的丰富启发性，同时来自民歌的绝句在各种诗体中也是最富于启发性的一种形式，这样两者结合起来，如祖咏的《望终南余雪》只写了“终南阴岭秀，积雪浮云端。林表明霁色，城中增暮寒”四句就完卷，正是有意保留了这个启发性而写成了绝句的[1]。传诵不绝的《绝句》《望天门山》《早发白帝城》《登鹳雀楼》《凉州词》一类的山水绝句乃正以其启发性的丰富为人们所广泛喜爱。当然启发性也是有倾向的，而这里的“山水”与“绝句”不恰恰又都说明着与民歌之间的一段关系吗？

形象的捕捉往往容易引起对于艺术技巧的过分夸张，这也几乎是习见的事情；艺术上新的成就，因此往往也会为形式主义开了方便之门。《楚辞》在《诗经》之后创造性地发展了诗歌语言

[1]《唐诗纪事》：“有司试《终南望余雪》，咏赋成四句即纳于有司。或诘之，咏曰：意尽。”

的丰富性，却为汉赋的排比铺陈开了方便之门；山水诗的新的发展和成就，也曾经带来“绮丽不足珍”的诗风，然而这些都不能归罪于楚辞与山水诗本身。这里最后的决定因素仍然是那个时代与作家们的生活内容。

山水诗划时代的出现，并不是发生在南朝最阴暗混乱的时期，相反地，乃是恰恰出现在情况好转之下，也就是南朝中政治经济最近于开明因而更为繁荣的时期，这难道不又是一个事实吗？

本文只想说明山水诗的产生，并不是建立在远离现实的思想基础上的，也不是在园林、田园或隐逸这样的生活基础上成长的。山水诗的产生，在认识自然美的进展过程中，要超越《诗经》《楚辞》以来已经达到的这方面的地步，乃是封建经济发展更为成熟的阶段上自然的产物。我们如果首先能够明确这些，或者对于进一步研究唐代的山水诗也会有些好处。

1961年4月

（原载《文学评论》1961年第3期）

青与绿

“青青河畔草，郁郁园中柳”(《古诗十九首》)、“枝上柳绵吹又少，天涯何处无芳草”（苏轼《蝶恋花》)，草与柳在古代诗词中一直经常这样地同时并见，要说明其间的缘故，根本上还是因为都涉及春天。

“杨柳东风树，青青夹御河”（王之涣《送别》)、“野火烧不尽，春风吹又生”（白居易《赋得古原草送别》)，柳树是代表着春风的，而草则又与春风共其命运。“池塘生春草，园柳变鸣禽”（谢灵运《登池上楼》)，春回大地的信息，首先就体现在草与柳的变化上。“天街小雨润如酥，草色遥看近却无”（韩愈《早春呈水部张十八员外》)，只是那么一星星若有若无的草的痕迹，便宣告了春天的来临。“碧玉妆成一树高，万条垂下绿丝绦。不知细叶谁裁出，二月春风似剪刀”（贺知章《咏柳》)，柳枝上刚萌发出点点的细叶，料峭的春风便已来到了人间。这个细叶，诗词中又称为“柳眼”，仿佛在说碧玉妆成的柳树，忽然从睡梦中一觉醒来，睁开了眼睛，同时也就是春天的开始了。所谓“风回小院庭芜绿，柳眼春相续”（李煜《虞美人》），草透出了绿意，柳睁开来眼睛，这是多么富于生意的绿色世界啊。

世界是绿色的，可是诗人却爱说“青青河畔草”“青青夹御河”“渭城朝雨浥轻尘，客舍青青柳色新”。“柳色新”自是嫩绿色，所谓“看尽鹅黄嫩绿，都是江南旧相识”（姜夔《淡黄柳》），可是却非说“青青”不可。春天叫作青春，“白日放歌须纵酒，青春作伴好还乡”（杜甫《闻官军收河南河北》），“青春复随冠冕入，紫禁正耐烟花绕”（杜甫《洗兵马》）。而春游也叫作踏青，却不说踏绿。春天唤作青阳，春神名曰青帝，少年称为青年，那么到底是谁代表着春天呢？

绿与青原是相近的颜色，所以青天又称碧落、碧空，碧也就是绿。绿草可以称为青草，绿柳却不能称为青柳，但是“天官动将星，汉地柳条青”（王维《送赵都督赴代州得青字》）却又正是好诗。“春晚绿野秀”（谢灵运《入彭蠡湖口》），这绿野却很少称之为青野。大概由于绿指的是具体的、现实的世界，而青则仿佛带有某种概括性的深远意义。绿原是一种谐和的色调，在万紫千红的春天，绿乃是多样统一的典范。而青则更为单纯、凝净、清醒、永久，松树因此就都称为青松。所谓青山绿水，何尝不正是两种性格的说明呢？这里或者会给我们带来一点生活中的启发吗？谁不愿意青山不改、青春长在呢？但这只是一种理想，从现实到理想，从具体性到概括性，本来是绿的却说成是青的，但愿人长久，千里共青青。

写于1983年立春

《楚辞》里“兮”字的性质

《楚辞》里每句差不多都有“兮”字,《诗经》里则偶然也用些“兮”字,但它们不但在量上表示出分别,而且在性质上也全不相同。《诗经》里的“兮”字共有三种,第一种如《郑风·萚兮》:

萚兮萚兮
风其吹女
叔兮伯兮
倡予和女

这一种“兮”字表情的成分最重。第二种如《邶风·日月》:

日居月诸
照临下土
乃如之人兮
逝不古处

“日居月诸”即等于“叔兮伯兮”,是最重的表情,至于“乃如之人兮”表情就轻一点,可是这“兮”字也仍然不是一个普通的“兮”字,如《郑风·君子偕老》:

子之清扬
扬且之颜也
展如之人兮
邦之媛也

这“展如之人兮邦之媛也”的“兮”字，就约等于“也”字，所以诗里也就有相似的用法，如：

乃如之人也
怀昏姻也

第三种如《齐风·还》：

子之还兮
遭我乎猛之间兮
并驱从两肩兮
揖我谓我儇兮

这种形式在《诗经》里用得最普通，而“兮”字的表情成分也最轻。第一种是在单句里句中和句尾连用两个“兮”字（也偶有例外，如《小雅·蓼莪》有“父兮生我，母兮鞠我”），第二种是单句里只在句尾用一个“兮”字，第三种则是每句的句尾上都用一个“兮”字，属于第三种的也有变例，如《桧风·匪风》：

匪风发兮
匪车偈兮
顾瞻周道
中心怛兮

再如《小雅·裳裳者华》：

裳裳者华

其叶湑兮
我觏之子
我心写兮
我心写兮
是以有誉处兮

都偶有单句不用“兮”字的情形，不过这只能算是例外罢了。以上三种第一种与第二种其实很相近，它们都只在单句上方用“兮”字，而且有时候用在相似的情形之下，如《邶风·日月》的第三句本为第二种“兮”字，可是到了第四段却代以第一种“兮”字的用法：

日居月诸
东方自出
父兮母兮
畜我不卒

因为它们都可以说是有比较重的表情。至于第三种则表情比较轻，而且每个“兮”字之上都有韵脚，“兮”字在这里似乎并不很必要，例如《齐风·还》如果把“兮”字省掉，则成为：

子之还
遭我乎狃之间
并驱从两肩
揖我谓我儇

似乎影响并不很大，可是“兮”字在这里无论如何总算是一个表情的字，不过较为轻微罢了。我们如果把上面三种又归成一类，可以说它们都是表情的字；可是“兮”在《楚辞》里就完全离开了表情的作用。例如：

名余曰正则兮字余曰灵均

何以“名余曰正则”之下要用个“兮”字，而“字余曰灵均”却不用呢？《楚辞》里的句法本来十九是上下对称的，换句话说上下的感情是相等的，如：

朝搴阰之木兰兮夕揽洲之宿莽
畦留夷与揭车兮杂杜衡与芳芷
日月忽其不淹兮春与秋其代序
闺中既以邃远兮哲王又不寤
变白以为黑兮倒上以为下
屈心而抑志兮忍尤而攘诟
同糅玉石兮一概而相量
滔滔孟夏兮草木莽莽
菉蘋齐叶兮白芷生
入不言兮出不辞
洞庭波兮木叶下
浴兰汤兮沐芳
秋兰兮麋芜

这些例子设若上半应当有“兮”字的表情，下半何以就不应当有同样的表情？可见这里的“兮”字原不是一个表情的作用。它之用在一个句子的上半，颇近于《诗经》里表情作用较重的第一、二种形式，可是它却相反地并没有表情作用。(《楚辞》里只有“瞬兮杳杳孔静幽默”一句例外是近于第一种的，此外《橘颂》一篇之近于第三种，原为源于《诗经》的改良体，不能算是《楚辞》最独创的形式）同时《诗经》里第二种的形式即使把两句作为一句，如：

如可赎兮人百其身

将仲子兮无逾我园

于嗟鸠兮无食桑葚

我们也不能发现有任何上下对称的情形，所以它们之间绝无相同之处。《楚辞》里的“兮”字乃是一个纯粹句逗上的作用，它的目的只在让句子在自身的中央起一个有如休止符的作用，它遇到需要表情字的时候，就再用其他的语吻字，例如：

忳郁邑余侘傺兮，吾独穷困乎此时也！

从这里正可以说明“兮”字所以在一切文字当中成为一个最特殊的字，它既不含有字义，又也非语吻字，这个独特的印象是通过楚辞才创造出来的，没有楚辞，“兮”字只不过是一个普通语吻字；从楚辞开始，“兮”字才突出而成为一切文字之外的一个新字，楚辞所以真正创造了我们熟悉的“兮”字。其他的语吻字如“些”“只”等都只能放在句尾，那还是属于第三种的，而楚辞则创造了第四种的“兮”字，它似乎只是一个音符，它因此最有力量能构成诗的节奏。这就是楚辞里“兮”字的性质。

我们说明“兮”字的任务是构成节奏，它本身并无意义。如果拿今天民歌里的“来”字来比较，就更为明白。例如说“我所思‘兮’在太山，欲往从之梁父艰”，岂不就是“正月里‘来’是新春，家家户户点红灯”。这里“来”字与“兮”字同样都只是一个节奏上的字，实际上也就是一个“半逗律”的逗号，因此有时候也就不妨去掉，例如：“四月里，麦脚黄，家家田头闹洋洋。”这与《楚辞》之后的《成相》篇“请成相，世之殃，愚暗愚暗堕贤良”，《铙歌》“战城南，死郭北，野死不葬乌可食”都是同一规律。至于七言诗的来源也就是去掉了“兮”字或换上一个实字，所以三言常是与七言并行，如鲍照是大力发展七言诗的人，就有全篇都是三言的诗；而七言诗中有时也可以出现“兮”字，如李白诗：“熊咆龙吟殷岩泉，慄深林兮惊层巅。”“兮”字与七言的关系，所以是非常深的。

1948年8月

从《楚辞》的断句说到《涉江》

一、《楚辞》断句上的困难

《楚辞》是我们常读的一部书，它没有像《诗经》一样被后人视为经典，也幸而没有被后人视为经典，它始终保持着最纯净的文艺面目。钟嵘《诗品》分诗为两个源流，一源于《诗经》，一源于《楚辞》；源于《诗经》的仅十四人，源于《楚辞》的二十二人，《楚辞》对于后来诗坛影响之大可以想见。然而这一部常读的书，它的文艺光辉虽不可掩藏，它的断句我们读起来却往往遇到困难，比方，《思美人》说：

广遂前画兮未改此度也命则处幽吾将罢兮愿及白日之未暮独茕茕而南行兮思彭咸之故也

在这里我们只有靠“兮”字来断句，然而无论怎样断，句法总还是不一致。前人根据主观的读法，或以为楚辞这类的“兮”字应当一律断在句尾，那便是这样：

广遂前画兮

未改此度也

命则处幽吾将罢兮
愿及白日之未暮
独茕茕而南行兮
思彭咸之故也

假如句法的变化只是如此还不要紧，然而有的句法是这样的，《远游》：

顺凯风以从游兮
至南巢而壹息
见王子而宿之兮
审壹气之和德
曰道可受兮
不可传
其小无内兮
其大无垠

“不可传”三个字，我们怎样能说它在这里是一个独立的句子呢？更明显的例子是《九歌》里的句法，像《东皇太一》：

吉日兮辰良穆将愉兮上皇抚长剑兮玉珥璆锵鸣兮琳琅

我们似乎没有法子把“兮”字断在句尾，《九歌》的“兮”字既不能断在句尾，而《九歌》里的句法如：

余处幽篁兮终不见天

与《九章》的“有鸟自南兮来集汉北”为什么在断句上要有分别呢？那么我们就一律把“兮”字断在半句上吧，而《橘颂》：

后皇嘉树橘徕服兮受命不迁生南国兮……

又明明是“兮”字断在句尾的。况且“兮”字的用法还不只于此，比方《怀沙》：

瞬兮杳杳孔静幽默

这里这“兮”字就根本不能句逗，所以《楚辞》的断句上我们至少有三个问题必须解决：

（一）“兮”字是不是唯一断句的凭借；

（二）《楚辞》在断句上为什么不一律；

（三）究竟应当怎样断句。

二、《楚辞》的文艺形式

我们要了解《楚辞》断句上表面的形式，我们必须先了解《楚辞》文艺上更内在的形式，一切表面的形式都生于内在形式的要求，那么《楚辞》的内在形式是什么呢？

从《诗经》到《楚辞》，中间隔了二百多年，这二百多年间只有两首可以算作诗的歌辞：一是《越人歌》，见于《说苑》；一是《孺子歌》，见于《孟子》。《越人歌》表现一种非常进步的楚辞体裁：

今夕何夕兮搴洲中流，今日何日兮得与王子同舟，蒙羞被好兮不訾诟耻，心几烦而不绝兮得知王子，山有木兮木有枝，心说君兮君不知。

然而这首美好的歌，它的时代却是不可靠的，一则《说苑》的记载常常表现得极不可靠，它是一部不能作为考证根据的书。二则《越人歌》的记载又闪烁其辞，据说《越人歌》原是从越语译成楚语的，而《说苑》中至今还载有不可解的越声，试想秦火之后多少书籍亡散，独这久远的不可解的越声反而完整保存，愈做得像乃愈见其可疑。三则《楚辞》以后的诗歌如《易水歌》《垓下歌》《大风歌》《招隐士》《秋风辞》等都莫非《越人歌》体，《越人歌》所以正是《楚辞》后期的产物。这样比较可信的只有《孺子歌》,《孺子歌》一见于《孟子》，再见于《渔父》，而称为《沧浪歌》:

沧浪之水清兮可以濯我缨，
沧浪之水浊兮可以濯我足。

这首歌便是后来五言诗的滥觞。五言的起源，或谓起于《诗经》的《召南·行露》:

谁谓雀无角
何以穿我屋
谁谓女无家
何以速我狱

而《孺子歌》也正是这《诗经》的一体，因为把四句合为两句才被后人列入《楚辞》。考《楚辞》里这一类的句法，比方：

帝高阳之苗裔兮
朕皇考曰伯庸
摄提贞于孟陬兮
惟庚寅吾以降
皇览揆余于初度兮
肇锡余以嘉名
名余曰正则兮
字余曰灵均

“兮”字之上都不再用韵脚，然而《孺子歌》则明明以“缨”押

"清"，以"足"押"浊"，显然是《行露》所用的形式。我疑心《孺子歌》或者本来没有"兮"字，或者本来有四个"兮"字，后来《渔父》的作者采用了它，把四句合为两句，加上或去掉了两个"兮"字，才成为《沧浪歌》；而后人又根据《渔父》的文字，把《孟子》原来的《孺子歌》改成今日的《孺子歌》。正因为这个缘故，《渔父》的作者，对于这首歌才有了一种创造。根据《诗经》一般的句法，它多半是这样一个《诗经》的旧体：

沧浪之水清（兮）
可以濯我缨（兮）
沧浪之水浊（兮）
可以濯我足（兮）

这《孺子歌》据《孟子》所说，它是孔子时代的民歌，正与《国风》应为一类，不过孔子既没有真的删诗，所以它也无从列于《诗经》罢了。

事实上《诗经》而下诗坛上便断无声息，这二百多年间文艺的发展真是这样冷落吗！何以一到了《楚辞》又如火如荼地凭空爆发起来呢？这些我们乃必须注意到这时文坛的另一面。

代表《诗经》与《楚辞》间这一段的文艺发展，这时我们如果放眼到更广泛的方面，我们便会发现，在散文的园地上，这时正生长着最奇异的花朵，那思想的澎湃、字句的活泼，正是空前的一次爆发，人们既惊异于那生长的高潮，欣慰于那文字的锐利，自然渐渐把它的影响带到诗坛上来，这之间又有着思想间更深的联系。

孔子说"先进于礼乐野人也，后进于礼乐君子也，如用之则吾从先进”，孔子是向往于那“思无邪”更早的《诗经》时代的；而这散文的时代正是一个文化的革新时代。这时先秦诸子争先恐后发表他们的学说，他们也便是孔子所谓的君子，那么流行在君子间的思想是什么呢？孟子说“圣王不作，诸侯放恣，处士横议，杨朱、墨翟之言盈天下，天下之言，不归杨则归墨”，杨、墨的思想如此盛行，它们之间正有一个共同的联系，墨子第一位大弟子禽滑釐与杨朱的门人友善，而杨朱有“伤歧路”的故事，墨子也有“悲染丝”的故事，这又都出于人生悲哀的写照。墨子摩顶放踵的宗教精神是出世的，杨朱的“拔一毛利天下不为”“悉天下奉一身不取”的“闭关”精神也是出世的，不过墨子重舍身，杨朱重舍世，取舍之间略有不同而已。

我们明白这是一个思想的惊异时代，它同时也正是对于人生的苦闷重新估价的时代，一切的感情乃无往而不为这散文的光辉所笼罩，诗在这期间所以便觉得黯然无光，而未来的诗坛也必受这一段波涛的影响。

屈原生于这样一个时代，他的身世又恰好造成他对于人生更深刻的认识，他是一个热情诗人，既不能如墨子的舍弃自己，又不能如杨朱的舍弃人间，他徘徊于二者之间痛苦地挣扎着，那便是《离骚》之作，《离骚》里一种不平的情调，正好与平静的《诗经》时代作一对照，那也正是散文时代的惊异精神，正因为如此，《楚辞》所以继思想界的爆发，而成为文艺上一枝异果；那永恒的追求，那人生的启示，都是《诗经》时代所不会有的。这一切内在的形式既由于散文的爆发，它的文字表现所以也非散文不足以快意；这是一个以散文为主潮的时代，《楚辞》要建立它自己的诗的形式，仍有待于更多诗上的努力。

三、《楚辞》体裁上的一致性

《楚辞》从散文的波澜中，要获取它诗的形式，方法不外两种：一种是承继旧有《诗经》的形式，而把它加长以适合散文语吻的长度；一种是整个根据散文重新另制一个诗的形式。前者便是《橘颂》《天问》之作，后者便是《离骚》《九章》的体裁，《楚辞》里比较不整齐的句法都在后者这一类，正因为它是建立在散文之上的。

先说《橘颂》《天问》这一类，我们不妨称之为改良体，在《楚辞》里比较是守旧而不重要的，它的方法是把《诗经》的句法重叠起来，比方《天问》：

曰遂古之初谁传道之
上下未形何由考之
冥昭瞢暗谁能极之
冯翼惟象何以识之

这“之”字的作用似乎可以代替“兮”字，与《抽思·乱辞》：

长濑湍流溯江潭兮
狂顾南行聊以娱心兮
轸石崴嵬蹇吾愿兮
超回志度行隐进兮

都同样以倒数第二字押韵，《楚辞》里把“兮”字用在句尾的只有这一种。事实上句尾既然有韵，“兮”本是可有可无的，所以《天问》里这样的句法也极多：

东西南北其修孰多
南北顺椭其衍几何
昆仑县圃其居安在
增城九重其高几里

我们读这样的句子，似乎不会把它四字一读，这正是散文句法与《诗经》句法形式上更内在的不同；不过当时的人既久已习惯于《诗经》的断句，所以作者总愿意在句尾上放一个语吻字，如“兮”“些”“只”字之类，以表示它是应当一口气读完才对的。

然而《楚辞》大部分的佳作，仍然都寄托在全新的散文形式上，《离骚》《九章》《九歌》，以及《招魂》的乱辞，稍后的《九辩》，都莫不借这自由的表现完成它的篇章。同时这全新的散文的形式，自然比起改良体要参差而不整齐，这样语吻字的运用，乃更成为必要了。这时这太长的句法仅仅在句尾可以断句还不够，必须能在半句上也有一逗，然后才好上口。前面改良体的语吻字放在句尾既本在可有可无之间，现在便索性句尾不用了，移到半句上来用；一则句尾有韵已足以收断句之效，二则到了句尾辞气也自然会表示收煞，三则有了半句上的一逗，下半句自然也就与上半句取得对称；所以“兮”字移到半句上来，使得太长的句法在适宜的地方换一口气，使得散文的形式有了诗的节奏，这是“兮”字更进步的运用，在这里“兮”字脱离了语吻字一般的性质，而成为一个纯粹构成句逗的节奏字。比方：

不抚壮而弃秽何不改此度
乘骐骥以驰骋来吾道夫先路

我们便觉得不容易念。如果在中间加上一个“兮”字，成为《离骚》中的：

不抚壮而弃秽兮何不改此度

乘骐骥以驰骋兮来吾道夫先路

便觉抑扬顿挫有了节奏的效果了。“兮”字在《楚辞》里因此有了两种用法，前者我们若叫它改良体，这后者或者我们叫它革新体吧，而二者的分别是显然的。前者大部分是“兮”字之间隔着一个整齐的“四言的重叠”，遇到这种的句法，我们便可以断定“兮”字应当在句尾；后者“兮”字之间普遍成为不大整齐的诗行，而凡有“兮”字处并不用韵，遇到这种的句法，我们便可以断定“兮”应当在半句上，前者所谓仍沿《诗经》里“兮”字的用法而加以改良，后者才是《楚辞》里所独创的形式。

《楚辞》里“兮”字的运用，根据上面的原则都无非为断句上的效果，而楚辞更大的原则，则是句法上的重叠。楚辞之所以开偶句的先河正是这重叠使然，重叠是一切节奏的基本，“四言的重叠”不用说了；革新的句法，从较长的：

日月忽其不淹兮春与秋其代序

到较短的：

洞庭波兮木叶下

到更短的：

緪瑟兮交鼓

箫钟兮瑶簴

鸣篪兮吹竽

思灵保兮贤姱

亦莫不然。《楚辞》借排偶而把散文的形式诗化，借重叠而使节奏的作用产生，这一点作用，有时候“兮”字的作用便反而全无必要了。《天问》里不用“兮”字是一例，而《怀沙》：

瞬兮杳杳孔静幽默

郁结纡轸兮离慜而长鞠

上一句的“兮”字，便根本没有句逗的作用，因为它已经是两个四言的重叠，我们自然会读出平衡的节奏来。再比方：

乘鄂渚而反顾兮欸秋冬之绪风

步余马兮山皋邸余车兮方林

这后一句的“兮”字也没在句中央起句逗的作用。但是因为：

步余马山皋——邸余车方林

正是一个对偶，所以我们自然知道应当怎样上口，“兮”字的用法，所以在《楚辞》里并不是唯一断句的凭借。

我们了解这散文句法的漫长不整齐，散文形式的需要借重重叠排偶以造成诗化的节奏，“兮”字在《楚辞》里不过是最表面的形式而已。而在上面这些表面的形式之外我们便又看见了韵的一致。

原来押韵最自然的形式可以分为三种：abcb，aaba，aabb（或aaaa）。这三种在《诗经》里差不多平均分配着，而到了《楚辞》里便一律遵守着第三种，这原因又仍由于句法的重叠与变长。

从过去《诗经》的读法上看，《楚辞》的句法至少变长了一倍，对于一般的读者当然一时难于习惯，楚辞本来是由散文走到诗去的过渡形式，在这过渡中所以便采取了aabb（或aaaa）过渡的押韵方式。因为这样的押韵可以做两行看，也可以做四行看，这样，也就便于把诗行过渡到长一倍。我们了解这一点的巧妙，才同时可以了解由散文变到诗来的过程。

《九歌》是《楚辞》里最诗化的形式，也是《楚辞》里最进步的形式。由《橘颂》的体裁，到《离骚》的体裁，到《九歌》的体裁，诗才从散文中独立起来，我前面说《越人歌》不会是散文发达以前的作品，也正是这个缘故。而押韵到了《九歌》，比方：

帝子降兮北渚
目眇眇兮愁予
袅袅兮秋风
洞庭波兮木叶下

便渐渐恢复了诗的常态；因为它在形式上已离开过渡的阶段而渐次是纯粹的诗了。然而它们究竟是同时的作品，《九歌》里除了极短的句法外大部分还都守着aabb（或aaaa）的押韵式，《山鬼》《国殇》便是最好的例子。这每句叶韵的方式又直接影响到后来的柏梁诗体。楚辞在形式上所以正是七言的胚胎时期。七言诗到了柏梁体省掉“兮”字，到了七古恢复了押韵的自由，楚辞的痕迹才不见了。

楚辞在体裁上的一致性，便是散文化之走向诗化，楚辞在形式上的变化莫不根据于此。排偶、重叠、“兮”字的运用，每句押韵的方式，都是那内在要求的反映，而并非一成不变的形式。

四、《涉江》的断句及错简

《楚辞》里句法最复杂的莫过于《涉江》的首段，然而根据上面的原则，断句便没有了困难。我们现在把它写在下面：

余幼好此奇服兮年既老而不衰
带长铗之陆离兮冠切云之崔嵬

被明月兮佩宝璐
世溷浊而莫余知兮吾方高驰而不顾
驾青虬兮骖白螭
吾与重华游兮瑶之圃
登昆仑兮食玉英
与天地兮比寿与日月兮齐光
哀南夷之莫吾知兮旦余济乎江湘
乘鄂渚而反顾兮欸秋冬之绪风
步余马兮山皋邸余车兮方林

这里骤看来似乎有四点可疑：第一，第三句与第四句比起来一个太短一个太长；第二，第五句没有押韵；第三，第八句及第十一句有两个“兮”字；第四，第九句既无韵可叶，又非abcb式或aaba式中的无韵诗行。那么我们应当怎样解释呢？

第一，《楚辞》的句法本来长短不齐，惟其不齐才有楚辞形式上的发展，我们说它应当这样断句，因为“兮”字的用法虽有两种，但是在同一篇里却都是相同的（乱辞等于另起一个局面，所以每多不同，但较短的如《离骚》《哀郢》的乱辞，便仍沿本文的句法）。所以第三句既以“兮”字断在句中，第四句也应该如此。其次“带长铗之陆离”与“冠切云之崔嵬”恰巧是一个排偶，“被明月”与“佩宝璐”也恰好是一个排偶，这正是内在的形式上的一致，长短所以不足重视了。

第二，《楚辞》每句用韵，原在适应句式的由短而长。现在“驾青虬兮骖白螭”在比它长过一倍的第四句之后，绝无再分为两句读的可能，所以每句用韵的形式便无必要了。“驾青虬兮骖白螭”又与“被明月兮佩宝璐”对仗，音韵已够铿锵，便不必再有韵尾的重复；所以“螭”字不押韵，我们反觉得句法上增加了变化，减少了呆重。

第三，第八句虽有两个“兮”字，而“与天地比寿”与“与日月齐光”正好是一个排偶的重叠。第十一句前面已论过，“兮”字在这里都不起句逗上重要的作用。

第四，“湘”字上面有“英”“光”押韵，下面有“风”“林”押韵，它与上下都不叶韵；又非abcb式或aaba式里的无韵诗行，这一个独立的单句我们自然不免疑心。这疑心果然不错，我们在同首中找出了另外一个没有着落的句子。

哀吾生之无乐兮幽独处乎山中
吾不能变心以从俗兮固将愁苦而终穷
接舆髡首兮桑扈臝行
忠不必用兮贤不必以
伍子逢殃兮比干菹醢

“中”“穷”押韵，“以”“醢”押韵，而“行”呢？又是前后都不相属，又是一个单句。同时这“行”字又偏偏与那个“湘”字同韵，天下有这么巧的事吗？所以我们在这里不但整理了断句上的工作，而且发现了错简的地方，它们原来应当正是这样的一联：

接舆髡首兮桑扈臝行
哀南夷之莫吾知兮旦余济乎江湘

接舆、桑扈都是南人，所以正引用来做“哀南夷之莫吾知”的注脚，辞意的通顺岂有比这个再好的。若照原来的情形，“接舆”一句放在后段，就文义说，不免与“伍子”一句有重叠之病，而

“哀南夷”的一句与上文又全不衔接。这错简的发现，所以非但获得形式上的完整，而且认识了辞句上原来的面目；然而这些如果不是我们先对于《楚辞》的断句有正确的认识，在这长短不齐的句子里，我们尽可以有别样的排列，而将错简的事实掩藏了。

《涉江》一篇乃是屈原将放到更远的溆浦时所作，就“旦余济乎江湘”及乱辞末句“怀信侘傺忽乎吾将行兮”看来，则作这篇的时候自然还没有《涉江》。他诗里所写的行程所以都是一片驰想。《涉江》全篇也都为这驰想的作风所笼罩，他说他驾青虬骖白螭，又说与舜游于瑶圃，这些都是驰想，都是一种愤慨的反抗与解放。他伤心于他为了热爱祖国竟至被放到那“乃猨狖之所居”的地方去，于是只有更坚强的骄傲。他先说自己如何超群独立，又如何追求着永恒的真理；然而无论怎样自命不凡，事实终是事实，他不免又引古人以自慰，那便是“接舆髡首”的句子；由于古来追求永恒真理的人都不免为世俗所弃，所以他也只好“旦余济乎江湘”了。

登昆仑兮食玉英

与天地兮比寿与日月兮齐光

接舆髡首兮桑扈臝行

哀南夷之莫吾知兮旦余济乎江湘

这辞气何等地豪放，屈原这一篇作品因为它正确的断句，乃又恢复了本来的面目。

1941年11月

说《橘颂》

《九章》里以《橘颂》的体裁最为别致，《九章》之名本是后起的，它们所以原不必有一致之处。《橘颂》非特在《九章》里体裁特殊，而且这个体裁又正是最近于《诗经》的一种，如《郑风·野有蔓草》：

野有蔓草，零露溥兮

有美一人，清扬婉兮

邂逅相遇，适我愿兮

岂不同于：

后皇嘉树橘徕服兮

受命不迁生南国兮

深固难徙更壹志兮

所不同的，这里《诗经》要两句才合得《楚辞》一句。其实在《楚辞》里，即使以最短的句子与《诗经》相比较，也往往会长出一倍来。如：

风飒飒兮木萧萧

思公子兮徒离忧

岂不相当于：

风雨如晦

鸡鸣不已

既见君子

云胡不喜

“沅有芷兮澧有兰，思公子兮未敢言”岂不同于“山有扶苏，隰有荷华；不见子都，乃见狂且”吗？而关于《九章》里屈原作品的订证，《橘颂》又正是其中的一个难题。因为真正是屈原的几篇作品，如《抽思》《涉江》《哀郢》《怀沙》，都有标题，有乱辞；而被认为是摹仿屈原的几篇作品，如《惜诵》《惜往日》《思美人》《悲回风》[1]，都既无标题，也无乱辞。而《橘颂》恰好介于这两者之间。

---

[1] 按《惜往日》说“不毕辞而赴渊兮惜壅君之不识”，《悲回风》说“骤谏君而不听兮重任石之何益”，都是别人对屈原自沉的惋惜之语，岂是屈原自己的作品，屈原若是有“重任石之何益”的思想，也就不会怀石自沉了，何况怀石投江乃是偶然的现象，“重任石之何益”，自是怀石投江发生之后的话了。再如《惜往日》说“临沅湘之玄渊兮遂自忍而沈流，卒没身而绝名兮惜壅君之不昭”，又说“情冤见之日明兮如列宿之错置”，也都是身后的话，至如“国富强而法立兮属贞臣而日娭，秘密事之载心兮虽过失犹弗治”，与屈原生平的思想更是背道而驰，显然不会是屈原自己的作品。至于《惜诵》说“思君其莫我忠兮忽忘身之贱贫”，屈原是楚的贵族，少年就已得志，如何能说是“贱贫”？又说“欲儃佪以干傺兮恐重患而离尤”，与《离骚》“虽九死其犹未悔”的精神，也显然是不同的。

以上三篇所以绝非屈原的作品，十分明显。《思美人》是摹仿《抽思》的，但是通篇逍遥自得多于哀怨，如“令薜荔以为理兮惮举趾而缘木，因芙蓉以为媒兮惮褰裳而濡足”，与屈原那“魂一夕而九逝”的迫切情调是截然不同的，它又与《悲回风》《惜往日》《惜诵》同为无标题无乱辞的篇章，所以也可以肯定乃是拟作，《九章》中因此只有五篇真正是屈原的作品。

它是有标题而无乱辞的，那么它到底是否为屈原的作品呢？

以有无标题来说明是否为屈原的拟作，本不失为一种见证，《诗经》里若《正月》《抑》之类都可以算是长篇作品，然而都没有标题。可见屈原乃是第一个改变了《诗经》无标题的方式为《楚辞》有标题的方式的。屈原之创造了标题的方式，正如同屈原之创造了楚辞的形式，屈原之后标题的方式比楚辞的形式采用得更广泛，直到晚唐才偶有所谓“无题”的诗篇，那又是另一番意义了。屈原之所以采用标题的方式也正如同他采用楚辞的形式，都是受了先秦诸子散文的影响，如庄子《齐物论》《逍遥游》等正是散文标题的创始，而屈原则是第一个把它运用到诗篇上的人。

屈原之后诗篇几乎便都有了标题，如荀子的《佹诗》等。我们因此自然不能说有标题的便是屈原的作品，但是却不妨说没有标题的便不是屈原的作品。何况从另一方面来说，我们所认为可靠的屈原的作品事实上都有标题。标题的意思原在指出全篇文字的主题。屈原每篇文章都有新的意思，所以自然也就有了各自的标题。

至于别人摹仿屈原的拟作，他们既无新的意思，只是在原有抽象的感情上兜圈子，这样它们就没有新的主题，乃也没有标题的必要。然而这些作品的写作时期总是离屈原不会太远的，所以还习惯地采用了《诗经》无标题的方式，至于更迟的作品如《远游》等，则楚辞的影响已极普遍，标题乃也普遍为人所用了。这些离屈原不太远的作品，因此与《抽思》等篇混为一谈，而有无标题遂成为《九章》里屈原的作品与拟作的分水岭。

乱辞与标题同为总统全篇之意的，它们原有相似的性质。然而标题的采用取自当时的散文，而乱辞的选用则为诗篇所特有，亦即纯为屈原独自的尝试；乱辞的写法在后来并不普遍，这更可见出其为屈原作品的特有形式。如《招魂》为屈原所作便有乱辞，而摹仿《招魂》的《大招》便没有乱辞。然而乱辞既为屈原的创体，它所以也有创制的过程，如《离骚》的乱辞只有两句。而《抽思》是紧接着《离骚》而作的，则不但有乱辞还另有“少歌”“倡曰”等等的花样，可见乱辞的体裁这时候还是在不定型的尝试之中，《离骚》的乱辞只有短短两句，正是屈原最早采用这体裁的证据。那么《离骚》之前可能还没有用过乱辞，而《橘颂》刚好就是《离骚》之前现存唯一的一篇作品。

《橘颂》是屈原的作品，最明显的证明是这篇作品在《楚辞》里是独特的，这“颂”的命名也是唯一的，这都证明它之丝毫没有摹仿性；同时它是屈原的处女作，影响还不大，所以也没有人摹仿它，《楚辞》里的摹仿其实是专以《离骚》为对象的。《橘颂》所用的形式从《诗经》的体裁改良而来，这形式所产生的影响，远不如《离骚》那样直接从散文里蜕变出来的形式更有力量；而屈原最初以这种改良的形式开始了他的写作，这也是极自然的。《橘颂》确已正面表现了屈原的理想，但不同于《离骚》，而且是一种羌无故实的情操，这都充分说明它是作于《离骚》之先的，然而正因其是作在《离骚》之前，我们才可以从此看见屈原人格的本色，了解屈原以后作品的发展，它正如山谷里活跃的清泉，乃终必朝宗于海。

《橘颂》所写的是一种清醒的性格，这正是屈原自己的性格。战国时期正处在统一的国家观念将趋于成熟而还未成熟的演进过程中，它一方面在逐步接近形成，一方面又在不断打破界限，这时的人们因此可以有国家观念，也可以没有。当时的才智之士往往漫游于列国之间，以取得王霸之道的发展。屈原的爱国主义精神因此也往往只是具体地体现在对乡土的热爱上。他说“何所独无芳草兮尔何怀乎故宇”“陟陞皇之赫戏兮忽临睨夫旧乡”（《离骚》）；又说“去终古之所居兮今逍遥而来东”“鸟飞返故乡兮狐死必首丘”（《哀郢》）。这些“故宇”“旧乡”“故乡”等，也就寄托着屈原对于祖国的热爱。这种深厚的感情在《橘颂》中表现得非常明显。他说：

后皇嘉树橘徕服兮
受命不迁生南国兮

这便正是屈原的自况之辞。屈原一生的悲剧与这种爱恋乃是分不开的，而这种深厚的爱恋乃是珍贵的。到了汉代，由于统一的局面推进了这一观念的成熟，于是更进一步形成了中国民族的力量。当然，屈原的爱国主义精神，更具体的还是集中在要求“美政”，反抗权贵的政治斗争内容上。他说“行比伯夷置以为象兮”，正因为伯夷是反对“以暴易暴”，宁死而不苟且偷生的。他对幼橘赞美说：

嗟尔幼志有以异兮
独立不迁岂不可喜兮
深固难徙廓其无求兮
苏世独立横而不流兮

所谓“独立”，也即“苏世独立横而不流”。所谓“不迁”，也即“深固难徙廓其无求”。他从幼橘欣欣向荣、青翠端正的形象中，认识到一种发自内心的纯洁崇高的品格，一个可以“塞于天地之间”的“赤子之心”。《橘颂》里所以又说：

闭心自慎终不失过兮

秉德无私参天地兮

在这里，当时权贵之间的“虚伪”“贪婪”就成了屈原的反面镜子。屈原此后作品中的斗争矛头始终就是针对着当时楚国宫廷中腐朽的贵族势力的。正因其如此，他所以要求自己“廓其无求”“独立不迁”。这就都成为一种纯洁性格的向往。

屈原把这种“不迁”的精神推而广之，便成为他坚定不屈的人格，便成为人生的中流砥柱。他说：“苏世独立横而不流兮。”“流”即是《离骚》所说：“固时俗之流从兮又孰能无变化。”“横”即《孟子》所说：“待我以横逆。”屈原正是要逆于那“时俗之流从”的，《说文》：“横，阑木也。”然则所谓“横而不流”岂非正是那中流柱石吗？这也便如《渔父》所说的“众人皆醉我独醒”，《橘颂》所说的“苏世独立”（王逸注为“苏，寤也”），这醒觉精神所以正如一股清丽的山泉，便发挥为《离骚》的长江大河。

《橘颂》说：“嗟尔幼志有以异兮。”又说：“年岁虽少可师长兮。”《橘颂》因此更使人相信其为屈原少年时期的作品。其实这少年非特是一个时期，而且正是永久的精神。《涉江》说：“余幼好此奇服兮年既老而不衰。”屈原的精神终身都是少年的，那便是一种纯洁的向往，一种清醒的信念。《楚辞》因此永远带着年青人的生命成为诗坛崇高的典式。

1948年3月

说《国殇》

《国殇》一篇在《九歌》里是比较特殊的，《九歌》是祀鬼神的，而《国殇》却是追悼阵亡将士的；阵亡将士虽也是鬼魂，却与湘夫人、山鬼之已成为固定的精灵不同。《九歌》的对象所指都是某个神，只有《国殇》的对象是一般的鬼魂，其情形实更与《招魂》相似，所谓“魂魄毅兮为鬼雄”，乃正是一般的泛指之辞。

《国殇》既为《九歌》里例外的一篇，《九歌》又为《楚辞》里别出的一体，而《国殇》里又有特殊的一句被人认为与写作的时期有关，于是以一句牵动全身，竟成为一整个《楚辞》的问题。原来历来人对于《九歌》有一种观念，以为它是民歌的一体，应当与《诗经》更为接近；同时《楚辞》的来源既引起人们的兴趣，而《楚辞》与《诗经》之间，二百余年又绝少诗作，于是设想把《九歌》放在其间，岂不正好是一个天然的桥梁吗？可巧《国殇》里有一句：

车错毂兮短兵接

又附带有两句说“左骖殪兮右刃伤，霾两轮兮絷四马”，都是描写车战的情况，而车战是比骑战较早的，骑战起于战国，那么车战的描写岂不当在战国之前吗？于是推定《九歌》为《楚辞》的雏形，而《九歌》则又源于《二南》，自然绝非屈原之作了。这一个论断似乎头头是道，可惜与《楚辞》真实发展的情形却整个都相违背。

第一，《九歌》绝非源于《二南》，《九歌》以前也绝无与《九歌》相近的诗体；《越人歌》既不可信，《孺子歌》又本非骚体，这桥梁是搭不上的。

第二，如果我们以为《楚辞》源于《九歌》，那么形式如此美好的《九歌》又将源于什么呢？至于《九歌》把“兮”字放在句中央的办法究竟是从哪里来的呢？那其实正源于《楚辞》自身里《离骚》的一体。《离骚》的体裁来源于先秦诸子的散文本极明显，像：

兰芷变而不芳兮荃蕙化而为茅

岂非“君子周而不比（、）小人比而不周”的句法吗？像：

憍吾以其美好兮览余以其脩姱

岂非正是“管仲以其君霸（、）晏子以其君显”的句法吗？《离骚》一类的句法以上六下六为主，但是一般的如：

闺中既以邃远兮哲王又不寤（上六下五）

女媭之婵媛兮申申其詈予（上五下五）

更短的如：

有鸟自南兮来集汉北（上四下四）

而这短句子又与长句子也是平行的偶句，如：

朝发枉渚兮夕宿辰阳（上四下四）

苟余心其端直兮虽僻远之何伤（上六下六）

而这短句子又与更短的句子也是平行的偶句，如：

献岁发春兮汩吾南征（上四下四）

菉蘋齐叶兮白芷生（上四下三）

这就是《招魂》乱辞的体裁，这形式再发展就有了《九歌》的：

余处幽篁兮终不见天（上四下四）

路险难兮独后来（上三下三）

这一个来源去路非特说明《九歌》与《离骚》同为“兮”字放在句中央的体裁，且可以证实《九歌》真正的起源乃是《离骚》，而更早的来源乃是先秦时代的散文。《招魂》乱辞大致是上四下三，《九歌》大致是上三下三。这逐步的变短，正是由近于散文的形式演为诗的形式，之后《易水歌》说：

风萧萧兮易水寒

壮士一去兮不复还

便合用着两者的形式。然则《九歌》与《招魂》如何的相近更可以想见，而《九歌》里成为问题的这篇《国殇》又正好与《招魂》同为致祭于鬼魂的作品，这些难道都是碰巧的吗？

我们知道《九歌》形式发展的顺序，我们便知道《九歌》绝不会早到《楚辞》以前去，而《国殇》中车战的问题也就不攻自破。原来骑战虽确是起于战国，而车战却并不停止于战国，正如今日有了喷气式飞机而坦克车依然重要一样，《战国策·齐策》：

田忌为齐将，系梁太子申，禽庞涓。……孙子曰：“将军无解兵而入齐。使彼疲弊于先，弱守于主，主者循轶之途也，辖击摩车而相过。……然后背太行左济，右天唐军，重踵高宛，使轻车锐骑冲雍门，若是则君可正而成侯可走，不然，则将军不得入于齐矣。”

然则车战在战国岂不正是主力战吗？又另条：

苏秦始将连横，说秦惠王曰……田肥美，民殷富，战车万乘，奋击百万，沃野千里，蓄积饶多，地势形便，此所谓天府，天下之雄国也。

“战车万乘”又正是所以为天下之雄图了。此外如说“齐车之良，五家之兵疾如锥矢”，战车正是战场上起决定性的武器。《史记·韩世家》：

楚王闻之大恐，召陈轸告之，陈轸曰：“秦之欲伐楚久矣……王听臣为之警四境之内，起师言救韩，命战车满道路……”楚王曰：“善。”乃警四境之内，兴师言救韩，命战车满道路。

这正是楚在《楚辞》时期用战车的明证。

战车在战国原是最活跃的武器，然则《国殇》里描写车战岂非最自然的事情。其实车战的运用汉代依然不绝，《汉书·陈胜传》：

秦二世元年秋七月……行收兵，比至，陈兵车六七百乘，骑千余，卒数万人。

又《夏侯婴传》：

夏侯婴……破李由军雍丘。以兵车趣攻战，疾破之。

此后甚至到唐代，马燧、哥舒翰还都曾用战车破敌。至于文人的写作，本喜用富于历史性的名词，如诗中往往言“剑”而不及其他兵器，岳飞《满江红》还说“驾长车踏破贺兰山阙”，自更不在话下了。

战车既无问题，《国殇》一篇所以也本无问题。然而我们对于《国殇》的注意却又正在它与《招魂》的关系上。

《九歌》原为敬神的乐曲，屈原何以要写这一个乐曲呢？似无可考。有些人因此乃又把《九歌》附会到怀王的关系上去，使《九歌》变得乌烟瘴气。《九歌》一共九篇（《湘君》《湘夫人》原应为一篇），其中《山鬼》《国殇》两篇与其余七篇，似都不相同。

第一，《九歌》中只有这两篇是谨严的上三下三的形式，其余七篇都杂以更多较短的句子，如："吉日兮辰良，穆将愉兮上皇。"可见其余七篇是又一阶段的形式。第二，《九歌》前七篇均由巫致神，神降然后礼成，《山鬼》《国殇》两篇则均无巫的活动，亦无致神的描写。第三，《山鬼》《国殇》均为单纯一人之辞，而其余七篇则错杂变化，类如戏剧的表演，它们所以原是两个类型的作品。

《山鬼》《国殇》既与其余七篇不同，这就正好解释了这两篇为什么与《招魂》如此相近。我们设想屈原因为招魂而尝试了《招魂》的乱辞，发现了这新的诗体表现上的成功，同时《招魂》中所描写的是以贵族武士们为对象的，屈原伟大的感情，要对于广泛的祖国战士们都寄以深厚的敬意，因此又写了这篇《国殇》。（《国殇》说："魂魄毅兮为鬼雄！"《礼记·祭法》："庶士庶人无庙，死曰鬼。"可证）《国殇》与《招魂》正为一个相同的主题，不过既没有隆重的仪式，就只是个人的抒写罢了，这在诗歌形式上也同时是受《招魂》乱辞写法的影响。《国殇》写成之后，乃又将主题推之于性质相近的《山鬼》。《山鬼》已是人物的描写而非个人抒写的体裁，于是再进而写其他的敬神诸曲，恰好合于九篇之数，于是乃并称为《九歌》[1]。然则《国殇》虽列于《九歌》之末，却正是《九歌》中最早的写作。

1948年7月

---

[1]《山海经》说："开上嫔于天得《九辩》与《九歌》以下。"《天问》也说："启棘宾商《九辩》《九歌》。"《九歌》与《九辩》所以原为一类的古歌名称。可是《楚辞》里采用这一名称时，屈原的《九歌》却与宋玉的《九辩》性质完全不同，屈原的《九歌》里《国殇》与其余篇章的性质又不相同，所以这《九歌》之所以为《九歌》，只是由于它是"九篇"而已。

谈诗稿

《君子于役》

君子于役，不知其期。曷至哉？鸡栖于埘，日之夕矣，羊牛下来。君子于役，如之何勿思！

君子于役，不日不月。曷其有佸？鸡栖于桀，日之夕矣，羊牛下括。君子于役，苟无饥渴。

这里前三句的感触实由第四句而起。欧阳修词“一场愁梦酒醒时，斜阳却照深深院”，它虽没有说出“墙”来，却分明有一个墙在。栖是鸟在巢上，而鸡是家禽，便又把这印象由巢上拖下，于是自然地落在短墙之上。“鸡栖于埘”，所以是情生文，也是文生情。那么这不正是一个黄昏的时分吗？下面“日之夕矣，羊牛下来”才因此不觉得那么唐突。如果我们没有这墙头的一瞥，则日之夕矣，如何能有一个那么亲切的落日？落日下山，而羊牛也自山坡走下，这里连带而来，正是一片当前的实感。原野的景色虽然没有说出，却已点缀于这个短墙之外，所以说是情生文，也是文生情。

王维诗“斜阳照墟落，穷巷牛羊归”，以局面论，便觉得狭窄紧迫。而这里借着山坡羊牛的景致，把我们带到更苍茫的暮色里去，清真词“烟中列岫青无数，雁背斜阳红欲暮”，恰足以写这模糊难分的时分，却仍没有这羊牛的平实。他说“人如风后入江云，情似雨余黏地絮”，然则“君子于役”，又“如之何”能“勿思”呢！

诗贵于平实，而其难又不在平实，平实而能有不平实的情致，所以是两难。古人的诗长于平实而短于修饰，后人的诗长于不平实，便缺少了浑然之感。所以古诗里佳作虽少，却往往予我们以生活中难忘的喜悦。生活中最需要的莫过于健康与生趣，而这些往往都毁于过虑与感伤之中。儿童之所以是健康的化身，也是生趣的富人，正因为他们没有过多的忧虑，没有不必要的感伤。我们平常不是希望得太容易，便是失望得太容易，而于真正的现实反而轻轻放过。人生的聚散本来不见得那么悲惨，但是开口便是“人生不相见，动如参与商”“东野穷愁死不休”。所谓“郊寒岛瘦”正是人间的坏毛病。诗穷而后工，悲以取胜，历来往往如此。于是眼前纵有可喜的情致，岂不也被眼泪冲走了吗?

而这首诗却说：“君子于役，苟无饥渴？”这才是真正的挂念，而此外便什么也不说。她之所以想念起远人，乃不由于悲哀，而由于暮色里一片的安息之感，才想起了辛苦在外的人，才想起要与那人分享这喜悦，所谓“采之欲遗谁，所思在远道”。这便是一点的惋惜之情，也便是一点最平实的爱，因物及人，因人及物，古诗所谓“此物何足贵，但感别经时”，物我之间有一点美善的关系，这不由于感伤而由于喜悦。

黄昏的美感本来有浓厚的彩色，但是人偏偏又有了迟暮之感，这便是颓废的开始。从颓废之中而又生出一点爱来，这乃是人生的一点转机。所谓“天意怜幽草，人间重晚晴”，“日之夕矣”自然没有这么分明的意思，却预先为后来不健康的人们留下了爱恋。

大自然的辽阔、牧野的空旷，自然吹远了我们的哀愁。《敕勒歌》“天似穹庐，笼盖四野，天苍苍，野茫茫，风吹草低见牛羊”，这是牧野的豪放的情致；而“君子于役”却带给我们以家的和穆，这正是《诗经》这一个时代的特色，所谓“温柔敦厚”，岂不正是家园的感情？它从容不迫，娓娓生情，那些羊牛便都成为和平的象征。在这里我们便又学得一点智慧，那便是一切的事物都没有一定的概念，我们若能跳出局限，便都成为不同的美的化身。

风雨如晦　鸡鸣不已

风雨凄凄，鸡鸣喈喈。既见君子，云乎不夷？

风雨潇潇，鸡鸣胶胶。既见君子，云乎不瘳？

风雨如晦，鸡鸣不已。既见君子，云乎不喜？

《郑风·风雨》三章，意思全同，而我们独喜欢这第三章。三章之中，后半只换去一字，前半各换去了一半，我们乃独爱这前半。它是换而换得好了，字换了而意思依旧，这是诗意本同；字换了而喜爱不同，我们说这是表现的高下。然而表现与诗意又岂能分开？必定先有这“意”，然后才能表现。然则三章都想说这意思而没有说出来，独这两句说出来了。心里既有这意思，为什么说不出来？既没有说出来，为什么还以之为说？诗人自己也不明白。诗人所明白的，三章都说出来了；诗人所不明白的，只有到这两句才明白。诗所以是比思想更明白的语言。

风雨如晦，它并没有真晦，只是阴沉得很凄凉而已。首章说“风雨凄凄”，次章说“风雨潇潇”，都是这个意思。那么我们这时候好像该做什么呢？或者说我们这一阵想做什么呢？这里有一首同样有名的诗：

绿蚁新醅酒，红泥小火炉。晚来天欲雪，能饮一杯无？

晚来天欲雪，天自然是还没有雪。要是真的下了雪，那么琼楼玉宇，一片银色，也是何等的景致呢！我们凭窗远眺，清冷而平静，无边而喜悦，我们也许就会披起大衣跑到外面去。但是现在还没有下雪，只是灰沉沉的云、死板板的天，一切都那么没有生气。我们意识到一点寒冷、一点空虚，感觉到生命需要一点温暖、一点充实。这时我们眼前失去了那辽远的情操，我们的生命中感觉到渺茫的空洞，我们原始的最低的要求便占了上风，于是我们想吃一点什么，是吸一支烟吧，是喝一点酒吧，这岂不是很近人情吗？吸烟、饮酒原是一种消遣，这时却特别需要。而当这个时候，忽然有人说："我有新醅酒，我有小火炉，请过来喝一杯吧。"这便成为魔鬼的声音，也便成为上帝的声音，它的诱惑与喜悦使你点头。人人都点头，这所以是一首好诗。

现在我们又回过来讲"晚来天欲雪"，正是欲雪未雪之时；雪谁不爱看？而它偏不下来。这样你便不免于若有所待。那么你才明白"鸡鸣不已"的道理。鸡为什么叫？我们当然不知道，但它总是这样叫个不停，便觉得有点稀奇，这时你才知道如晦的影响之大。真要是四乡如墨，一盏明灯，夜生活的开始，也就进入另一个世界。偏是不到那时候，偏是又像到了。于是，一番不耐的心情，逼着你不由焦躁起来。这时一片灰色的空虚，一点失望的心情，忽然有人打着伞来了，诗云"最难风雨故人来"，何况来的还不只是故人，他是君子，他乃是"有女怀春，吉士诱之"

的吉士，并不是什么道学先生。那么能不喜吗？然则到底是因为君子不来，所以才觉得“风雨如晦，鸡鸣不已”呢？还是真是风雨阴沉，鸡老不停地在叫呢？这笔账我们没有法子替他算，诗人没有说明白的，我们自然更说不明白。

然而诗只四句，却因此有了不尽之意，何况君子既来之后，下文便什么也不说。以情度之，当然再没有什么可说的；以诗论之，却又已回到了风雨鸡鸣之上。何况他们即使说些什么，也非我们之所能知了。而你若解得，此时一见之下，早已把风雨鸡鸣忘之度外，一任它们点缀了这如晦的小窗之周，风雨鸡鸣所以便成为独立的景色。那么，人虽无意于风雨鸡鸣，而风雨鸡鸣，却转而要有情于人。

我们从上面读到这里，“既见君子，云乎不喜”二句与我们愈来愈没有关系。而再读三读，便似“雪狮子见了火”，渐渐地化得没有了，只留下鸡不停地在叫，风雨不停地在吹打。

我们现在来欣赏这诗时，相会的人儿已是古人，相会的地方已不可再指出，却是昔日的风雨鸡鸣依然独在。于是“细雨梦回鸡塞远”也不免有了鸡鸣之嫌，然则我们对此能无所惊异吗！

青青子衿

《郑风》："青青子衿，悠悠我心。纵我不往，子宁不嗣音。"为什么说"青青子衿"呢？《毛传》说："青衿，青领也，学子之所服。"所以诗序便据此说"《子衿》，刺学校废也，乱世则学校不修焉"。子衿是一首恋歌，古人解诗往往附会到这个程度，以两个字的关系而曲解了全诗的意思。陶渊明所以说读书不求甚解，正可为这般经生说法。不求甚解原是艺术的态度，因为一切艺术的语言原不是逻辑的语言所能尽的，艺术把人带到原始的浑然的境界，才与生命本身更为接近。我们如果用尺子去量一个美人的身体，便必失夫了对这美人的欣赏，何况有些还非尺子所能量的呢。艺术的博大之感，正在不必专注意于某一点，而听其每一点自由地表现在我们眼前。

青青子衿，原是随意起兴，若必欲说它，青青原是一种颜色。荀子说"青出于蓝而胜于蓝"，这个青近于黑色，如说"青眼""垂青"之类，但我们说"踏青"，它便是草色，我们说"青青陵上柏"，它便是松色，至于"独留青冢向黄昏"，它是什么颜色呢？青的颜色如此地不定，所以《卫风》说“绿竹青青”，古诗说“青青河畔草”，青便与绿几乎不可分了。然而青又不是绿，我们称“青天”，又称曰“碧落”，青与碧与绿这之间盖有一个差别，这差别不在颜色的深浅上，而在它基本的性质的不同。所以同一色彩，我们取其某一性质则曰绿，某一性质则曰碧，某一性质则曰青。而青所代表的乃是一个颜色的单纯。我们说“炉火纯青”，这青究竟是什么颜色？我们实在说不出，但它的性质我们却知道得很清楚。红是暖色，它是流动的、热闹的，所以近于复杂；青是冷色，它是凝静的、独立的，所谓“十二晚峰青历历”，它便是单纯的象征，它象征着存在与永久。“曲终人不见，江上数峰青”“嫦娥应悔偷灵药，碧海青天夜夜心”，青的永恒与凝静，使得一切流动的变化都获得停留与凭借。

人生的悲剧便在不可以停留。我们有了生而终于要走到死，我们有了活泼而终于要走到衰歇，这不只是生命的现象，而且是一切历史的法则。在时间老人的愚弄上，我们因此更爱那凝静与停留。我们称赞一个人曰“年青”，我们称那可喜的时间曰“青春”，在一切美好的事物上，我们借着那刹那以会永久，然则对于那心爱的人儿，因此赞美他说“青青子衿”“青青子佩”，又何必真是穿青领之衣、佩青色之玉呢？昔人相马可以“牝牡骊黄”，当其专注于神情便忽略了外表，何况之于恋人的衣服呢？所以读书要不求甚解，解诗更要不求甚解，然后我们得到那真正的妙处。

曹孟德随意改用古诗，他说：“青青子衿，悠悠我心。但为君故，沉吟至今。”他所以是古今第一解人。阮籍《咏怀》说“皋兰被径路，青骊逝骎骎”，我们在那时光的闪变中乃有了一点常动不息的姿态。古代的森林中，常有许多神话为我们所向往，那些神话中的人物都是永远年青的，艺术的境界正是那永恒的境界。庾信《哀江南赋》说“秦中水黑，关上泥青”，我们在那荒原之上不也有了一点欣欣之意吗？西王母有三只青鸟，常化为绝世的少女，她们是那神仙的天使，所谓“青鸟不传云外信”者是也。蔡邕有《青衣赋》，所写正是窈窕的少女，然则青衣并不限于男子又岂限于学子之所服呢？

《易水歌》

风萧萧兮易水寒，壮士一去兮不复还。

荆轲以此闻名，而短短的两句诗乃永垂于千古。在诗里表现雄壮的情绪之难，在于令人心悦诚服，而不在嚣张夸大；在能表现出那暂时感情的后面蕴藏着的更永久普遍的情操，而不在那一时的冲动。大约悲壮之辞往往易于感情用事，而人在感情之下便难于辨别真伪，于是字里行间不但欺骗了别人，而且也欺骗了自己。许多一时兴高采烈的作品，事后自己读起来也觉得索然无味，正是那表现欺骗了自己的缘故。《易水歌》以轻轻两句遂为千古绝唱，我们读到它时，何尝一定要有荆轲的身世。这正是艺术的普遍性，它超越了时间与空间而诉之于那永久的情操。

“萧萧”二字诗中常见。古诗：“白杨多悲风，萧萧愁杀人。”“风萧萧”三字所以自然带起了一片高秋之意。古人说“登山临水兮送将归”，而这里说“壮士一去兮不复还”，它们之间似乎是一个对照，又似乎是一个解释。我们不便说它究竟是什么，但我们却寻出了另外的一些诗句。这里我们首先记得那“明月照积雪”（谢灵运《岁暮》）的辽阔。

“明月照积雪”，清洁而寒冷，所谓“琼楼玉宇，高处不胜寒”。《易水歌》点出了“寒”字，谢诗没有点出，但都因其寒而高，因其高而更多情致。杜诗说“风急天高猿啸哀”，猿啸为什么要哀，我们自然无可解释。然而我们不见那“朔风劲且哀”吗？朔风是北风，它自然要刚劲无比，但这个“哀”字却正是这诗的传神之处。那么壮士这一去又岂可还乎？“一去”正是写一个“劲”字，“不复还”岂不又是一个“哀”字？天下巧合之事必有一个道理，何况都是名句，何况又各不相关。各不相关而有一个更深的一致，这便是艺术的普遍性。我们每当秋原辽阔、寒水明净，独立在风声萧萧之中，即使我们并非壮士，也必有壮士的胸怀，所以这诗便离开了荆轲而存在。它虽是荆轲说出来的，却属于每一个人。

“枯桑知天风，海水知天寒”，我们人与人之间的这一点知，我们人与自然间的一点相得，这之间似乎可以说，又似乎不可以说，然而它却把我们的心灵带到一个更辽阔的世界去。那广漠的原野乃是生命之所自来，我们在狭小的人生中早已把它忘记，在文艺上乃又认识了它，我们生命虽然短暂，在这里却有了永生的意味。

专诸刺吴王，身死而功成；荆轲刺秦王，身死而事败，然而我们久已忘掉了专诸，而在赞美着荆轲。士固不可以成败论，而我们之更怀念荆轲，岂不正因为这短短的诗吗？诗人创造了诗，同时也创造了自己，它属于荆轲，也属于一切的人们。

山有木兮木有枝　心悦君兮君不知

在艺术上有一种魔力，它把你带到一个全新的世界里，那仿佛一根魔杖在你面前轻轻一敲，这一敲便是一个启示，于是你了解了生命的联系，了解了宇宙的奥秘。这仿佛都是一种幻觉，然而你因此心灵就聪明了些，感觉就敏锐了些。这在若有若无之间，便是一切世界上所可以说明的意义。这无凭的认识，我们从什么地方知道它的来源呢？

宇宙仿佛是一些语言，人们的语言不过是最有形的一种。然而怎样才能够借着这一切有形无形的语言，说出那宇宙原来的意思呢？我们于是惊醒于我们长久的沉迷。《楚辞》里普遍的精神不全在究竟说了些什么，而还在说的时候是用了什么样的语言，这在艺术上所以是一个新的阶段。《九歌》中的“沅有芷兮澧有兰，思公子兮未敢言”、《越人歌》中的“山有木兮木有枝，心悦君兮君不知”不是如出一辙吗？这些凭空而来的语言，前人说是“兴也”，然而这里却绝不只是一个兴。“出不入兮往不反，平原忽兮路迢远”“入不言兮出不辞，乘回风兮载云旗”，它们之间仿佛出现了一个新的旋律，这便是有形与无形的语言的合一。

波澜所及，像“心不同兮媒劳，恩不甚兮轻绝”“交不忠兮怨长，期不信兮告余以不闲”“日月忽其不淹兮，春与秋其代序。惟草木之零落兮，恐美人之迟暮”，都正是在一种轻微的关系上弹出全新的调子。我们说它是两件事时，它实在是一件事，我们说它是一件事时，它又似乎是两件事。这样它们在离合之间，便是一切联系的所在。它们似乎本不相关，偏偏在这里有了更深的关系，这无凭的认识我们说是偶然的吗？《青溪小姑歌》“日暮风吹，叶落依枝。丹心寸意，愁君未知”，岂不又成为它的解释？《山鬼》说“风飒飒兮木萧萧”，日暮风吹，岂无山木，而山之与木，木之与枝，枝之与叶，同枝连理，正是不用多说。我们因此感觉到宇宙间每一件事物都有了生命，它们之间都有了无言的情思，只有人是冥顽不灵的，还要等待这有形的语言方才会觉得。

湘夫人是在水上，她说“沅有芷兮澧有兰”，《越人歌》也在水上，却说“山有木兮木有枝”。然则究竟说的是什么岂不没有多少关系，关系则在那语言的全新上。然而“山有木兮木有枝”却使我们觉得更为清远明快，“沅有芷”与“澧有兰”，是近于平行的，它的重叠性使得语言带有些停留，“山有木”与“木有枝”是两层的意思，它是进一步的，语言乃在一种进行的愉快上展开。何况水之于山正如山之于木，《九辩》说“萧瑟兮草木摇落而变衰……登山临水兮送将归”，山水之情到了后来词里竟出现了“郴江幸自绕郴山，为谁流下潇湘去”的名句。我们对于这语言上最初的启示乃觉得有更深厚的意思，它的无凭使我们领会到艺术起源所带来的喜悦，那仿佛是一个预言出现在美的世界上。

《青青河畔草》

青青河畔草，郁郁园中柳。盈盈楼上女，皎皎当窗牖。娥娥红粉妆，纤纤出素手。

《古诗十九首》是古诗的代表作品，而这六句更成为十九首的代表，我们在其间认识了美与谐和、生活与情致，古诗的不可及处正在这些寻常而又美好的句子上。这首诗全篇都很平淡，而丽质天成，所谓天衣无缝，我们乃惊讶于那语言的神奇了。

“青青”两字用不着解释。河畔草是草生在河畔，古辞有“青青河边草，绵绵思远道”，孔夫子又说：“逝者如斯夫，不舍昼夜”。青草而在河畔，便随着河水带到了遥远的去处，这遥远之思被那“郁郁园中柳”的柳色又深锁在园中。青草的寂寞，白居易诗“远芳侵古道，晴翠接荒城”，它遥远而寂寞，那正是一个深思隐藏在郁郁园中的热闹之下。郁郁中包含着一个寂寞，寂寞中又化为一个从容的世界，这是一个矛盾，又是一个谐和。于是我们才看见“盈盈楼上女，皎皎当窗牖”，在这一个小园中，经这楼上的主人一出现，便点缀得更为热闹了，至于那寂寞的是什么，你于此也应可以知道。青是冷意，红是温暖，所谓“红杏枝头春意闹”，岂不是热闹的解释吗？于是这时“娥娥红粉妆”便仿佛这人真穿着一件红衣吧。这一点温情是一步步暖上来的，这时园里的颜色更多了，园里的空气更浓厚了，忽然来了这么一句，“纤纤出素手”，出现得那么自然，却把一切颜色都变为陪衬。东坡词“手弄生绡白团扇，扇手一时似玉”，那么白净，那么柔和，在一切喧闹中变为一个停留的色相，在一切不同的颜色中变为一个集中的焦点，因为它没有颜色，便成为一切颜色的归宿。

而这里一双白手的主人正是那谐和寂寞的中心，寂寞是她的心，谐和是她的性格，于是园里有了小草的深思，有了垂柳的风流，这才成为一个大的谐和。白的纯净它似乎将为一切的颜色所染上，所以那素手便纤纤得如此脆弱，但又没有真的被染上，这便是那朴素的美德。

诗中找这样十二个连绵形容词似乎从来没有过，它的难，不难于形容词的难得，而难于如此的浑然天成：从草写到柳，从柳写到楼，从楼写到人，从人写到衣袖，从衣袖写到素手，再呆板也没有，但是没有人觉得，因为那颜色是一步步地由青草到绿柳，到了楼头的红颜，到了红妆的衣袖，由青而绿、而粉、而红，由冷落渐而如火地燃烧起来，而终于又都停止在一点素净之上，你才觉得这变化真是神奇。

双是谐和的象征，中国人早已知道，所以《易·爻辞》以单为刚，以双为柔，双字句连绵而下，与写景之间乃成为一个自然的谐和。我们常说“一个家里有十个男人还是不像一个家”，换句话说，家的美德是属于女性的，那么无怪乎这一个家园内，万有各得其所，只等待那女主人的出来。而她却有着深藏在谐和中的寂寞。“红了樱桃，绿了芭蕉”，寂寞永远是深藏在热闹之中，才成为更无凭的寂寞。“秋风多，雨相和，帘外芭蕉三两窠”，芭蕉之于樱桃，冷色之于暖色，这之间若有一点的关联，那便是谐和中的寂寞，寂寞中的谐和，也便是在象征着那女性的青春的美德。

《步出城东门》

步出城东门，遥望江南路。前日风雪中，故人从此去。我欲渡河水，河水深无梁。愿为双黄鹄，高飞还故乡。

这是一首早期的五言古诗，具有一种近于民歌的素朴风格，很耐人寻味。话不在多，意不在巧；平平淡淡地说来，却如一曲纯净的旋律，一往情深。

这首诗前后分为两段。前四句似乎是一直凝住在一点上；后四句却忽然开展，高飞于千里之外，仿佛晴空丽日，山河原野，都在怀抱之中，一步紧似一步。所谓一泻千里，略无粘滞。这凭空而来的力量，到底是从什么地方产生的呢？李白《望天门山》诗："天门中断楚江开，碧水东流直北回。两岸青山相对出，孤帆一片日边来。"这后二句自然是名句，然而得力之处又正在第二句上。江水浩浩东流，又生生地北折过来，这力量全在一个"直"字，全诗到此使人为之凝神沉默；而下两句的风流才得翩然无碍。一收一纵，原是文章的自然规律，但却难在我们如何才能有一个如此凝神沉默的时刻呢？“万木无声待雨来”！正是因为凝神到了极点，沉浸在毫无声息之中，所以“雨来”才有了极大的声势。一切结果都蕴藏在原因之中，而我们却往往只见到结果；一切发展都包含在一个飞跃的起点上，这便是我们为之凝神的时候。

说到这里，这前面四句就自然形成为全诗力量的源泉了。再看这四句，就始终没有离开眼前这条路，而只在这条路上产生了一段沉默的凝想。这是一段事实，却又已经过去了；过去的事本来也算不了什么，可是晏几道《临江仙》词说“当时明月在，曾照彩云归”，当时明月的皎洁岂不同于前日的风雪？而“故人从此去”自是从此归去也。一个如彩云般归去，一个在风雪中消逝，所不同的是明月彩云给你以清丽的陶醉，故人风雪带给你以深入的沉思；前者把美完全显示给你，后者则把它藏在古旧的大衣里。

于是你更不能不深思沉默，这便是令人异常凝神的缘故。前日的路上已完成了一个故人的归去，这条路在完成了这人的归去后，便也随着那行人足迹的消失而消逝。至于今日的路呢，则还在未可知之数。所以“前日风雪中”正是连路都埋在飘飘的积雪之中了。那么今日所见之路又岂是前日所见之路？我们对于这过去的留恋，正由于我们对于这完成的赞美。“流水今日，明月前身”，水还是这条水，月还是这个月，而司空图却才是真正解人。

在一切变动发展中，诗人往往正捕捉住那最凝神的一点。“玉颜不及寒鸦色，犹带昭阳日影来”，寒鸦匆匆地飞过，那日影又何尝能留得住？过去的总是过去了，却留下了这一点难忘的因缘；那么今日之路，还空在那里，怎能不令“我欲渡河水”呢？箭在弦上，不得不发；既然发了，又岂能不直飞而去？所以一渡河水，其实就已到了故乡；未说“高飞”，早已飞向远处。“河水深无梁”一句等于是把那弓弦再扣紧一下，这支箭便夭夭地直上晴空了。

前四句本是一段事实，却反而成为幻想；后四句原是幻想，却反而如此真实！艺术的真实性，在这里正依据着美的辩证法则，把平凡的语言，化为无尽的言说。

（原载《欣赏与评论》1980年试刊）

岂无园中葵　懿此出深泽

建安的风力是一种风格，也是诗人的品格。代表建安风力的首推曹子建，他的《箜篌引》到“谦谦君子德，磬折欲何求”，辞意俱尽，而下文“惊风飘白日，光景驰西流”，无中生有地又引出一番景色来，我们因此感觉到一个无所粘滞的性格，它是美与力的化身，是自由的旅人，在这世界上它如一阵天风吹拂过每一花草，摇动了每一个人的性灵，而它呢，永远是自由的。

所谓“高树多悲风”“高台多悲风”“愿为西南风”“飘飘随长风”，这就正是建安风力最形象的解释。他的《名都篇》说“名都多妖女，京洛出少年”，出语便不可踪迹，而自“斗鸡东郊道，走马长楸间”，以下句句转字字变，或则“驰骋未能半”“长驱上南山”，或则“余巧未及展”“众工归我妍”，时而“归来宴平乐”，时而“连翩击鞠壤”，一夕的生活令我们目不暇及。我们正看他说“巧捷惟万端”，而他却在说“白日西南驰”；我们正以为“光景不可攀”，而他又说“云散还城邑，清晨复来还”。

曹子建究竟是赞美这些少年还是讽刺他们呢？这些都是老生常

谈。我们读这首诗时只感觉到一种生命的力量，这是曹子建所能说给我们而老生常谈所不能给我们的。这时期王粲有《七哀诗》：

荆蛮非我乡，何为久滞淫。方舟溯大江，日暮愁我心。……流波激清响，猴猿临岸吟。迅风拂裳袂，白露沾衣襟。

也都在追求同一的风格。而最能步武子建的则为刘桢，他的《赠从弟三首》，作风谨严，与曹子建的风流豪爽正好异曲同工：

泛泛东流水，磷磷水中石。蘋藻生其涯，华纷何扰弱。采之荐宗庙，可以羞嘉客。岂无园中葵，懿此出深泽。

亭亭山上松，瑟瑟谷中风。风声一何盛，松枝一何劲。冰霜正惨凄，终岁常端正。岂不罹凝寒？松柏有本性。

凤凰集南岳，徘徊孤竹根。于心有不厌，奋翅凌紫氛。岂不常勤苦，羞与黄雀群。何时当来仪？将须圣明君。

三首中以第二首写得最好，也最是天衣无缝。然而第一首说“岂无园中葵，懿此出深泽”，第二首说“岂不罹凝寒，松柏有本性”，第三首说“岂不常勤苦，羞与黄雀群”。这六句在三首中正都是得力之处，不过第二首句句都好，无迹可求；第三首又转到“何时当来仪，将须圣明君”上，便不大觉得出。只有第一首的这两句最为显然，仿佛是一个主旋律不断地在重复出现，李白《蜀道难》中的“蜀道之难，难于上青天”句的一再重复比这个就更为突出，我们仿佛期待着这句子的一再出现，百读不厌。

这都是诗中的千古绝唱。因此，我们读完三首并不觉得它们重复，而只感到是一种崇高美好的品质。这品质绝非言语所能尽，更非“蘋蘩蕴藻之菜……可荐于鬼神，可羞于王公”“圣人受命则凤凰至”，或“岁寒然后知松柏之后凋也”的一套话的翻版。钟嵘的《诗品》之所以说："至乎吟咏情性，亦何贵于用事？'思君如流水'，既是即目；'高台多悲风'，亦惟所见；'清晨登陇首'，羌无故实；'明月照积雪'，讵出经史？"钟嵘乃是"风力说"的首创者，他说子建"骨气奇高"，又称刘桢"仗气爱奇，动多振绝，真骨凌霜，高风跨俗"，这是一种建安时代的风格，也就正是诗人们的性格。

及时当勉励　岁月不待人[1]

陶渊明的诗富于理趣，这两句尤其为人所传诵。然而总观原诗，不过是及时行乐的意思，所谓“得欢当作乐，斗酒聚比邻。盛年不重来，一日难再晨”，又何尝与《古诗十九首》中的感慨有别。不过他的“勉励”二字说得格外的得体，又那么的郑重，我们不觉乃为之肃然起敬。“人生行乐耳”显得多么松懈，“何不秉烛游”又如何荒唐贪吝，这都非人生真正的态度，我们怎样才能够从浅薄浮躁的人生中得救，这便需要一点真切的感受。

我们浮光掠影的毛病已经太深，医治的方法便必须从最小的地方下手，然后我们才能知道怎样是认真，人生才有一点实在的意义。这一个起点便是一切将来幸福的凭借。然则我们如何能不慎重，何况人生如果是光明的，我们何处不是行乐，我们何处不当勉励。我们平常好高骛远，恨不得句句是格言，人人做圣贤，而对于生活上一点的诚意、一番的乐趣反而抹杀了。“及时当勉

[1] 出自陶渊明《杂诗》。

励”所以正是正面的人生，它的切实使我们不但知道勉励，而且在“及时”二字上有了时光的顾盼，于是自然地生出下一句来，那才是肺腑之言。所谓“日月掷人去，有志不获骋”，我们对于日月似乎也都有了具体的运行的感觉。

“岁月”二字实在是最美丽的字面，但并不是随时都会被察觉。陶渊明所以不但是哲人，而且是最高的诗人。“岁”是一个虚字，而“月”是一个实字。“岁”的意思是年，我们从什么地方看见一个年呢？所以它便流为一个空虚的时间。而“月”却与人有一种亲密的实感，“暮从碧山下，山月随人归”“晨兴理荒秽，带月荷锄归”，月既可以随人，人又可以带月，人与月的关系几乎是从小就心心相印了，李白说“小时不识月，呼作白玉盘”，因此“山月随人归”也带着有几分童心。

这里，月乃是一种具有人情的富于形象的时间。“人生代代无穷已，江月年年只相似。不知江月待何人，但见长江送流水。”人生是短暂的，而月亮却是常在的。月既可以待人，人也可以待月——“待月西厢下，迎风户半开”“月上柳梢头，人约黄昏后”，人等待的是相约的时间，又是具体的月亮。这里一个“待”字，乃唤出了一个形象生动的岁月来。但我们平常说月，月又总是带来一个夜景，而岁月之下却把夜的幽深换成了白天的晴朗。因为我们在岁的感觉中所唤起的一定不会常是一些夜色，它所以是一个白日之月。它存在于清晨、正午或黄昏，点缀在山林、平原或屋瓦间。我们说白天的月亮并不能看清，但这艺术上的月亮却可以入画。它带给我们以清静中的光辉而不可捉摸，它本身原是时间，但又超出了时间。

艺术的伟大在于给人以生的醒觉，于最平实的生活中获得那原始的活力。“流光容易把人抛”“及时当勉励、岁月不待人”因此正是最平实的话。哲理的抽象只有在艺术的语言上才能够把它充实，陶渊明所以是古今最本色的诗人，他不但告诉给我们以真挚的人生态度，且显示给我们以美的实感。他无心制造格言，却说出了人生的真谛，真与美因此乃获得完善的统一。它不落言筌，却是如此的亲切、郑重，它永远带给我们以生之喜悦和及时的醒觉，我们能不因此而为之勉励吗？

春晚绿野秀[1]

谢灵运的诗较凝重，这是由于他着意排比的缘故。然而偶值自然景色，却往往又有信手拈来的妙趣，像“池塘生春草”“明月照积雪”。而“春晚绿野秀”尤其是天衣无缝，所谓“初日芙蓉，自然可爱”“东海扬帆，风日流丽”，都只有用到这里来才不觉得是夸张的赞语。

春晚而绿野秀乃是自然的时序，然而“春晚”的“晚”字实在就是一个暮景。暮色的安详与辽阔，虽然带有苍茫的感觉，却被一个“春”字点染得年青起来，所谓“日暮汉宫传蜡烛，轻烟散入五侯家”，何等地轻快又何等地博大，这正是一个“秀”字的来源。野与秀本来绝不相类，正好像春与晚本来是两种性格，然而它们都融而为一，这便产生出一个新的力量，使得茫茫大野中无处不秀丽，它的点染便又在一个“绿”字，所谓“春风又绿江南岸”岂不全得力于“绿”字的安排？绿的颜色似有意似

[1] 出自谢灵运《入彭蠡湖口》。

无情，它最谐调而又最富于生机，这便是大自然的健康之意。

我们写离恨用“青草”或“芳草”，用意仍在草与路的关系。所谓“绵绵思远道”“远芳侵古道”，何况青与碧的印象都不同于“绿”字。至于“秋草萋已绿”“秋风下庭绿”，这已非单纯的绿了，但都不足以说明绿的本色。绿的本色所以便正在于笼罩万有而又新鲜得不着痕迹。“春晚绿野秀”，我们乃只看见一片绿的原野、山岗、林木，随着不同的地形，随着不同的场合，它都用绿色点染了一切，这所以接近了自然，成为博大的领域。

久处在雨中的我，对蒙蒙的雨丝实在没有什么好感，然而读起诗来，它仍然引起我最大的兴趣，“寒雨连江夜入吴”“江雨霏霏江草齐”，这些不用说了，就是想起人们对于西子湖的说法“晴湖不如雨湖”，也觉得大有情致。这些平时马马虎虎不去管它，仔细想想正是问题所在。晴湖何以不如雨湖？这当然是一面之辞，当然是因为晴湖看得多了，然而雨湖的本身的美却因此不可忘却，它借着一片迷茫的细雨把一切独立的事物都变为谐和，把一切单调的事物都予以湿润，这正如暮色收拾了零乱的人间而成为一个完整的世界。

然而“春晚绿野秀”岂不正有着一片晴中的雨意吗？它因此把山岗原野都打成一片，把不同的颜色都调和在一个颜色之中，原野的浑然所以才与一个“秀”字并存，我们这里乃解得一种丰富的心情，一种轻松的美意，我们无所牵惦，更无所谓迟暮之感。这才是春的宇宙的完成，我们如同又返老还童乃无往而不是喜悦。

寒槐渐如束　秋菊行当把
借问此何时　凉风怀朔马[1]

谢朓的诗为李白所称道。他的诗自然清发，秀从中来。大自然的伟大乃是因为它在最小的地方也都获得充实，像“九天阊阖开宫殿，万国衣冠拜冕旒”那样的句子，正不知造就了多少徒事夸张的诗人。我们在这里真正可以懂得什么是艺术上所需要的语言。

“寒槐渐如束”，本是一个深秋的实景，而这里却有了更多的情致。我们仿佛可以感觉到它是因为冷的缘故，所以枝干才缩作了一起，这便是一点温情的暗示，那么“秋菊”能不“行当把”吗？于是我们在这关系之上便又加上了关系，在这温情之上便又加上了温情，这所写的原是一个岁暮的飘零，却变为人间更深的怀念。

从人到菊到寒槐，这之间原没有必然的联系，我们却在偶然中认识了它。所以说“借问此何时”呢？“凉风怀朔马”，我们乃感觉到那怀念的力量与大自然一片原野的静穆，因此一切都为

---

［1］出自谢朓《落日怅望》。

它凝神无语了。至于“凉风怀朔马”，到底马在哪里呢？那就似乎只是一个凭空的感慨与爱抚。这不正是一个博大的襟怀吗？而那感慨究竟是为什么，那爱抚究竟是为什么，我们既无从追问，也不必追问。“落花无言，人淡如菊”，何况那难以追寻的马呢？所谓“深山大泽龙蛇远，春寒野阴风景暮”，我们乃把那伟大的情操如那大泽的龙蛇都深藏在辽远的驰想上。

“寒槐”“秋菊”凉风”“朔马”，由近及远，各有千秋，而“借问此何时”在这里似乎是最无必要的一句，既已点出“寒槐”“秋菊”，何必还问什么“此何时”呢？可是这又正是那最为传神的一句，正是这一句才弹出了那无端的旋律，凉风的怀念才因此无往而不在。英国十九世纪诗人Wordsworth（华兹华斯）在《The Solitary Reaper》（寂寞的刈禾人）里说：

Perhaps the plaintive numbers flow
For old, unhappy, far-off things,
And battles long ago.
（也许那悲凉的韵律连绵
为往日的，不幸的，迢远的一些事情，
还有那些很久以前的战争。）

伟大的作品正是那最辽远的情操的表现，因为它是最无凭借的，而且是永恒的、普遍的。

漫谈庾信《昭君辞应诏》

敛眉光禄塞，还望夫人城。片片红颜落，双双泪眼生。冰河牵马渡，雪路抱鞍行。胡风入骨冷，夜月照心明。方调琴上曲，变入胡笳声。

“昭君怨”是个传统的主题，本诗的特点在于并没有从这个“怨”字出发，而是写了昭君出塞途中越过胡汉边界时的一段心情。这里有与祖国家园的永诀，有茫茫前途的难卜，有范夫人城所唤起的对一个巾帼女子故事的追思。

范夫人城本事见《汉书·匈奴传》应劭注：“本汉将筑此城。将亡，其妻率余众完保之。因以为名也。”可是昭君的出塞与范夫人的守边毕竟又是不同的。范夫人率余众保全了祖国的边城，命运是掌握在自己的手里；而昭君出塞，等待着她的究竟是什么呢？

一个四顾无援的异域，一个一切由他人支配的陌生天地，一个孤零零的弱女子要有多大的勇气来面对这未可知的命运！何况范夫人始终身在祖国，而昭君的出塞则是注定了一去不复还的，相形之下，这里将产生多么复杂的矛盾心情。这既非一个“怨”字所能概括，而这首诗也并没有把这些复杂矛盾铺开来写，却突然地把这千言万语凝结为一个无言之美，让昭君的血肉之躯升华到一个通明透彻的光辉形象，化为无尽的言说，这便是全诗最精彩的几句：“冰河牵马渡，雪路抱鞍行。胡风入骨冷，夜月照心明。”

全诗的前四句“敛眉”“还望”“红颜落”“泪眼生”，感情的徘徊历历可数；“冰河牵马渡”而后，这些字面就都不见了，突然加紧了步伐直上征途。“冰河牵马渡”，写马要人牵了渡河，重点还仿佛是在于马；而“雪路抱鞍行”则虽然也写了人与马的共同命运，却显然已把重点从马转移到了人。但这两句总的说来还只是停留在冰天雪地外部世界的描写上；到了“胡风入骨冷”，马已完全不在话下，形象也开始从外部世界进入到人的肌体的内部，通过胡地刺骨的寒风，仿佛是一把解剖刀，要穿透这血肉之躯，于是“夜月照心明”终于一刹那间把昭君的内心世界照得通明透亮。

在那晴空万里、皓月高悬、冰雪无垠的原野上，一切晶莹洁净，一个弱女子，形影相吊，向着未来的命运在进发，这时只有那一轮皎洁的明月才成为她寂寞中的唯一相知，才能揭开她那美好无私的单纯心灵，来面对一切而无愧！这便是“夜月照心明”句所以力透纸背，成为全诗高峰的缘故。

这一步紧似一步地飞跃到全诗的高峰，犹如跳高的好手在飞跃横杆的一刹那之前要有一段助跑；助跑是必要的，但还只是过程，决定性的乃是那令人凝神屏息的飞跃横杆的一刹那。全诗的前面四句说明了昭君出塞的心情，到了走向高峰的四句，这心情便逐步飞跃向一个完整的境界。这境界的飞跃，才达到了那全部思想感情的真正高度，没有这个高度，助跑就不会有多少人爱看，诗歌语言也就不过只留下了精炼的铺陈而已。

秦时明月汉时关[1]

唐人七绝或以这首为第一，而主要正在于头一句好，开门见山，我们乃惊觉于它气象的非凡，便简直是不暇细味其他了。韦应物诗“春风偏送柳，夜景欲沉山”，这是夜之安息的美，恰好可以与此成为一个对照。一个是连绵的山都要消失了，一个是月色画出一个突兀的关来。前者是优美，后者是壮美。春风吹拂软绵绵的使你沉迷，月影当头黑沉沉的使你惊醒。

“秦时明月汉时关”是那样的坚定，那样的久远，一切在空间上、时间上都成为不可消失的印象。它给我们短暂的生命带来了永恒的对立的认识。月色的柔和本来不宜于这坚定的表现，然而诗人的成功就在这里才显得重要。李益诗“边霜昨夜堕关榆，吹角当城片月孤”，这形象也正得力于那憧憧的黑影，所谓“月黑雁飞高”“北斗七星高”，一种刚强高昂的边塞感，正是“秦时明月汉时关”的最好解释。

[1] 出自王昌龄《出塞》。

关的坚定不容分说，在月影之下关的突兀更可想见。然而“吹角当城片月孤”，那月又是何等单薄，“月黑雁飞高”的月更是黑得几乎要不存在了。而“秦时明月汉时关”之“月”却照得那么分明，那么壮观，仿佛是要从秦汉直照到唐代，这才有了“万里长征人未还”这一句一泻千里的气势；那长征之长，也简直是长到要飞跃汉唐之间。这是历史的画面，又是历史的感情，前者如雕塑般地屹立于千古，后者乃流水般地迸出旋律，那力量全在这开门见山的第一句。

唐代的边塞诗是盛世之音，离开了盛唐时代边塞诗也就成了尾声，这便是为什么“秦时明月汉时关”如此地富有艺术魅力，如此地具有代表性。它是秦汉统一的形成所带来的诗歌主题，直到唐代的诗歌高潮中才被歌唱出来。我们在这里乃不难理解那雄浑奔放的歌声所蕴藏的深远浑厚的力量。

谈孟浩然《过故人庄》

故人具鸡黍，邀我至田家。绿树村边合，青山郭外斜。
开轩面场圃，把酒话桑麻。待到重阳日，还来就菊花。

这是孟浩然的名作。特别是前四句给人印象最深，这四句曾以一首绝句的形式，误入王维集中，也可见这首诗与王维的作品很相近。

王孟并称，相沿已久，这是由于后人特别强调王维隐逸诗的缘故。其实即使就隐逸诗来说，王维的风格也显然与孟浩然有别，前者比较自然朗爽，后者比较深远清峭。至于王维其他的方面，如一些边塞的主题、七古的长篇、七言的绝句，就是五律中像《观猎》《送赵都督赴代州得青字》等，都与孟浩然相去颇远。

孟浩然大部分诗作都集中在隐逸一类的主题与五律的体裁上，一种谨严洗炼的风格，往往给人以更深的孤独感。他的冷峭之中有时甚至于是激切的，像他的名作《宿桐庐江寄广陵旧游》：

山暝听猿愁，沧江急夜流。风鸣两岸叶，月照一孤舟。

建德非吾土，维扬忆旧游。还将数行泪，遥寄海西头。

这里的形象也是王维诗中所少见的。而孟浩然的风格正是在表面的幽静中注入了深深的不平，这是和他一生的遭遇与性格分不开的。当然孟浩然也偶然会有一些天真忘怀之作，这首《过故人庄》就是其中的代表。

要说明这首诗的天真忘怀，最好是举孟浩然的另外一首诗《秋登兰山寄张五》来对照一下：

北山白云里，隐者自怡悦。相望试登高，心随雁飞灭。愁因薄暮起，兴是清秋发。时见归村人，平沙渡头歇。天边树若荠，江畔舟如月。何当载酒来，共醉重阳节。

这也是名作。可是这首诗中，诗人是孤独的。他虽然“时见归村人”，却只能“隐者自怡悦”。他在山顶上望见了那么美丽的人间，而自己却只能在白云之中。正像《招隐士》中所说的：

桂树丛生兮山之幽……王孙兮归来，山中兮不可以久留。

山中尽管高洁，诗人却不能不感到一些清冷。所以这首诗与《过故人庄》虽然最后都归结于希望在重阳节的时候与友人共饮，可是一个是在寂寞的山中，一个是在人间的农庄；一个是以清峭的心情在期待着温暖，一个却忘怀于友情与大自然之中。孟浩然大部分的作品其实正是属于前者。这首《过故人庄》因此表现了一个寂寞的诗人到了人间所能获得的喜悦，而这个人间只有在素朴的农庄中是存在的，也只有这个素朴的农庄才真正能够接待我们不幸的诗人。

陶渊明有一首脍炙人口的《归去来兮辞》，写诗人把官一丢而跑回农村去，那时充满了多么喜悦的心情。我们在这里也就不难理解，为什么《过故人庄》中，孟浩然是那么充满了喜悦的。

正是这个喜悦让孟浩然歌唱出一个和平生活的美丽的农村，这美丽，也只有那素朴的心才会真正地深深感受到。这样一个普通的村庄，既没有引人注目的名胜，也没有任何出奇之处，眼前不过是一片场圃、一片桑麻、一些村人来往的道路。谁真正爱这个天地呢？而孟浩然确是写出了这个淳朴的天地。这里与陶渊明的《桃花源记》有异曲同工之处。一个诗人，写出一个天地是不容易的事。这里要真正全心全意地歌唱它，要诗人的世界观与农村淳朴的生活有高度的统一，于是通过诗人的内心世界再现一个典型的和平的农村、一个理想的天地。这里孟浩然并没做任何更多的表白，它的艺术形象真实地告诉了我们。

要进一步地理解这首诗，就还要更具体地通过诗句的分析。

这首诗的第一、二句似乎很平淡，它的素朴的语言与素朴的田家款待，所谓：

故人具鸡黍，邀我至田家。

让全诗在一个平民生活的气氛中展开，这对于全诗是一个良好的开始。通过鸡黍这样具体细微的事物的描写，唤起了整个田家的形象。这里是谐和的、真实的，又是展开的。于是出现了那千载流传的名句：

绿树村边合，青山郭外斜。

这是全诗的灵魂，思想情感与艺术形象交融的顶峰。要知道这两句诗真正的好处，我们这里引一首马致远《双调·夜行船》中的几句：

红尘不向门前惹，绿树偏宜屋角遮，青山正补墙头缺，竹篱茅舍。

这也是散曲中的绝唱。如果分开来看，马致远的诗句可能更容易引人入胜，因为这里刻画得更新鲜。可是一对照起来，我们就会觉得孟浩然的诗句更浑厚些，它丝毫没有露出怎样加工的痕迹，然而整个农庄历历在目，这里表现了更深的功夫。这当然也由于马致远是从一个茅舍的角落来写的，这是一个隐者小小的天地，然而这小小的天地却与大自然一脉相通，这正是那可喜之处。而孟浩然所写的却是整个农村，在这里孟浩然的诗有更多的人间味，在更为普遍的天地里有更多的生活气息，这也就是其所以更为深厚的缘故。

“绿树村边合，青山郭外斜”，不但写出了层次分明的近景和远景，而且这围绕着村落的绿树与斜倚在绿树之外的青山，正是相映成趣地表现为一种谐和而单纯的美。这里我们不妨说它们是在心心相印着，所谓“相看两不厌，只有敬亭山”。那绿树像母亲的温柔，怀抱着这个村落；而那青山像一个岗哨，远远地也注视着这个村落。它们的心全在这个村落上，因而那城郭也就被冷落地丢在一边了。

这里我们才明白，既然说“绿树村边合”，已经是在城郭之外了，为什么还要说“青山郭外斜”呢？这诗句正在于陪衬出那城郭的不重要来；青山、绿树、村落，那么水乳交融地打成一片，那城郭就只好若有若无地默默靠站在一边，这真是再亲切也没有的一幅图画。而与这同时，通过那青山的顾盼，通过那绿树的环抱，对于这个村落，我们将感到多么亲热啊，仿佛我们早就该认识它们了。于是我们感受到每一块草地的绿色，每一片庄稼的成长，每一条小路上的泥土气息。这些，诗中都并没有写，它却存在于青山的一瞥与绿树的拥抱之中。而我们不幸的诗人，像一个贫困的孩子，忽然到了真正心爱的乐园，他要东看西看、东问西问，于是：

　　开轩面场圃，把酒话桑麻。

这里他不知有多少话在说呢。他忘怀于这个面前展开的天地之中了，于是：

　　待到重阳日，还来就菊花。

他说他下次还要再来。他当然是要再来的，这难道不是最诚恳最动人的语言吗？凡是稍有童心的人都会知道，一个孩子在要离开玩了一整天的心爱的地方的时候，那天真的心将要说出什么。“绿树村边合，青山郭外斜”，这一片天地将永远生活在诗人的心里，这首诗因而也就永远活在我们的心中。

（原载《语文学习》1957年第2期）

劝君更尽一杯酒　西出阳关无故人

“劝君更尽一杯酒，西出阳关无故人”，《渭城曲》以此二句歌为《阳关三叠》。李东阳《怀麓堂诗话》：“王摩诘‘阳关无故人’之句，盛唐以前所未道。此辞一出，一时传诵，不足，至为三叠歌之。后之咏别者，千言万语，殆不能出其意之外。”

以边关得名的佳句曰“秦时明月汉时关”，曰“春风不度玉门关”，各称为绝句第一。然而“阳关”之句却别为一番景色，所谓“日照潼关四扇开”，这景色恰可以有助于说明“阳”与“关”的关系。荒原的寂寞，同时也是一切文明的开始，能认识这一点光明的意味，然后文艺才有了雄浑的价值。“晴川历历汉阳树，芳草萋萋鹦鹉洲”，这颜色何等地鲜明，文字的暗示性便在那本义之外有力地出现了。虽然诗人在用它时也不会就注意到，然而无意间的选择却决定了那表现的成败，这创造所以才是真正性灵的表现。

读“青青子衿”时，我们曾谈了一个“青”字，这里我们想再说一个“黄”字，颜色的暗示性在文艺上最富于感染性。黄鹤楼律诗如果换了黄鹤为白鹤，整个的情调便变了样，而“晴川历历”的一联也便失去了凭借。黄是阳光，又是土色，它仿佛原始人光明的足迹，而“西出阳关”岂不正走的是“咸阳古道”吗？然则，这首诗一方面是“客舍青青柳色新”，一方面乃是“咸阳古道音尘绝”，这古与新的浑然交织，如何不令人一唱三叹呢？

“劝君更尽一杯酒，西出阳关无故人”，所谓“更尽一杯”，自然就不止一杯，那所谓“尽”，其实便是无尽；韦庄词“珍重主人心，酒深情亦深”，那么，所谓“无故人”，其实又正是有故人了。这里文思反复，不可辨识，所以不流于巧而只觉得浑厚。

离别之情，古人所谓“悲莫悲兮生别离”，然而艺术是要把人带到更高的理想去，而不是作为生活的附庸。悲剧之所以往往更为动人乃在于它唤醒着人们以新鲜的启示。我们在这世界上便又一次认识了自己的生命，那才是一个经过磨炼而更鲜明的生命。《渭城曲》的可喜处不在于它的离情，而正在于离情中所给我们的更深的生之感情。

春草明年绿　王孙归不归

王维诗“山中相送罢，日暮掩柴扉。春草明年绿，王孙归不归”，而第三句又作“春草年年绿”。对于诗中一字的不同，时代久远，我们没有法子考订，于是二句兼存。这样我们才更觉出“春草明年绿”的好来。

这首诗短短四句，上半是在暮色中，下半又豁然开朗，所以是截然两段景色。日暮而柴扉既掩了，还说什么呢？但诗人的心却在门外。“春气奋发，万物遽只”，这样平静里便有了热闹，安息里便有了欢悦。暮是一切的归宿，春又是一切的开始，而门呢？它是开始也是归宿。这二重的情景所以便在那掩门的刹那间产生。陶渊明说“日入群动息”，这里含有感谢的心情，含有归宿之美，它包含了一切，所以能养育一切，这点活力便借着诗人的敏感而说出。

这四句，前半是陪衬，而后半才是表现的主体，而这后半却偏偏又是一个常见的典故，《招隐士》说“王孙游兮不归，春草生兮萋萋”，所以他才说“春草明年绿，王孙归不归”。可是《招隐士》原是说："桂树丛生兮山之幽……攀援桂枝兮聊淹留。"王孙"淹留"的是山中，王孙之"归不归"，自然是离不离去。而这里的"归不归"却反而像是在说来不来，这才真是说也说不清哩。总之，山中是使人留连不舍的，这不舍之情便全得力于一个"明"字。"明"字的表现力是我们所常见的，"残月脸边明，别泪临清晓"，我们试去掉"明"字便觉软弱无力；"日斜归路晚霞明"，孔雀的美丽所以才得以充分表现。显然，这里的"明"字是有意这样用的，而唐诗浑朴天真，所以只在有意无意之间。

"明年"，明明是来年，而无意间有了明亮的感觉照眼而过，这便是诗中的不可尽说之处。"明"字我们学得了谁不会用，然而有时候它就亮，有时候它就不亮，有时候你不要它亮而它自己亮了，这里我们能无所彷徨吗？"年年"二字它原是一个流水的感觉，李商隐诗"年年碧落银河畔，可要金风玉露时"，它是说明时间的，而"明"字则似乎是反时间的，岁月原如流水，而"明"字却让它出现在一个照眼的感觉上。

这便是诗歌语言的魅力，仿佛那春草就将绿得透明了，那么，王孙该怎么办呢？春天的光辉与那勃勃的生气，它乃是一切的开始之开始。而且世界上一切的消息原都不甘于寂寞，于是遂非柴扉所能掩了。

新诗探索

诗与自由诗

这里所谓的诗，是指传统上我们有过的诗；或者为说起来更方便点，史诗以及长篇的故事诗便也都暂不在话下。自由诗是近年来才有的名词，其发源来自于法国。西方文坛19世纪后半叶浪漫主义的高潮已经过去，各种流派纷至沓来，象征派等自由诗体在法国接踵而出；又正赶上那时执19世纪诗坛之牛耳的英国，在一度灿烂的花果后已渐显出枯萎的气象，从前的路似是走不通了，于是这自由诗便以其代表一个新的方向的追求，影响于全世界的诗坛。虽然在外表上有些尝试似乎是失败的，而实际的变化却已深入到新诗坛的灵魂中，这乃是无可怀疑的事实。

中国新诗坛，受到西方文学的影响，早期是以传统的英国诗为典范而进行着，而近年来也转向自由诗的方向了。这自由的诗体，似是仍在各方面的探索中，尚未达到完全宣告成功的时候，因此生命力还是无穷的。在寻找破格创新的浪潮中，重在别开蹊径，没有陈陈相因；一种草创的新鲜感吸引了广大创造者的热情，这往往也正是杰作易于产生的时候。中国的诗坛如今正有意地也加入了这个尝试，这样诗与自由诗间究竟最核心的不同是什么，以及其间若断若续的关系究竟应该怎样，自然便成为一个新的兴趣的所在。

一提到自由诗，我们便可能会感到一个以前所从没想到的问题，那便是文字似乎不够用了。仿佛看到一首自由诗，便会有许多人要摇摇头，觉得那是无法可懂的一件东西；写这类诗的人，被人用晦涩眩奇等字眼来批评责难着几是不可免的事，然而为什么还有许多人要如此做呢？为什么听了便要皱眉头的却会风行在全世界的诗坛上呢？而且就常理论，散文式的字句是比有韵律的诗句好安排的，为什么这文字的问题反而反过来在自由诗中发生呢？这些问题似乎又是大家所不大注意到的了。

要谈起这些问题来，决不是该不该写与哪个好哪个坏的问题，也不是只骂一句写得不明白便可一笔勾销了的；我们只口说这样的诗不好，而它确是有生气地占据了今日的诗坛，自然我们若一定要说这样的诗才算得是诗，便也非公平之论。自由诗之必于今日出现其实乃是一件当然的事，由于它的出现产生的文字问题也是当然不可免的一回事；要解释这些当然究竟是因为什么，我们不能不追根问底讨论一下，所谓传统的诗与自由诗究竟除了一点形式上的不同外，在本质上还有什么更大的区别？这区别是不是便能解释了一切的纷争，而归纳到一条线上去呢？

其实诗与自由诗的不同与其说是形式上的不同，毋宁说是更内在的不同。这问题只要从这种新的诗体之必须要求极度自由地应用那些文字上看来，便很容易明白了。所谓晦涩，所谓不易懂得，也就是文字不能遵守平常狭义的概念，它要求更自由更充分地利用其所有的各方面，所谓“印象”、所谓“象征”不过是其中较显著之一端而已。这类诗的文字既然要求充分自由且富于探索性，那么在形式上不能受任何的拘束乃是当然的了。然而究竟为什么有这些要求呢？那就要问传统的诗的泉源为什么会枯竭了呢？明显的原因是一切可说的话都概念化了，一切的动词、形容词、副词在诗中也都成了定型的而再掉不出什么花样来了。在这时候诗人乃放弃了一向写诗的工夫，而努力于打开这枯竭之源，寻找那新的语言生命的所在，于是自由诗乃应运而生。

这一个新的诗体既基于感觉到文字表现来源的空虚，于是乃利用了所有语言上的可能性，使得一些新鲜的动词、形容词、副词得以重新出现，而一切的语法也得到无穷的变化；通过这些，因而追求到了从前所不易亲切抓到的一些感觉与情调。自由诗所以永远予人以新的口味，而更因其整个都是新的，其不易为一般人所接受乃也是当然的事。同这相类似的，如中国人一般还不太欣赏钢琴便是最常见的，不是也有许多人在埋怨钢琴太难懂吗？

在传统的诗中似无专在追求一个情调（Mood）或一个感觉（Feeling）这类的事，它多是用已有的这些，来述说描写着许许多多的人事。如今，自由诗却是正倒过来，它是借着许多的人事来述说捕捉着一些新的情调与感觉，它是启示着人类情感中以前所不曾察觉的一切，且其所追求的范围是如此深而且广，其文字之必须有极大的容量乃是无可奈何的事，而文字不够用的感觉所以便在这里才会觉到，至于形式之必须极量地要求自由，在文字尚且如此时自更是当然的事了。

自由诗之于诗正如一个破落世家之又有一个子弟振兴起来，

但其面目是全然不同了。散文诗之有益于诗是无疑的，那又像冬日的霜雪将有益于来春花草的茂发。自由诗创造了无数有生命力的文字与感觉，这正是如今传统的诗为什么枯竭了的病征的所在；将来也许仍有类乎传统诗体的诗出现，则其生命的来源必在于此！自由诗却是很冤枉的，它勇敢地探索着那真正奥秘的所在，孤寂的，无援的，却接受着一般只愿读那烂熟了的作品的人们的嘲骂！然而在一切指责中，在一般人的不了解中，自由诗也如许多当时被人唾弃的世界名曲一样，在陌生的人中抬起头来了。

自由诗也许有一天会命运终结的，那便是它宣告完全成功的时候。类乎传统的诗也许有一天会重又生长起来，那便也得要等到这一天的来到！以后呢？又是一个自由诗的时代吗？又是一个传统诗的时代吗？那只有作家们在追求中是能够晓得的，谁能够为未来的创作充当预言家呢？

（原载《现代》第6卷第1期，1934年11月1日出版）

从自由诗到九言诗

从20世纪30年代到90年代这半个多世纪里，我一面从事新诗创作，一面也写了些有关新诗创作的想法。诗歌作为一种艺术体裁，首先遇见的就是它的形式问题，因而这方面产生的争论也就最多。形式怎样才能更有利于诗歌的创作乃是问题的核心，不同的意见也是以此为焦点的。这里我想回顾一下我自己曾经走过的漫长的道路。

我从1931年开始写自由诗，当时一写就感到真是痛快，很尝到了其中的甜头。随后相继出版了《夜》和《春野与窗》两本诗集，都颇博得好评。既然尝到了甜头，又一帆风顺地取得了成就，论理我应该作为自由诗的战士一直战斗下去。可是1935年起我却决心尝试改写新格律诗，并也相继出版了两本诗集《北平情歌》与《冬眠曲及其他》。这似乎有点出人意料，也为很多诗友们所不能理解。就在1935年，我首先便遇到了戴望舒兄好意的劝阻和忠告，这乃是不足为奇的。如他曾有过《论诗零札》十七条，发表在《现代》创作特大号上，主张是十分鲜明的。其中说：

韵和整齐的字句会妨碍诗情，或使诗情成为畸形的。

所谓形式，决非表面上的字的安排。

说老实话，我当时对于新诗格律方面还真没有什么很具体的方案，只是通过创作实践来不断地摸索而已，但韵和整齐总是难免的。然而万万没有想到的乃是约一年之后（1936年5月14日）望舒所写的那首《小曲》：

啼倦孤鸟藏喙在彩翎间，
音的小灵魂向何处翩跹？
老去的花一瓣瓣委尘土，
香的小灵魂在何处流连？

它们不能在地狱里，不能，
这那么好，那么好的灵魂！
那么是在天堂，在乐园里？
摇摇头，圣彼得可也否认。

没有人知道在哪里，没有，
诗人却微笑而三缄其口：
有什么东西在调和氤氲，
在他的心的永恒的宇宙。

这首诗全篇就都是有韵而又整齐的，这真可说是让人难以置信地出乎意料，而且此后他的诗作也似乎就是这样来写的。新诗坛在经过自由诗的洗礼后，正在呼唤着新格律诗的诞生，这乃是不以人们的意志为转移的。

今天，回顾新诗坛上出现的许多问题，主要都是环绕着语言而产生的，如初期的文言诗与白话诗之争，后期的自由诗与格律诗之争，以及50年代西语的“音步”格式与汉语的“几言”格式之争，都是出自语言上的问题。而语言的问题又是环绕着生活语言与艺术语言而产生的。

诗歌是一种艺术的语言，或者说属于语言的艺术。总之诗歌比起小说、戏剧来，它除了语言之外是别无手段的，这个语言也就是它所凭借的生活语言。然而艺术语言又并不等同于生活语言，如果说艺术乃是一种人生的自我超越，那么诗歌语言也可以说乃是一种语言的自我超越。生活语言作为一种手段是为生活中实用而有的，如写通知、传消息、买东西、订契约、做生意、讲道理、打官司等等，都需要语言愈明确、愈具逻辑性愈好。这是由它的目的所决定的。而艺术语言则正如音乐、雕刻等，是一种生命的呼唤、永恒的默契，是为提高人类生活情操而有的。它需要通过语言上的突破以获得精神上的超越，但又是植根于生活语言之上的，正如艺术之乃是植根于生活一样。它既不能脱离生活语言而存在，又必须超越生活语言；换句话说，它所要求突破的正是它所必须凭借的。这个矛盾的解决也就是诗歌语言获得艺术性能上的更为充分发挥的时候。

这里首先就表现在诗歌语言的要求飞跃性上，也就是需要有节奏。节是制约，奏是进行，这乃是意味着一种起跳的动作，我们每当想要跳得更有力些就自然地会先行停顿一下，这也正是诗歌语言与散文语言的区别之处。散文语言好比走路，一步一个脚印地不停地走着；诗歌语言好比舞蹈，是跳着走的——歌舞原本就是孪生的。新诗之所以无论如何必须分行，就因为这每一个分行实际上也是一次停顿，如果连这个也没有，那就与散文没有什么区别了。可是仅仅分行所起的这点节奏作用又是远远微不足道的。

为了加强语言的飞跃性能，于是自由诗往往采用了拉大语言跨度的方式，迫使思维必须主动地凝聚力量去跳。既是迫使，当然就难免会有些不自然，这也就是自由诗的特色。然而它却可能唤起我们埋藏在平日习惯之下的一些分散的潜在的意识和印象；这些被淹埋的感受在一步一个脚印的语言方式之下是很难自由出现的，这时在忽然出现的大跨度空间面前，不免猛吃一惊，仿佛如梦初醒，于是展开了想象的翅膀，凝聚组合、自在地翱翔，这乃正是一种思维上天真的解放。例如：

朦　胧

常听见有小孩的脚步声向我跑来
中止于一霎突然的寂寞里
春天如水的幽明
遂有一切之倒影

薄暮朦胧处
两排绿树下的路上
是有个不可知的希望在飞吗
是的，有一只黑色的蜻蜓
飞入冥冥的草中了

像这样的诗，主题既朦胧，诗句又不太连属，写的是什么，很难完全说清楚，但却可以感受到它在自由空间的存在与想象的新鲜气氛；并也可以在想象的启发下参加它的再创造，从而获得一种精神上的解放和享受。自由诗正是这样地出现在新诗坛上而风靡一时，以拉大语言的跨度为手段凝聚为尖端的突破，从而恢复了传统的古典诗坛由于僵化、老化、脱离生活语言而久已失去的艺术魅力，为白话诗坛带来全新的创造性，奠定了20世纪30年代新诗坛空前的盛况，其功是不可没的。

然而任何一次成功的革命如果没有伴随与之俱来的成功的建设，革命也便往往难免会是短命的。自由诗对于传统的文言诗坛如同是一场革命，而其难忘的黄金岁月，终于面临着下坡路的困境，也正是因其缺少与之相伴随的建设，这里首先就是遇到了散文的压力。

五四新潮所唤起的是一个波涛汹涌的新文化运动，一个百家争鸣的新思潮的启蒙时代，这主要的乃是一个属于散文的时代；白话运动主要也是为散文而有的，而不是为了新诗。新诗的出现一来由于中国乃是一个诗的国度，中国的文化也是近于诗的文化；二来则正如先秦时代楚辞的出现，乃是汹涌波涛中飞起的一朵鲜艳的浪花。可是在先秦时代的百家争鸣中，这个浪花也只能如昙花一现。屈原还为楚辞的骚体建立起一个虽不典型却有节奏的诗歌阵地，而自由诗则除了分行之外更别无任何阵地；它曾随着散文的白话革命浪潮的成功而获得成功，也随着散文之走向建设性的规范化而感到压力。自由诗既还没有自己的阵地可以分庭抗礼，便只有回避。散文是不喜欢拉大跨度的，那么就远离散文的生活语言，愈来愈不自然；或者服从于散文的语言规范，而失去了诗的本色。二者各走极端，于是诗坛遂产生了分化。分化是一个困境的信号，诗坛要想走出这一困境，就需要面对散文规范化的压力，建立起自己的语言规范化来，这就是格律，也就是诗歌的阵地。

阵地并不等于艺术内容，也不是语言诗化的全部过程，它只是有助于语言从散文中解放出来，自由地运用散文所不能有的语言跨度。例如唐诗中的名句：

秦时明月汉时关，万里长征人未还。

这里的“秦时明月”如何会落到“汉时关”上来呢？这个跨度在散文中乃是不可能有的，而在七言诗中却是很自然的，这也就是诗的阵地。紧接着“万里长征人未还”唤起那直贯汉唐两代盛世千百年间的历史边塞之情，从秦汉一跃而过，超越时光，屹立长空，乃成为唐诗中七绝的绝唱。这当然不是说一有了七言诗这样的阵地，就一定会写出好诗来，那未免太天真了；但这个阵地却无疑地为这首绝唱提供了艺术性能上充分发挥的自由。

自由诗因此也不是天生与格律诗成为对头的。格律诗所想保证的正是自由诗所要取得的语言上的自由，而自由诗所唤醒的久经沉睡的语言上的艺术魅力也正是为格律诗的建设新诗坛准备下丰富的灵感。自由诗人由于散文的压力而陷于困境，在新的诗歌阵地上难道不正可以再显身手吗？

现在的问题是新诗并没有现成的阵地，怎样去建设也没有现成的方案；曾一度热衷于效法英诗格律的豆腐干式，也已以失败而自行告终。一切都等待着白手起家从头去摸索和尝试，这就是

1935年当时的情况。

在茫无头绪之中，我只好采取了一种统计的办法，把当时手头所能找到的新诗中比较上口的诗行摘选出来，看看其中有什么共同的因素没有。这样在摘选中乃终于发现了存在着一个“五字音组”（如“××的××”“×××的×”之类），在上口的诗行中它居于绝对的多数，也就是最占有优势，我当时称之为“节奏单位”。根据韵乃是在一行的行尾而不在一行的行头这个举世皆然的普遍现象，我就把“五字音组”作为“节奏单位”（以下合称“节奏音组”）放在诗行的底部，然后上面加上不同的字数来构成格律性的诗行，从“三·五”“四·五”“五·五”“六·五”“七·五”“八·五”“九·五”“十·五”……这样一行一行地尝试下去，最长的诗行曾达到过十八字，如：

待冬天的风吹过了大海又轻轻睡了的时候

这当然似乎太长。十五字则已经比较容易成诗，例如：

秋夜的灯

秋夜的灯是苦思者的伴风意寒峻地
独行者的心仍想着灯吗一点的华丽
窗下便开着客子心上的多梦寐的花
寂静的夜空无边的落叶装饰了园地

经过这样多样多次的尝试，我初步认出十言（五·五）、十一言（六·五）是最为可取的，此外用八言（三·五）也试写成过一些诗，如：

抽 烟

轻轻地抽起一支烟
静静地石榴花红了
今天有朋友来谈天
半梦里燃着甘草味
不记得什么时候里
离别如窗外的青天

这与后来的八言（四·四）诗行，节奏上乃是大不相同的。我甚至于还尝试过把古典的七言（四·三）诗行颠倒过来变成“三·四”，写了几首诗，如：

雨 丝

雨丝儿落在山下
山前边路被泥埋
西北风明日吹起
路人呢回不回来

同样是七言，只要“节奏音组”一变，诗行便迥然不同。这样在大量尝试的实践中，我开始对于音组在构成节奏中所起的关键性作用有了更多理性上的认识，但是尝试中的盲目性仍然存在，成功率因而还很低，这只要看我在1984年出版《问路集》时所选的诗中，《夜》和《春野与窗》两本里的自由诗共占了56首，而《北平情歌》和《冬眠曲及其他》两本格律诗中就只选了15首，便一目了然了。

要掌握好一种诗行，正如掌握好一种工具，不仅不能盲目而且还要熟练，这需要一段时间和一些难免的失败。我自1936

年冬出版了《冬眠曲及其他》后直到1984年才又出版了《问路集》，由于经过“十年动乱”的浩劫，手中诗稿已荡然无存，抗日战争之后的诗还可以到发表过的杂志上去寻找，抗日战争中的诗就很难找到了。最近忽然发现了一首《秋之色》发表在1942年的刊物上，具体的写作时间可能还会更早些：

秋之色

像海样地生出珊瑚树的枝
像橄榄的明净吐出青的果
秋天的熟人是门外的岁月
当凝静的原上有零星的火

清蓝的风色里早上的冻叶
高高的窗子前人忘了日夜
你这时若打着口哨子去了
无边的颜料里将化为蝴蝶

从这首诗看来，我在格律诗方面的创作尝试到了40年代初总算开始比较稳定，稳定在十言、十一言这两种以“五字音组”为“节奏音组”的诗行上。十言（五·五）尝试得比较更早，如：

春　晨

日出高高的走出大门去
朋友们青青在天的远处
清晨的杨柳是春的家乡
白云遮断了街头的归路

柿　子

冰凝在朝阳玻璃窗子前
北平的柿子卖最贱的钱
街上有疏林与冻红的脸
冬天的柿子赛蜜一般甜

但多是绝句式的四行诗，这也许乃是开始掌握格律诗行时一种较好的办法。此后我便更多地转向写十一言（六·五）诗。十言（五·五）诗的成熟因此反而似乎较晚，主要是在40年代的后半期。如：

苦难的日子

当海风吹冻海港的时候
一切那藏在悲苦里的人
这是应当要出来的时光
现在在哪里都已经一样
我看见风沙吹断的黄云
散布在诱人深蓝的天上
如此诱人的天上的景象
现在在哪里都已经一样

窗户纸已经像一层薄冰
那将会令人凝住了呼吸
可是那也是薄得可喜的
从那不为人注意的地方
吹进每一件事物的行列

北风吹透了薄薄的世界
只有从苦难走来的人们
才知道冬风呼唤的一切

人们站立在死亡的边缘
那最是空气稀薄的地方
我看见一个绝世的美人
如同稀薄的黎明前一样
当海风吹冻海港的时候
散布着风沙吹断的黄云
如此诱人的苦难的疆场
站立在一切人们的面前
现在在哪里都已经一样

从1935年到1950年这十五年的创作实践中，我终于找到了十一言（六·五）、十言（五·五）这两种可取的典型诗行。这十五年间我主要不是先有理论再来实践，而是在实践中逐渐地认出了理论，五字音组最初之被认出乃是出于大量诗行的统计，此外并没有什么根据。十一言（六·五）诗行、十言（六·五）诗行之被采用，也完全是出于创作实践中不断的感性体会。在这里恰好可以说明为什么九言（五·四）诗行在我的创作尝试中会是最后出现的。

在这漫长的十五年的摸索、创作、体会中，我所得到的关于建立诗行的理论不过两条，一是“节奏音组”的决定性，二是“半逗律”的普遍性。

十一言（六·五）与十言（五·五）诗行在尝试上的认可，

使我终于认出了“五字音组”的决定性和它的特殊性。这从十一言与十言诗行的结构中是可以明显地看得出来的。也就是说，五字音组对于二者乃是决定性的“节奏音组”，这个决定性也就带来了诗行一定的特殊性。我们不妨看看五、七言诗在历史上乃是一直同时并存的，而四言诗则是单成一个时代，为什么五言诗与四言诗只相差一字，却不与四言诗属于同一时代，反而与相差两个字的七言诗同属于一个时代呢？原因就在于五、七言诗行都是以三字为“节奏音组”，而四言则是以二字为“节奏音组”。

“节奏音组”决定着诗行的特殊性。这一理论上的认识，不仅有助于说明文学史上四言诗与五、七言诗之间的关系，而且说明着典型诗行与“节奏音组”不可分割的本质。五言诗行就只能是“二・三”而不能是“三・二”，七言诗行也只能是“四・三”而不能是“三・四”，否则就不是典型的五、七言诗。因为如果上下一颠倒，字数虽然照样，“节奏音组”却变了，诗行的性质也就跟着变了。人们能用“二・三”的五言诗行写出亿万首诗，因为它是典型的，可是用“三・二”的五言诗行能行吗？能用“四・三”的七言诗行写出更多的诗篇，可是用“三・四”的七言诗行能行吗？有人如果不信，就请不妨试试。

典型诗行乃是意味着这样诗行的出现既是“这一个”又是亿万个，既是特殊的又是普遍的。正因其如此，诗歌的形式才不是对于内容的束缚而是有助于内容的涌现。五、七言诗行在这里为我们提供了无可争辩的经验和证明。

典型诗行因此是有严格规律的诗行，格律本身就意味着要求严格，否则它的“这一个”就不能成为亿万诗行的普遍化身。正如典型的银幕乃是方形的，可宽银幕就不行；而这个方形银幕的第一次出现，也就意味着亿万个同样银幕的行将涌现。

从十一言（六·五）、十言（五·五）的实践中我深刻地体会到“节奏音组”的特殊性是不能丝毫含混的，因此当我1950年第一次提出九言诗的时候，用的题目就是《九言诗的五四体》。其所以特别标出“五四”，就是为了要明确这种诗行乃是以四字“节奏音组”奠基的九言诗行，而不是其他别的任何九言诗行，并且此后我每写到有关这方面的文章时，连文言的五、七言诗往往也加上了（二·三）、（四·三）的附注。

这十五年来对于诗行与“节奏音组”的不断探索，很自然地也促使我逐渐步入了借助于理论来进行新格律诗探讨的阶段，开始认识到上下两个半行的对称作用与“半逗律”的存在；并同时发现了九言诗的五四体。它仿佛就正是我要寻找的诗行，我当即把我的精力全部投入到创作中去。关于“半逗律”的理论则直等到1957年才把它写成了文章。

格律诗规模最大的一场辩论是在1959年，争论的焦点就正是集中在汉语“几言诗”的“半逗律”与西语“几顿诗”的“音步律”之上，详情有正式记录在案，本文就不多说了。这里只说明“半逗律”乃是汉语中典型诗行所遵循的普遍规律，这规律要求将诗行分为相对平衡的上下两半，从而在半行上形成一个坚定不变的节奏点。如果说四言（二·二）、五言（二·三）、七言（四·三）、十言（五·五）、十一言（六·五）等每个诗行都具有自身各自的特性的话，“半逗律”也就是它们之间普遍具有的共性，那么在从“二字节奏音组”发展到“三字节奏音组”，又发展到“五字节奏音组”的过程中，是不是还应有一个以“四字节奏音组”来建成的典型诗行呢？这也便是八言（四·四）、九言（五·四）两种诗行的发现。不过在理论上和实践中我目前更多地偏向于九言（五·四）诗。

1949年春天开过了第一次全国文艺工作者代表大会之后，大众化的呼声很自然地来到了新诗坛上，《文艺报》报社为此特邀我去座谈，这也可以说是从旁又多了一个契机。一般说口语的句法比起白话来乃是更为简练的，大众化难免要求多用些口语，也就更适合于比“五字音组”简短些的“四字音组”，我当时恰好刚参加完“土改”回来，有些新鲜体会，就写成了一首《解放后的乡村》，其中的诗句如：

上午的天吗蓝得透顶
下午的天吗透顶地蓝
村子刚解放没有说的
春天一到了谁都该忙

…………

说什么难事就是不怕
可有一样啦得有计划
活儿干完了学习文化
电线赛一幅新风景画

这就是我公开发表的第一首九言诗。事实上口语与白话也是相互渗透的，我以后写的九言诗中也很少再有这么口语化的。可是九言诗却正是这样脱颖而出的，并成为我此后最常采用的诗行。至于八言（四·四）诗行因试作较少，现在还难以判断这种诗行的前途。像：

春的脚步

是无边的风的召唤
是永恒的海的歌唱
我听见那远山狮吼
在初春的长的路上
我听见了冰裂声音
从安宁的每个心上
让窗外的白日阳光
说人生是一个解放
春的脚步走遍四方

就这一首诗说是不错的，但还要等待更多实践的证明。它也可以与九言（五·四）诗合作得很融洽，例如：

新秋之歌

我多么爱那澄蓝的天
那是浸透着阳光的海
年青的一代需要飞翔
把一切时光变成现在

我仿佛听见原野的风
吹起了一支新的乐章
红色的果实已经发亮
是的风将要变成翅膀
让一根芦苇也有力量

啊世界变了多少模样

金色的网织成太阳
银色的网织成月亮
谁织成那蓝色的天
落在我那幼年心上
谁织成那蓝色的网
从摇篮就与人作伴
让生活的大海洋上
一滴露水也来歌唱

现在我想再谈一下关于节奏点的问题。节奏点乃是由“半逗律”与“节奏音组”共同形成的，不同的“节奏音组”决定着不同诗行的性质，也形成不同的节奏点。换句话说，既然“半逗律”要求诗行分为相对平衡的上下两半，这两半之间自然就会出现一个间歇点，这也就是这个诗行的节奏点，它乃是普遍的“半逗律”与特殊的“节奏音组”结成的鲜明标志，也正是典型诗行的典型标志，它的位置是固定不变的，因为它所从属的“节奏音组”乃是固定不变的。

七言诗之所以必须是“四・三”而不能是“三・四”，就因为七言诗行之成为典型诗行乃是从属于“三字音组”的，这只要看七言诗中之往往含有“三・三・七”的节奏，就知道这个“三”在节奏上是如何重要了。五言诗之所以只能是“二・三”而不能是“三・二”，也同样因为它乃是从属于“三”字“节奏音组”而成为典型诗行的。因此典型诗行、节奏音组、节奏点，乃是三位一体，存则俱存，亡则俱亡的。而我们如果失去了固定不变的节奏点，自然也就失去了典型诗行，也就失去格律诗的普遍性，即使还能有“这一个”，却并非“亿万诗行的化身”。那么也就不能有力地突破散文的局限，成为新诗创作上解放的阵地。

最后我想提供几点我在习作中可供参考的经验：

（一）先不必考虑叶韵

叶韵是诗行与诗行之间的事，不妨放到下一步再说，何况莎士比亚翁就曾写过著名的无韵诗（Blank Verse）呢，这说明韵虽然在诗的格律上似乎乃是天经地义的，但比起诗行自身的节奏来还是属于次要的。

要掌握好一个新的典型诗行，首先是不要因为难而损失诗意；诗正如音乐是一种旋律性的艺术语言，在开始获得这节奏与旋律间相呼应的灵感时，最好避免让韵的要求来打搅它。叶韵是人人都会的很容易的事情，而要掌握一个新的典型诗行却远远地不那么容易，增加轻微的困难都有可能会干扰它与诗意的默契，因此在韵上最好是听其自然而不要有丝毫的强求。例如：

路

爱情是一条新铺好的路
你是那客舍怯生的人吗
异乡的情调敲着我窗口
说是家还在很远的地方

在绿的草上那里我睡过

在静的夜里那里我走过
天蓝得就像那爱的河流
如同从来的人生的相会

春天的锄头是土的声音
春天的脚步是路的声音
你要探问那修路的人吗
春天第一次收在你信里

这样的无韵诗不妨多写。叶韵与分行原有异曲同工之处，有了整齐的分行，韵的必要性也就会减轻些；当然韵将会使诗行之间更趋于完善，这不妨等到熟练了之后。

（二）争取“歌”的传统

“歌”是最有生命力的诗，因为歌是最富有节奏感的。中国诗歌史明白地记录下了这一生动现象：诗经中最为活跃的是“十五国风”，楚辞中最有魅力的是《九歌》，建安风力的最高代表作是曹氏父子的乐府诗，至于晋、宋、齐、梁虽然也各有成就，但毕竟是“风力尽矣”！盛唐诗坛以绝句与七古（皆为歌行）风流千古，空前绝后的边塞诗乃都产生于此，伟大的诗人李白正以此成为盛唐气象中最有代表性的标兵。此外，律诗也已跳出了排律，但要直到杜甫晚年才以《秋兴八首》《咏怀古迹》等名篇一举而占尽风光，而这已是盛唐的尾声。杜甫的充分发展，使他成为盛唐诗坛令人赞叹的谢幕人，同时又是大历诗坛的启蒙者。此后到了宋代，律诗更主宰了诗坛，律诗是完全脱离了歌的，于是最新鲜活泼的诗坛乃不得不让位于以歌为主的词。

诗与歌之间的这些起伏消长，不是可以了如指掌吗？我这里并无意想要劝大家都来写歌，只是希望大家不要轻视歌。在最初尝试格律诗的阶段最好是先从歌入手，既容易又富于生气，而一举两得。至于作为歌的体裁一般多是四行一段，这也是世界通例。四行成为一首诗，可谓是最短的诗，我在30年代曾主张过“四行诗”。因为新格律诗既是一件从头做起的事，便不妨先从四行入手，等到能把四行诗掌握得纯熟后，要想再多写几个四行不是易如反掌吗？

这里首先是必须掌握好每一个四行，集中精力突破这一个难关可能是最为上策。分段的问题原是次要的题外话，不过“四”又确实是个奇妙的数字，它是“一”的重复再重复，或说是一个重复的典型完成式，而诗的“韵”与整齐本来就正是基于重复，因此各种分段的方式中“四行”乃是最为典型的，这虽然无关于诗行自身的典型，而一个共同的典型气氛，毕竟是更为谐调，也是易于成功的。

（三）警惕“五字节奏音组”的三字尾

我最初发现“五字节奏音组”时，从中得到了很大的好处但也吃了它不小的亏，我想应该把这吃亏的经验向大家坦白，那就是容易造成格律诗逐渐地文言化。写白话的格律诗而走向文言化，这无疑乃是一种倒退和失败，可这又是在不知不觉之间的。这样的情况在我的《北平情歌》和《冬眠曲及其他》两本诗集中竟有很强的趋势，我为这个失败付出了痛苦的代价，而且经过了两年多的时间，一连出版了两本诗集之后才一朝明白了它的原因，是由于“五字音组”在文言诗中有着非常深厚的基础，只要你把这五个字按“二・三”的组合来写，就很容易受到五言诗的文言的无形“感染”，何况“五字音组”也曾在古典诗词中作为诗行的下半行而经常地出现。如：

独上高楼望尽天涯路
乍过清明早觉伤春暮
帘卷西风人比黄花瘦
红杏开时一霎清明雨

不胜枚举，并不是没有人曾用这样的诗行写过文言的九言诗，因此三字尾乃是“五字音组”的危险地带。要避免这无形中文言化的影响，最直接的办法就是不用三字尾，遇到“五字节奏音组”时尽量只采用“三・二”而不采用其“二・三”的组合。明白了这么一个简单的道理之后，我才真正摆脱了文言化的干扰。这当然不是说“五字节奏音组”根本就不能采用“二・三”的组合，而是要十分小心。小心的办法就是针对文言化的危险而尽量地口语化。例如我写风筝的那首《正月》的诗句初集中原作：

蓝天上静静地风意正徘徊
迎风的花蝴蝶工人用纸裁

“风意正徘徊”就有些走向文言化，后来诗选中改为：

蓝天上静静地风呀正徘徊

显然乃令耳目为之一新。此外如：

夜的五色梦冰的世界里
五色的石子在水仙盆底

轻轻脚步是老鼠偷吃米

清冷的星子天风要吹起

这里的“世界里”“偷吃米”“要吹起”正都是更近于口语的三字尾。总之要保持新格律诗语言的新鲜活泼，就必须从各方面警惕文言化的复活，这也正是新诗格律成败的关键和标志。

1998年12月30日

诗的韵律

诗的韵律在过去的试验中仿佛是失败了，因此今日的诗坛便只有自由诗在活跃着。诗果真不应当要韵律吗？这虽然除了表现在写诗的人的笔端下，并不曾说出来过，却已有着这么样的意思了。

我自己写的是无韵律的诗，然而我却并不对韵律的诗悲观；不过已往的人对于韵律的方法没有走对，且对韵律的意义多未认清楚，故走来走去终于碰壁。我的意见其实非常简单，在《诗与自由诗》中我再三说明过，自由诗的重要并非形式上的问题，乃在它一方面使我们摆脱了典型的旧诗的拘束，一方面又能建设一个较深入的活泼的通路；这种诗的好处即在于它是完全新的，但却因此也便只能代表着一方面。警句与天然永远是两方面——当然我们不能说哪一种是比较更好——若可以说自由诗代表的是前者的性质，则韵律的诗当是近于后者了；这两种诗体中无论哪一种，其单独的发展结果则前者必流于“狭”，后者必流于“空”，都是衰亡的死路。故自由诗在今日纵是如何的重要，韵律的诗也必然有起来的一天。

从历史上看来，则诗与韵律之发生关系最初是由于音乐的介绍。乐与歌最早总是不分的，故中国最早的《诗经》、欧洲最早的史诗莫非乐歌。诗因合乐而会自然的有了韵律，我并不否认，可是诗与韵律之所以发生了关系后便不爱再分开，则又是另一个问题。

舞，我们今日已见到了单纯的象征派的舞；乐，进步到最伟大的交响乐是不要歌的。难道就只有诗不争气仍然要靠别人吗？诗乐舞，不错，最早是混在一起的，但因此也就证明，最早混在一起的并不是什么永久的真理。事实上欧洲近世来除仍留有一个ode（指颂歌、赋。——编者注）的诗体外，诗与音乐早已毫无直接的关系；而中国则自《离骚》以来乃至五、七言诗也多并不合乐〔至如唐人绝句有时被人谱而歌之则是歌人借重诗，与诗无干；诗写好了，有版权则可（古人亦没有），岂能又有不许入乐权〕，故诗乐之合是一点缘分，而分乃是当然的。然则那随音乐以俱来的韵律却为何总有点难解难舍呢？这理由很简单，我们只要想：他与她因同坐一个课堂上课而常见面，但现在已不再上课堂却仍然常见面，当然是有另外的理由了。历史上的事实往往在无形中影响了人的观念，而且这观念还常常替人做了一些似是而非的解释，如“诗是要音乐成分的”。但为什么呢？却并没有更多的说明。

我说韵律不是诗主要的因素，即是说诗并非有了韵律便能成诗，也不是没有韵律便不成的。先说前者，以前追求新诗形式的失败，即在把形式看得太重要；以为今日之诗所缺乏的只是形式，形式一有便万事亨通了。故商籁体、豆腐干式等等盛极一时，而结果都无声无闻了。这并非试验的不努力，乃是因追求了半天却忘掉了为什么要追求了。旧瓶为什么不可以装新酒，新瓶为什么又可以装新酒呢？即使这问题都暂且不谈，则有新瓶之前也必须先有新酒，方才有得可装；一味迷信形式的人，则多以为只要装在新瓶里的便算新酒了，因此新瓶虽多，其奈皆是空瓶子乎！

其实怎么样才算新瓶，说来便不容易，五言诗于汉魏为主要的诗体，却是也流行于晚唐；李义山的诗与汉魏人的诗比起来总是一新一旧了吧，那么五言诗到底算新瓶还是旧瓶呢？酒怎么样才算新，瓶怎么样才算旧，如果这些并不明白，则旧瓶新酒的话，只是说着好玩，说得好听罢了！

一个形式怎样才算旧呢？最好我们须先明白一个形式怎样会变得旧了。变是有过程的，在这过程中有一件事情的进展是我们必须知道的，那便是人类的感觉。

一个文学作品有三件基本的东西。一是人类根本的情绪，这情绪是亘古不变的，所以我们才会在读到佳作时，便觉得与古人同有此心。二是所写到的事物，这也是似变而其实不变的。如从前写一刀一枪的战争，现在写飞机大炮的战争；从前人写武士恋爱，现在人写洋泾浜恋爱；中国字的二加三等于五与阿拉伯字的2+3=5，似变而其实没变。古人写海，今人亦写海；古人写青山，今人亦写青山；古人写离乡背井，今人亦写，不过古人坐牛车而今人或乘飞机，略不同耳。曰然则文章岂不亘古不变乎？岂不写来写去不过如此乎？曰不然。还有第三呢，那便是感觉，那便是怎样会叫一个情绪落在某一件事物上，或者说怎样会叫一件事物产生了某种情绪的关键。人类的感觉最初是迟钝的，所以狭而近视，在最早的诗中，所能引起人的情绪的都只是在本身或者极切身的一些东西上——战争、死亡、灾荒、爱情、林木、家畜，等等——这无论哪一国的诗坛都是如此的。山水诗在诗中永远是后起的一种东西，正如山水画也从来是远在画故事、画人像之后。因为山水本与人无甚切身关系，必须到人类的感觉能扩张到人以外去，于是情绪才开始落在大自然的一切上。

这感觉的逐渐演变当然又是随着生活而消长的，例如“关”“山”“月”这三个字在旧诗词中个个都是富有艺术感染力的，而在新诗中就失去了它们的特殊敏感性，新诗还必须在创造中凝成自身魅力的敏感性，这也就是新酒。新酒是用新的生活语言写成的诗，新瓶因此也就必须是符合于这新酒的生活语言。至于感觉的进展，却确是人类精神领域的园丁，有了这进展所以才有一代一代不同的诗，我们才能说明为什么《诗经》是那么简单质朴，《离骚》却又以那么不同的姿态出现，而《九辩》一篇为什么在《楚辞》中显示出一种特殊的风格；我们才能解释所谓初唐、盛唐、晚唐究竟是什么意思。然而这种进展却不是能凭空飞跃的，一方面固要靠已有的诗情为其基础，一方面却更要从新的生活中体会；于是最初是蕴藏在人们的不察觉中，渐渐地流露在文学上，终于蔚然成一个时代了。可是我们现在又还没有一个新瓶，那么，到底装在什么里头呢？曰：“自由诗。”

自由诗可以说不像任何旧有的诗体，所以便不受任何旧诗体中习惯气氛的影响；这充分自由的天地中没有形式的问题，每首诗的内容是自己完成了他们的形式。在这里因其打破了旧有的习惯，隔绝了旧形式的作用，使得这初长成的诗方不至有沾染到滥调的危险，才能自由地把新酒酿造起来，然后我们才能谈新瓶。

所谓新瓶，所谓韵律，所谓新诗的形式，其定义并不只是有个形式而已；韵者是形式的特征，律者是大家遵守的规则。每首诗各有其形式，这形式虽有韵却未必便能成为律；凡称韵律者必是有几个大家一致公认的普遍的形式。在这里我们似乎应当先问问为什么要这么一个普遍一致的形式，为什么既有了自由诗又仍不能忘怀于韵律呢？

自由诗好比冲锋陷阵的战士，一面冲开了旧诗的约束，一面则抓到一些新的进展，然而在这新进展中一切是尖锐的，一切是深入但是偏激的；故自由诗所代表的永远是这警绝的一方面。然而人永远不能满足于只得到一面的，正如有许多人在打算着遥远的旅行，而游子却又整日在思乡呢。而且尖锐的、深入的、偏激的方式，若一直走下去必有陷于“狭”的趋势。于是人们乃需要把许多深入的进展连贯起来，使它向全面发展，成为一种广漠的自然的诗体。

这种诗体，姑名之曰“自然诗”，如宇宙之无言而含有了一切，也便如宇宙之均匀的、从容的，有一个自然的、谐和的形体。于是诗乃渐渐地在其间自己产生了一个普遍的形式，这并非人为的，为什么我们一定要越俎代庖替这些新酒找一个新瓶呢？为什么我们不让这些新酒自己去找一个合适的瓶呢？

假如自由诗可以说是代表着人对宇宙的了解，那么自然诗所代表的便有如宇宙的自身，它是万有的，表现着人与宇宙的合一。故往往自然诗中说不清楚的在自由诗中却说来非常得力；而自由诗中所得不到的，自然诗也常不动声色地便得到了。自然诗的性质、自然诗的价值是自然，故其外形亦必自然，外形的自然则自由反不如韵律，这话须举个例子方能明白。

假如我们看电影时，那银幕不一定是方的，有时圆，有时尖，有时三角，有时横而长，有时狭而高……则我们必可利用之得到一些有力的表现；然而却因此我们也就忘不了那有力的圆、尖、三角、横而长、狭而高……的形式。这乃是自由诗的风度，它正是这样有力地把宇宙启示给我们；然而大自然却是不要我们觉得有什么形式的，它是要我们简直不知怎么的就接受了它。自然诗像它，乃也要一个使人不觉得的外形，这便是韵律，便是正如那电影上永远用一个一致的幕，这话当然无须我再说明了。

熟则成自然，而大家都走一条路则自然愈走愈熟，愈熟便反而愈不觉得了，故自然诗的佳作如“似曾相识燕归来”；然而一个形式能叫大家都熟，则除多走外还须容易熟，所以既谈到“律”，则“韵”的和谐也就有其必要了。许多人说：“新诗没有旧诗好，因为新诗不能背。”能背即是熟的意思，熟也就是自然了，故自由诗本来好比是在陌生崎岖的地方探险，而韵律的诗则是在每天散步的道上遇见一个美丽的姑娘了。

韵之有自然性是很显明的，比方谚语便是例子：“一寸光阴一寸金，寸金难买寸光阴。”其实有钱的“上扬州”，没钱的“上吊”，金怎么见得不能买光阴？可是一叶韵便事属“当然”，好像已成自然的习惯法似的，无分析的必要了。更从民歌中说，则起兴一事便是说明。吴歌“阳山头上竹叶青，新做媳妇像观音”“阳山头上花小蓝，新做媳妇许多难”“栀子花开心里黄，三县一府捉流氓”为什么要起兴呢？朱自清先生曾有过一个“由近及远”的解释，认为：“所歌咏的事情往往非当前所见所闻，这在初民或许是不容易骤然领受的。于是乎从当前习见习闻的事指指点点地说起。”所谓“骤然”便是“不大自然”，而起兴却能使之“自然”。起兴有什么靠山呢？靠“韵”耳。“栀子花开心里黄”与“三县一府捉流氓”简直是牛头不对马嘴，纵使“指指点点”也仍然说不到一块去；可是便因为叶了韵，于是乎下句便仿佛来得很自然了，而“韵”之所以能成为“韵律”者便在此。

自然的诗为使其外形“虽有若无”，于是采用一个一致的有韵的形式，轻车熟路，走过时便自然一点也不觉得了。读这样的诗时，我们是快乐的，觉得许多如此好的字恰如我们所习惯的跳到眼前来；好像这首诗不是从外边来的，乃是早已藏在我们的心中，于是我们几乎记不得什么诗了，只是欣悦着，这便是最自然的诗。

然而须记住新酒究竟要一个什么样的新瓶，是只有新酒自己知道的；要形成“律”也是自然而然的。削足适履勉勉强强，岂不与韵律的原意大相径庭乎？

从前追求新形式的时候，以为形式是天经地义；我们现在也承认韵律，却是因其能使我们如没有形式。可是现在追求韵律的声浪已因此路不通而消歇，商籁体、豆腐干式再也不常与人见面了，然而那并不是韵律的没有价值，而是追求者错了。我们现在并不能忘情于有韵律的诗，但这韵律是只要我们努力于自由诗，则全新的诗歌语言中自会产生出新的韵律来，我们所能做的只是努力而已。

（原载《文饭小品》第3期，1935年4月5日出版）

诗的语言

诗是一种不平常的语言，因其不平常，所以它成为一种独特的文体，有它独特的形式——独特的语言形式，否则我们就大可以称一首诗为一篇好的散文，而且文坛上少了一种文体，岂不是省了许多的争论与麻烦；然而我们至今还是不能省这一件事，而且恐怕将来也还是省不了。诗终归还是诗，那么到底什么是诗呢？

我们平常有一种错误的观念，以为凡是不平常的就是更难的。更难当然是不平常，可是更容易不也是不平常吗？我们一向只会朝第一种想法想去，所以我们对于诗就越来越不了解。

艺术原是一种同情的呼唤，所以一个人歌唱出来，大家都能够了解；然则大家为什么不唱，要单等这一个人唱了才知道唱呢？原来艺术是更深的感情的探险，艺术家正为这探险的发现发出同情的呼唤，而人类原都在这探险的路上，探险的发现所以绝不止是数人的事；批评家与读者不时也会有这类似的发现，可是他们发不出适当的呼唤，因为这照例既是一首新的歌，他们便不知道应当怎样唱。

一个艺术家有他自己所擅长的语言，同样一个黄昏或一个感触，画家把它用线条颜色写了出来，音乐家把它用乐谱写了出来，诗人把它用诗句写了出来；他们都觉得用自己所用的语言更容易，只有一般人觉得很难，因为一般人所用的语言实在是较难的语言，虽然他们在这黄昏或感触上一样有着新的经验。

我说画家觉得线条与颜色是最容易的语言，音乐家觉得五线谱是最容易的语言，这正如人类觉得以两足走路是最容易一样。虽然其他哺乳类觉得两足走路是很难的，然而假如其他哺乳类也能训练以两足走路，经过一段努力之后，必将发现两足走路实在是更自由、更方便、更容易，它能做许多以四足走路的方式所不能做的动作，正如诗能表现我们平常所不能表现的语言一样。

我常想，容易应当是一切进步的定义。我们今日交通比从前人容易，所以我们是进步；我们今日生存比原始人容易，所以我们是进步。设若我们今日交通反而更难，谋生反而更难，我们能自以为是进步吗？我想这话要说得明白，莫若以数学为例：我们设想我们只会做四则题的时候必定觉得有许多题目很难；可是当我们一会了代数，解决四则中的难题就会觉得非常容易，代数的方法所以比四则更进步。我们会了代数之后仍要碰到许多难题，可是若再学会微积分就又都会迎刃而解，而变得容易起来。然则微积分代数的目的原在求数学方式上的容易，人类一切文化上也都在求这容易而表现进步。容易是更自由、更灵活，也就是一种解放的获得，这也便是人生的意义。

然而人生的事情却并没有那么方便，我们在获得容易之前，总不免有一段难的时候，那便是训练的时候；正如一个会跳高的人，他跳过一个篱笆去何等容易轻便，可是这跳高是要训练的。诗坛常有一个生硬晦涩的时期，使得诗似乎比平常的语言显得更难，这时我们与其称之为诗，毋宁称之为诗的训练——这就如初学跳高的人，我们虽不能否认其为跳高，却只好称之为跳高的训练一样。真正跳高的人必然灵便容易，我们看的人不觉就因之生一种愉快之感。他这一跳，就等于发出一个同情的呼唤；我们虽不能跳，不也为之鼓舞吗？这就如同一个诗人说出了常人所不能说出的话来一样。

我们平常对于容易的理解，往往并不是容易而是偷懒。例如我跳高只跳三尺，当然容易；我做数学只做加减乘除，当然容易。然而我们能说这是容易吗？只能跳三尺高的人，他跳的姿势一定非常笨拙，笨拙能是容易吗？只能算加减乘除的人，他的思路一定非常呆板，呆板能是容易吗？真正的容易所以是一种解放，正如善于跳高的人，在那优美的姿势上就必然是一种解放，一种高度精确性上获得的解放；善于写诗的人，在那诗的语言上也必然形成一种解放。

诗是一种有节奏的语言，假如诗可以没有节奏，我们将没有理由以为诗还有分行的必要，它也就变为与散文一样。而且仅仅分行的诗也还是诗的过渡形式；诗不但要分行，而且行的自身也要有节奏的作用。那么什么是节奏的作用呢？我们要说明这个节奏的作用，不妨用一句最简单的话，那便是“欲擒故纵”。

先以分行来说，分了行不免要停止一下，这便是“擒”，也便是“节”；可是虽然停止却似乎没有完，我们还不能不再读下去，这便是“纵”，也便是“奏”。“节”字的本义是“止”、是

"制"，"奏"字的本意是"进"、是"走"。我们明明是要"进"、要"走"，却偏偏要"制止"一下，这样便产生一种自然的姿势，那便是非跳不可！我们平常走路原是连续的，但是在要跳之前，却要故意制止一下；前者便是散文的语言，后者便是诗的语言，诗的语言如果没有跳跃，那么何必多此一个停止呢？节奏将变为毫无意义的了。

从前有人比喻叶韵的作用。说有某人，一次住在客店里，晚上躺在床上，听见隔壁的客人关门、铺床，也预备睡了。他听见他把表放在桌子上的声音，听见他脱衣服的声音，最后听见他坐到床上，"嘭"的一声，把一只鞋丢在地板上。于是他仍旧静静听下去，听了许久，却再听不见有第二只鞋的声音。这人因此一夜都没有安心睡好，第二天才发现隔壁这位客人原来只有一只脚，另一只是木脚。叶韵所以正如那皮鞋落地的声音，它予人以一种终止与期待之感，这便是节奏的性质。这种"欲罢不能"的姿势，也便是节奏的跳跃作用。

诗的跳跃作用，使得诗的文字比散文更不受逻辑的束缚，因为逻辑原如走路般是连续的，诗不但打破了逻辑的束缚，同时却还建立一个更解放的语言；正因其能解放，所以才能打破。这个我们只有就一些较明显的例子才能说明，黄庭坚有两句有名的诗：

落木千山天远大
澄江一道月分明

杜甫也有两句有名的诗：

无边落木萧萧下
不尽长江滚滚来

这“落木”当然就是“落叶”，可是“木”如何会变为“叶”呢？这乃不得不溯源于屈原两句更有名的诗：

袅袅兮秋风

洞庭波兮木叶下

这两句诗影响后来的诗坛极大，可是屈原为什么用“木叶”而不用“树叶”呢；后人受这两句诗的影响，为什么单保留下“木叶”之“木”而不保留下“木叶”之“叶”呢？这是好奇吗？故弄玄虚吗？都不是。因为这几句都是极自然的好诗，而且都因其用了“木叶”之“木”而更成其为好诗。换句话说，如果不用这“木”字要写出这样的好诗，便是更难的事情。

“木”字的好处，在于能暗示那将落的树叶的枯黄颜色，在于能暗示较“叶”字更坚强的一种情调；而“叶”字本身所带来的却是柔软暗绿的感觉，虽然加了一个“落”字，仍不能免于这一个暗示，这正是诗与散文的分别。“木”字径作“叶”字讲本来是不合逻辑，而诗的语言则正是要牺牲一部分逻辑而换取更多的暗示；其实所谓逻辑正如文法，本来是我们自己为了方便而规定的，原非天经地义。人类的可贵即在于能规定也能解放，而不致落于作茧自缚；诗正因为这一个解放，才获得更丰富更活泼的表现力。诗的语言因此如同是语言的源头，它正如音乐、图画，都是未有语言之先的语言，它虽然是不合于平常的逻辑，我们却一样懂得更明白。如果我们不妨说散文的语言是饱经世故的，诗的语言便是最自由天真的，李白诗说：

狂风吹我心

西挂咸阳树

我们对于它不应当解释为一种疯狂与夸张，而正应当视为一种自由与天真，这种天真只有在诗的语言上才能出现。诗的语言在离开诗的形式时，便必然落于散文的形式，因此我们往往便失去了那更为原始、更为解放、更为活跃的力。诗因此与诗的形式乃成为不可分的两件事，在诗的形式上，诗说着散文所不能说出的话，诗所以永远必须是一个更为容易的语言。

（原载《益世报》“文学周刊”第80期，1948年2月28日出版）

再论新诗的形式

现在放在新诗面前的，是两个问题，一个是“大众”，一个是“诗”。有人说“大众”就是“诗”，正如同也有人说“自然”就是“诗”一样，那么既有了“大众”又有了“自然”，又何贵乎还有“诗”呢？“诗”与“大众”原不是一件东西，也正因其如此，“诗”与“大众”的打成一片才成为一个问题，才成为一个理想。

从新诗运动以来，诗坛的变化约可以分为三个段落，第一个段落是摆脱旧诗的时期，那便是初期白话诗以迄《新月》诗人们的写作；第二个段落是摆脱西洋诗的时期，那便是以《现代》为中心及无数自由诗诗人们的写作；第三个段落是要求摆脱不易浅出的时期，那便是七七事变起以迄现在的诗坛。这里第一个阶段可以说是诗的解放，第二个阶段可以说是诗的建立，第三个阶段可以说是诗的走向成熟。当白话诗初从文言诗中解放出来的时候，正如被释放的囚徒立在十字街头，不知如何运用他的自由方好，这样不觉地便摹仿了西洋诗。到了第二个阶段，发现了摹仿途径的错误，于是埋头苦干，钩深索隐，希求有一份自己的创造，这是一个艰难的时期，然而因此才奠定了新诗的地位，新诗才离开旧诗、离开西洋诗而成为自己的表现，这是一个深入的时期。于是到了第三个阶段，便又要求从深入回到浅出，深入浅出原是一个天然的顺序，一个至高的理想，到了浅出的阶段，这里便同时又是大众问题。

文学史上一个诗坛的逐步形成，常是经历几百年而后成熟，今日的新诗则在短短的三十年里，要完成这一件历史的工作，因此顾此失彼，手忙脚乱，乃是不可避免的情形。我们今日诗坛上许多水火不相容的见解，也都由于把这长期的变化压在仓促的时间里的缘故。这既不能等待其从容地自然成熟，便不免要凭借自觉的推进，在表现上如此，在形式上也是如此。

说到诗的形式，原出于语言的节奏自然形成。四言诗的形式绝不是诗人们有意造成的；四言之后约两百年，楚辞表示了一种新的语言节奏将要成立，且已暗示了全新的七言诗之将要形成；然而经过了四百多年的时间，一种仍是介于四言与七言之间的形式——五言——才开始被普遍采用。当这五言诗风行的时期，七言诗已偶有极好的作品——如《燕歌行》——出现，可是形式还不成熟，也未能普遍；又直等了四百多年，七言才以一种压倒一切的姿势风行诗坛。这诗坛上一种形式的自然成熟，动辄三四百年，我们今天所以绝不会有一种白话诗的节奏很容易地自然出现，我们如果一定要它出现，那就必须凭借自觉的努力。

新诗形式的要求，原是诗的自然的现象，在早期诗坛上，

《新月》诗人们也曾经尝试过形式，然而从那时以写成metre、sonnot（即韵律、十四行诗。——编者注）为对象的情形看来，那时对于形式的兴趣似乎还是随着西洋诗而来的。然而到了今天，这要求已经成为更迫切的缘故，则是要求“大众”、要求“浅出”，但又还必须真正是“诗”。

我们如果要知道什么是大众所最容易接受的形式，我们只要看流行得最广的民谣就可以知道；我们如果要知道什么是一种最浅出的文字，我们只要看“四书五经”里为什么只有《诗经》是最明白的。像“风雨如晦，鸡鸣不已，既见君子，云胡不喜”，像“呦呦鹿鸣，食野之苹，我有嘉宾，鼓瑟吹笙”，几千年前的文字，还有比这个更浅出的吗?

其实浅出并非就是“浅”，它必须还含有一个“出”字，这就暗示它已经深入。其实正因其已经“深”了，所以才有得可“出”，这样由深到浅，似有一条通路。我们初接触时，既不觉其太深，接触久了也不觉其太浅，这原是第一等好诗。这样所以它才既可以是“大众”的，又同时可以是“诗”的。然而我们如果想接近于大众而不流于浅，获得诗的表现而不落于深，我们要打通这由深到浅的一条通路，就必须有一个桥梁，那便是诗的普遍形式。

其实说到什么是“诗”，“诗”原只是一种特殊形式的语言，诗如果没有形式，诗就是散文、哲学、论说，或其他什么，反正不是诗。诗因其在文艺上有过光荣的历史，因此“诗意”就代表了一切“艺术的意境”。那其实并不是专属于诗的，如“诗中有画”“画中有诗”，到底是“诗”是“画”呢?还得看所采取的是什么形式，它所采取的是诗的形式，它就是“诗”；它所采取的是“画”的形式，它就是“画”了。

诗的形式，许多人以为是一种悦耳的形式，于是“双声”“叠韵”“开阖”“尖圆”，都有人加以讲究；然而这至多只是一种讲究罢了，它并非诗的形式，也不足以代替诗的形式。诗的形式真正的命意，在于在一切语言形式上获取最普遍的形式。原来任何一句话、一段文字，都有其自己的形式，只是这形式不能普遍，所以就不能成诗。五、七言是诗的形式，正因为它能够普遍。我们从一切形式上获取这普遍的形式，我们也就是从一切特殊的形式里解放出来，这解放与普遍的意义在诗与词的比较之下便最明白。词的形式有许多词牌，所以词只有比较通行的形式，而没有真正普遍的形式。词因此境界局面都不如诗的天地广阔，因为它还不够普遍，也就不能像诗那样的解放。形式的普遍就是形式的解放，于是表现才能深入浅出，大量流传的诗句所具有的远过于散文的明朗性，是很难由没有形式的诗篇写出的。诗的形式正是诗的明朗性，它本不是一种悦耳的装饰；诗的明朗性是诗的一种美德，这所谓明朗自然并非简单，简单是“一览无余”，而明朗是可以“一览”却依然“有余”，如“落日照大旗，马鸣风萧萧”“振衣千仞岗，濯足万里流”，岂不明朗，却有不尽之意。然则白话诗如何才能获得这个明朗性呢?

诗的明朗性应当是随着形式的普遍性而来的，可是这明朗性的要求，在今天因其诗的形式还未成熟，于是就转而求之于戏剧的形式，这便是朗诵诗的起来。朗诵诗的确是一种形式，但不是诗的形式。朗诵诗非特需要朗诵，而且需要表情，它可以说仿佛是一个戏剧中的独白。朗诵诗之所以富有一种激动的效果，正因为它是戏剧性的。戏剧与诗的效果原是两个型，而各有所长，戏剧的效果是紧张的，诗的效果是自然的；无论悲喜剧都必须有冲突，有紧张的高峰，这便是剧的形式。我们从剧场里走出之后，就换了一个世界，而紧张也即逐渐消失；可是我们读一首诗时并没有那么激动，而它的效果却如新鲜的空气一样，自然地、潜移默化地影响了我们。这不同的形式，正是诗与剧的分野。

朗诵诗的起来，正显示着诗坛对于形式的迫切需要，正因为诗自己还没有形式，所以才只好借用戏剧的形式来替代。诗坛上其实还有另一种近于戏剧效果的运用，那便是一些极短的诗行，例如“我看见一面红的旗飘在空中”便可以写作：

我看见

一面

红的旗

飘

在空中

这样便使得每个字都变为突出的，借以求其明朗。然而这又等于是文字的表演，而并非文字的表现；表现是文字的交织，而这里相反地变为文字的隔离。诗的形式正是要从自然的语吻上获得，从文字的普遍性上寻求，而那些突出的、特殊的方式就足以破坏了形式的普遍性。

设若我们要在历史上找一个寻求形式的例子，那最适宜的就莫过于《楚辞》。《楚辞》产生在散文极盛的时代，当时《诗经》时代已经过去，在这新的散文句法之上，要取得一个诗行的节奏，我们便看见《楚辞》里“兮”字的用处，如《涉江》：

世溷浊而莫余知兮吾方高驰而不顾

再如《离骚》:

怀朕情而不发兮余焉能忍与此终古

这些句子如果去掉“兮”字则为“世溷浊而莫余知吾方高驰而不顾”“怀朕情而不发余焉能忍与此终古”，都本无节奏可言，却因为一个“兮”字的作用而有了鲜明的节奏。西洋诗虽以音步（feet）为主，却也有所谓pause，而“兮”字正类似pause的作用，我们姑称之曰“逗”。那么一个诗行在中央如果能有一个“逗”，便可以产生节奏。若再看看四言诗乃是“二·二”，五言诗乃是“二·三”，七言诗乃是“四·三”，也都是要求在诗的半行上有一个明显的“逗”。这里正是说明着中国诗歌形式上值得注意的一个普遍现象。同时从四言诗到五、七言诗的发展上，我们又可以看到另一个公认的现象，那便是随着语言上的发展，诗行的趋势是在逐步放长。这种放长又正是由于新音组的出现，例如四言诗行的“二·二”完全是二字音组，而五言与四言的区别，则仅在于出现了“二·三”中的三字音组。看来这新音组的变化又主要是发生在诗行的下半行上。这个发展的趋势，说明着今天的白话诗行必须建立在比三字音组更长些的新音组上，而随着新音组的加长，诗行也就自然地会变得更长些。那么什么是今天更适合于白话与口语的新音组呢？这便是要求我们自觉地去探索的问题。

我曾经多方面尝试过以五字音组为基础来构成各种诗行，例如：

秋夜的灯

秋夜的灯是苦思者的伴风意寒峻地

独行者的心仍想着灯吗一点的华丽

窗下便开着客子心上的多梦寐的花
寂静的夜空无边的落叶装饰了园地

夜之演奏曲

窗子外邻家垂柳牵过夜之发
温柔的处女的手羞遮着面颊
但暖风是如醉的吹熟槐花角
而五月已有行人夜眠在柳堤
猫爬上青天屋顶星月之间了

道旁

塔的影回想着晴天的故事
黄昏的牧野上水流过道旁
远行人贪恋了今天的景色
再远里有村舍再远有寂寞

冰河

从一个村落到一个村落
这一条冰河小心地流着
人们看不见水的蓝颜色
今天是二九明天是什么

在长的路上人们来往着
这一个冬天在冰里度过

没有人看见水的蓝颜色
这一条冰河带走了日月
今天是二九明天是什么
这一条冰河带走了日月

其中第一首就仿佛是用五字音组构成的三顿诗。总之从这些初步的尝试看来，五字音组可能是新音组中最近于自然和普遍的，当然这还待于更多的实践来证明。

诗能够掌握语言上的新音组，诗才能有全新的普遍的语言，诗行才能成为一个明朗不尽的形式。深入与浅出，在这形式上，乃从而获得新的解放与统一。

（原载《文学杂志》第3卷第3期，1948年8月出版）

新诗的“建行”问题

《文艺报》编者要我写一点关于目前诗歌的感想和意见，我想有许多问题我还正在摸索和研究，恐怕没有很成熟的看法。从一般上来说，民族形式已成为文坛上一致接受的方向，这当然只是三个大方向上的一个方向，对于这方面诗歌自然也不例外。今天无数的诗人都在采用以五、七言为主的形式，乃是日见普遍的一件事，我想，我就说说这方面我所看到的问题。

五、七言无疑正是中国民族传统的形式，这里所谓七言也包括三言在内，汉代乐府像“上之回”：

游石关，望诸国，

月支臣，匈奴服。

令从百官疾驱驰，

千秋万岁乐无极。

三言所以原是七言的变体，即中间省去一字，其实说省去一字不如说原来有一“兮”字没有写出，它支配了两千来年的诗坛及民间的文艺形式。我们顺着这一个形式的传统它就很容易普遍，离开了这一个传统就难于为大众接受，今天诗歌运动已大量地走上这一个传统，这里就发生了一个如何批判地接受传统的问题。

问题的存在是很明显的，文言发展为白话既是一个客观事实。在这个事实面前，过去的传统我们是要接受的，但必须是批判地接受。我们知道五、七言是秦汉以来以至唐代最适合的语言文字形式，而今天我们的语言文字显然不同了，这语言文字上的逐步变化其实从宋元以来就已开始，从那时候起五、七言诗的表现所以也就远不如前了。

今天我们要接受这一个民族形式就得要把五、七言形式的传统同今天语言文字（也即口语或白话）的发展统一起来，我想这就是当前存在的一个问题。可是如果统一之后还就是五、七言，那似乎不能算是什么统一，它的结果必然限制了语言文字的发展；如果统一之后与五、七言全然不同，那当然更不是统一，那只是打破传统而已。

“打破传统”也容易，我们过去有这样的诗；“还是五、七言”也容易，我们久已熟悉于这一个形式，而今天的问题却是要把它们统一起来。对于这个，陕北民歌有一首《蓝花花》头两句说：

青线线蓝线线蓝格英英采

生下个蓝花花实是爱死人

似乎正在朝着这一个方向走。我想这既不是一个纯理论的问题，也只有通过无数的实践才能认清它的路线。

五、七言是一个诗行的问题，这一个问题过去一直被其他的问题所遮掩着，那就是行与行的问题。例如十四行诗就是这一类的代表，一首诗要十四行，十四行要分为四四四二或四四三三，这都是行与行组合的问题。中国过去律诗的形式，一首诗规定要八行，中间四行一定要对仗，行与行间平仄要合规律，也都属于这一类型。这在新诗里除了十四行诗之外，有每五行一段的，每三行一段的，有长行与短行相配合的，总之所注意的都是行与行的问题，因此反而忽略了建立诗行本身的问题。

行与行的问题并非不是形式问题，但不是基本的问题，基本的问题必须先建立诗行。西洋诗如果没有一定的metre的诗行，如何能有十四行诗呢？中国诗如果没有五、七言的诗行，如何能有五、七律呢？建立诗行的基本工作没有做好，所以行与行的组合排列就都架了空。今天我们又回到五、七言的形式问题上来，就表示最基本的一个问题还是“建行”问题。

与“行与行”类似的一个问题就是叶韵问题。许多人以为叶韵就是诗的主要形式，我们当然不能否认韵在诗行上的作用，正如同我们不能否认分行的形式是诗一样，因为分行也好，叶韵也好，基本上都在能把诗行明显地划分出来，当然，叶韵比分行要更富于节奏性些；可是这都还是最粗糙的建立诗行的方式，都还是不能让人满足的。

我们如果满足于分行或叶韵就是诗的形式，当然就忽视了更重要的“建行”工作。过去对于这一方面的忽视，今天面对着五、七言所带来的民族形式问题，这“建行”的问题此刻乃是应该特别被提醒的。因为五、七言绝不只是一个简单的叶韵问题，虽然五、七言诗也照例是叶韵的。

1950年3月1日

（原载《文艺报》第1卷第12期，1950年3月10日出版）

关于新诗形式的问题和建议

关于新诗的民族形式问题，是一个争论已久的老话题了，最近结合着“百花齐放、百家争鸣”的号召，又展开了一次论辩，问题显然已向前推进了一步。回忆1950年左右那一次的论辩，问题是集中在“内容决定形式”“形式束缚内容”这样一个命题上，一种简单化的论断，认为如果每首诗不是由自己的内容各自决定其形式，而是有着共同的普遍形式，那么就会束缚了诗歌的内容，因此对于所谓形式表示怀疑或者反对。这个说法似乎没有注意到一个具体事实，那就是几千年来古今中外的诗歌几乎都是有普遍形式的，而那些形式却并不曾束缚诗歌内容。面对这一铁的事实，问题因而不得不向前发展一步。如果说上一阶段的讨论其中心是新诗要不要形式的问题，那么现阶段的讨论就已经进入了新诗要什么样的形式和如何继承发展旧诗的问题，这也就是最近一次讨论的中心命题。

当然，任何看法的问题，都不是一次能够澄清的，上一阶段的想法仍然以不同的姿态或隐或显地出现，例如在有些人心目中总觉得形式如果不整齐些也许会更好，或者表现为欢迎词曲一类长短句的形式，认为这样至少总比五、七言的形式更自由些，也就是说，既然无法根本否定形式，那么至少也求其是不太严格的形式。而另外一方面则一种近于复古的想法也大为抬头，认为就可以直接采用旧诗词的形式，甚至连语言都不妨是文言的，于是五四以来的新诗（或说白话诗）运动就被一笔抹杀，简直仿佛是多此一举了。

这原是一个“旧瓶装新酒”的老话题，它的残余的想法也仍然并未澄清，而其原因之一，就是新诗自己至今还没有一个或几个为大家所公认的典型形式。既然还没有新的形式可以取代旧的，而形式又是需要的，旧的形式就不会真的告退，残余的想法也就不会一日消失。这都是不足为奇的。

一、关于旧诗词形式的问题

百花齐放的原则并不禁止任何文艺形式的出现，但是我们这里所接触的乃是某种文艺形式是否已经过时的问题，这样的问题是客观存在的。

诗歌的一些形式，是否随着社会的发展就一定会过时呢？那倒是不一定的，例如欧洲古代通用的诗歌形式在今天大多数仍然通用。那么决定着诗歌形式是否过时的主要因素究竟是什么呢？简单地说就是语言。所以我们如果还继续写文言诗，那么旧诗词的形式显然还是最相宜的；可是无奈我们今天要写的是白话诗，那么旧诗词的形式就显然是不相宜的了。文言作为一个文学语言无可置辩地已经过时，就是这个原因，旧诗词的形式作为一个诗歌形式也肯定是过时了。

为旧诗词辩护的人，常喜欢举毛主席和鲁迅先生偶尔写出的旧诗词作为例证，说明旧诗词并没有过时，这是不解决任何问题的。所谓过了时是指一种形式已经不再能够像过去那么活跃，那么广泛地普遍被使用，而不是说这一种形式就绝对不能偶然出现优秀的作品。中国诗歌史上四言诗到了战国时期已经过了它的黄金时代，于是不得不出现了楚辞的形式，之后又不得不为五、七言诗所取代；然而到了建安时期曹操却又写出了那么杰出的《短歌行》，之后陶渊明又写出了优秀的《时运》诗，我们难道能够不承认《短歌行》和《时运》诗是杰出优秀的诗篇吗？何况直到宋乐府中还出现了像《青溪小姑歌》

日暮风吹，
叶落依枝。
丹心寸意，
愁君未知。

那样动人的作品。然而在诗歌史上我们却又同样不能不承认，到了汉魏六朝已经是五言诗的时代，而四言诗是过时了。历史上任何个别的例子，都不应当拿来抹杀整个历史发展的规律。文言是过时了，旧诗词也已过时了，这乃是无可挽回的。

二、关于内容决定形式的问题

古代五、七言诗的形式并没有束缚了古代诗歌的内容，可是这一历史事实，并不意味着“内容决定形式”的真理就不灵验了；相反地，“内容决定形式”这一真理还是非常灵验的。内容决定什么样的形式呢？当然决定要一个与它自己有利的形式。形式如果是它自己所决定的那就会有利于内容，反之就往往会束缚内容；五、七言诗的形式对于今天的新诗是会束缚内容的，而对于古代的诗歌却是有利的，其原因也正是不出“内容决定形式”这一真理。

过于简单化的论断之所以不灵验，就在于不肯细致地分析具体事物的具体关系。例如并没有仔细分析诗歌内容与诗歌形式之间的具体相依关系，就轻易地做出了“诗歌内容决定诗歌形式”的论断，当这论断运用到五、七言诗上就成为不可理解的事情。我们不禁要问，五、七言这个诗歌形式到底是谁的诗歌内容所决定的？事实上，无论谁的诗歌内容也都并没有直接决定过五、七言的诗歌形式。正是因为这个缘故，它不是由于某一首诗的内容，或某一作家的诗歌内容所决定，才成为那时代一切诗篇的普遍形式的。

诗歌是语言艺术的一种，而且是最典型的一种，因为它既不重视故事情节，除了通过语言就再没有别的表现形式了。诗歌的内容所要决定的正是采用什么样的语言来作为它的表现形式，很显然，只有那个民族的文学语言才最能反映那个时代的生活内容，只有那个民族的文学语言才最能反映那个民族的生活内容，而诗歌就尤其首先要求这样的文学语言，因为它是最典型的语言艺术。但是诗歌作为一个内容所要求的还不只于此，它还要求这个语言更为诗化；无论是自由诗还是格律诗，总要求它的语言比一般散文的语言更精炼更形象，也就是说，要形成一种基于这文学语言而又更为精炼集中的语言，这也就是诗歌内容所决定的形式——诗歌语言。至于五、七言呢，它又是这诗歌语言的典型形式，它之是否典型，就在于它是否能够充分容纳并有利于这诗歌语言的丰富变化与发展，而不在于别的。

我们明确了上面这个内容形式的具体相依关系，也就是说：诗歌内容——诗歌语言——诗歌形式；那么“内容决定形式”这一真理就是再灵验不过的了。如果遵从这一真理，诗歌形式就会有利于诗歌内容，反之，诗歌形式就会束缚诗歌内容。

以古诗为例，从建安以至唐代，诗歌内容抛弃了两汉较为文雅的文学语言，决定了采用更为通俗的文学语言，从而形成发展了它的诗歌语言，这就是“内容决定形式”；而这个决定采取的诗歌语言，作为一个内容，又决定了它的五、七言的形式，这就又是内容决定形式。这个决定出来的诗歌形式，因此也就有利于那个时代的诗歌语言的丰富变化与发展，自然也就有利于那个时代的诗歌内容。五、七言的诗歌形式因此不但不会束缚从建安以至唐代的诗歌内容；相反地，五、七言诗歌形式的出现，在文学史上乃是一件十分被重视的事，因为它有利于从建安以至唐代的诗歌内容的发展。然而同样的五、七言，如果用来作为今天新诗的形式，它就会束缚了新诗的内容，因为决定这个形式的诗歌语言乃是基于中古的文言，它已不同于今天白话的诗歌语言。今天的诗歌形式应该由今天的诗歌语言来决定，不这样，形式就会束缚内容，也就是说，五、七言的诗歌形式会束缚了白话的诗歌语言的丰富变化和发展，当然也就因之束缚了白话诗歌内容的充分表现。

如果干脆不用白话而用文言，那么诗歌形式与诗歌语言之间的矛盾消失了，可是诗歌语言与诗歌内容之间便又发生了矛盾，因为反映我们今天的生活而不用出自我们今天生活中的语言，是免不了削足适履的，然则“内容决定形式”这一条真理岂不正是非常灵验吗？诗歌内容所决定的乃是一个共同的诗歌语言，由于这个共同的诗歌语言，因而才有了共同的典型诗歌形式。

三、诗歌形式的中心问题——怎样建立诗行

诗歌形式是基于一种规律的节奏感而产生的，这规律一般说来是均匀的。先从叶韵说起，这是诗歌形式上最普遍的现象之一，它的规律就是每隔一定距离，就出现一次韵母相同的韵脚，这一次一次的出现仿佛人体中均匀的呼吸，劳动中均匀的动作，这就是节奏感。这里随之俱来的问题就是为什么一定要均匀呢？均匀固然是一种美，难道世界上只有这一种美吗？而这种美究竟与诗歌有着什么样本质上的关联呢？难道仅仅是一种外加的美的形式吗？一些有心为诗歌形式辩护的人们，常常用易于背诵作为需要形式的理由，这也是不足以服人的；难道作品生来都是应当要背诵的吗？例如戏剧的台词，似乎最应当易于背诵，因为演员们在舞台上是不可能拿着剧本的，可是一般戏剧的台词反而并没有这个易于背诵的形式，那么诗歌究竟凭着什么一定要易于背诵呢？

诗歌是典型的语言艺术，这就是诗歌的本质，愈是直接凭借于语言形象的诗歌，也就是最典型的诗歌。故事诗除了凭借于语言形象之外还凭借于故事情节，这是介乎诗歌与小说之间的一种形式〔例如苏联文艺理论家就称拜伦的故事诗《唐璜》（拜伦自称之为讽刺史诗）为诗体小说〕，这种中间形式，正如散文诗是介乎诗歌与散文之间的一种形式。可是作为典型的诗，它应当是诗歌的中心部分、诗的骨干，而不是一种中间

形式，这中心的部分也就是最高度、最集中的形象语言。它之区别于散文之处，正在于散文有着更多的逻辑语言，这个在中国古典诗歌中表现得尤为明白，例如在中国古代散文中最习见的“之”“乎”“者”“也”“矣”“焉”“哉”等虚词，以及“因”“故”“以”“于”“是以”“然而”等有助于逻辑思维进行的词汇，在诗歌中就几乎一般不大出现，在《楚辞》里我们总觉得《九歌》的语言比《离骚》的语言似乎更为诗化，其原因也就在此。

然则诗歌语言在整个文学语言中比一般逻辑语言，乃是更灵活更富于飞跃性的语言，这就是诗歌这一语言艺术的特征。今天的自由诗之所以无论如何还要保持着分行的形式，也就是基于这一点语言上飞跃的特征。做一个类似的比喻，散文的进行好比是漫长的散步，而诗歌的进行则好比是回旋的舞蹈，是更为集中、更富有飞跃性的，歌舞因此在艺术的原始上乃是孪生的，在这里我们也就接近了对于节奏性的说明。

韵脚的功能正如舞蹈中鼓板的作用，有规律地隔着一定距离而一次一次地出现，这就是一种均匀的节奏感；接触到这样的节奏就不禁会感染到它的力量而想要跳跃起来，因此它在诗歌上也就有利于语言的飞跃。它的有规律的均匀的起伏，仿佛大海的波浪、人身的脉搏，第一个节拍出现之后就会预期着第二个节拍的出现，这预期之感具有一种极为自然的魅力。这预期之感使得下一个诗行的出现，仿佛是在跳板上，欲罢不能，自然也就有利于语言的飞跃。

仍然从韵脚说起，韵脚是隔着一定的距离而一次一次出现的，这就自然要求着诗行有一定的长短，因为诗行的长短正是韵脚与韵脚之间的距离，这距离愈均匀，韵的作用也就愈自然、愈有魅力。那么怎样建立起这样的诗行来呢？这就是诗歌形式问题的中心环节。

诗行之所以重要，不仅由于它是作为韵脚之间的距离而已，而其本身就是一个比韵脚更为有力的节奏。例如欧洲有名的五音步无韵诗行，根本就是没有韵脚的；再如我们今天读古诗，由于音韵的改变，往往也已失去了韵脚，例如：

向晚意不适，驱车登古原。
夕阳无限好，只是近黄昏。

——李商隐《登乐游原》

这里读起来并不叶韵，可是我们也并不觉得是节奏上重大的损失，正因为五言诗行本身就是一个比韵脚更为有力的节奏。我们说中国诗歌史上四言诗的时代，五、七言诗的时代，所指的正是这个诗行上划时代的变化。当然，韵脚也是随着语言的变化而变化的，可是它的变化在节奏上仅限于选择韵脚而已；而且我们采用一种新的诗韵，并没有多少难处，而采用一种新的诗行，则需要经过长期的熟悉。例如五言诗在西汉末年的童谣中就已经出现，可是到了东汉初年，班固的《咏史》诗试用这种诗行时，还落得“质木无文”一点也不生动；又过了约半个世纪，张衡的《同声歌》总算初次掌握了五言诗行，可是这仍然不是很多人都能掌握的；这样又过了约一个世纪，到了所谓建安时代，五言诗才真正为大家所熟练掌握了。

从西汉末年到建安时代，中间经过约两百年，五言诗行才由偶然的出现变为一个通行的诗体，这漫长的时间，固然由于政治、文化各方面条件的限制，而要掌握一个新的诗行之非一朝一夕垂手可得，难道不也是事实吗？之后，七言诗的成熟，从第一首七言诗的出现到隋唐时代大量七言诗的涌现，又经过了约四百年，这都是历史上的事实。诗歌史上说到五言诗的时代、七言诗的时代，之所以不免于大书特书，正因其得来不易。事实上要熟练地掌握任何艺术形式，都不能不经过一番辛勤的过程，在最初未能掌握的时候，免不了“质木无文”或感到吃力；可是掌握了之后，它却带来了更有利更理想的效果。

我们今天仿佛有一种错觉，认为五、七言的形式好像天生就是那么顺口溜的，今天新诗如果有形式，也必须要像五、七言那样拿起来就能够顺口溜才行，否则就是有了束缚；那就不如仍旧写五、七言，或者干脆不要什么形式。在这里，极端地主张写旧诗与极端地主张自由诗，正是有着共同的理论基础，那就是一个诗歌的形式必须一上来就毫不费力地能够被人掌握，而这却是不符合于客观规律的。

我们今天之所以能够对于五、七言诗毫无困难地顺口溜，乃是由于千百年来无数五、七言的诗句耳濡目染的结果，所谓“熟读唐诗三百首，不会吟诗也会溜”。然而我们却忘了一个历史事实，那就是当古代的诗人们首先采用这种诗歌形式的时候，曾经经历过多少的岁月和艰苦才达于成熟。今天新诗的形式还是在推陈出新的草创阶段，我们所需要的正是大家共同在实践中创造经验，克服困难，缩短这一个建立新的诗行的成熟过程。这是诗歌史上一个艰巨的任务，而不是害怕困难的时候。旧诗词是已经过时了，回头路是没有的；逃避这一个草创的任务，无非是把诗歌更为繁荣的有利条件留待后人而已。

四、关于中国诗歌的民族形式问题

诗歌的形式问题或格律问题，首先是建立诗行的问题。词的形式之所以在古诗中不过是一个小巧的局面，正因为它并没有建立起新的诗行，它主要乃是巧妙地把古代已经创造出来的诗行——四言、五言、七言（包括与七言并生的“三”“三”“七”的形式中的三言）错综地加以安排。最流行的词牌如〔菩萨蛮〕〔天仙子〕〔阮郎归〕〔卜算子〕〔浣溪沙〕等，还都基本是五、七言诗行的组合，此外也还受了骈文中“四·六”的句子的影响，乃构成各式各样的词牌；其中六言也曾出现过〔回波乐〕等词及一些六言绝句，似乎有意要与五、七言分庭抗礼，可是结果不太受欢迎，没有什么发展。

词就是这样一个各种诗行拼凑起来的形式，而到底并没有建立起有力的、全新的诗行，这就是在形式上先天不足之处。词的形式所以并不能给古代诗坛带来一个全新的、壮阔的天地；词的语言倾向于纤巧固然与它特定的内容有关，而词的形式也正是更便利于一种纤巧的语言的。然则诗歌形式的问题，绝不是诗行如何安排的问题，把力量花在这个安排上只会给诗歌语言带来了纤巧。就是在五、七言诗中，律诗是比较注意诗行的安排的，也就一般容易流于纤巧。把词的长短句理解为诗歌形式的解放，这结论是适得其反的；古代真正自然雄浑的诗篇，词的长短句在这里并没有做出多少贡献来。

现在我们的问题就更为明确，如何安排诗行并不是诗歌形式上的中心问题，而且这种安排的工作，如果有了诗行，也不是什么难题，我们只要看词的安排，一下子就出现了百十来种的词牌，可见还是容易的。而诗歌史上出现成熟的五言诗行、七言诗行却是多么困难的事情！我们今天面临的难题正是这后者，也就是说我们要像古代之建立起五、七言诗行一样，能为我们今天的新诗建立起理想的诗行。

我们今天需要什么样的诗行呢？这首先要问我们今天的诗歌语言，它需要什么样的诗歌形式。但是今天的诗歌语言是继承着古代诗歌语言而来的，基本上是一个民族语言，正是由于这个继承性，诗歌形式上才有了民族形式的问题。可是我们今天热心于格律诗的人们却并不都是重视民族形式的，从新月派的诗人们讲求格律以来，在诗歌形式问题上，有不少人想把西洋诗的形式移植到中国新诗上来，例如讲求音步（或顿数），这正是西洋诗的基本规律，把这个规律移植到中国诗行上来，于是认为四言诗行是两个音步（或两顿），五言诗行是三个音步（或三顿），七言诗行是四个音步（或四顿），于是区分中国诗行就看它是几个音步（或几顿）。可是这个区分马上就证明了是不科学的。例如说五言诗行是三个音步，那么六言诗行（六言诗前面已经说过在唐代也是偶然有的，不过不发达罢了）算几个音步呢？它们显然是不同的诗行。当然这还可以说五言诗行只算两个半音步，以与六言诗行区分开来；可是问题就又来了，如果认为五言诗行（二·三）是两个半音步，那么对于五言的下半行（也即“三”）怎样来划清它的一个半音步呢？例如：

春眠——不觉晓

处处——闻啼鸟

“不觉晓”犹可说，“不觉”是一音步，“晓”是半音步，可是“闻啼鸟”怎么办呢？“闻”字这个半步怎么跑到“啼鸟”一步的前面去了呢？是不是我们读完“闻”字还要停半步（因为它不够一步）再来读“啼鸟”呢？显然也不是的。那么是不是两步半的诗行之外，还有一种一步半零一步的诗行呢？那么这样的诗行就又应当是“三・二”，而不是“二・三”了。这问题的夹缠，正由于中国诗行原不是用音步或顿数来构成格律的。

西洋的诗歌形式通过音步（或顿数）来取得诗行间的统一性，或者都是相同数目的音步，或者两种不同数目音步的诗行有规律地轮替着，总之，我们通过音步（或顿数）可以看出一个均匀统一的规律性来。可是到了中国诗歌里，例如《湘夫人》中有名的诗句：

帝子降兮北渚，

目眇眇兮愁予。

袅袅兮秋风，

洞庭波兮木叶下。

如果按照音步来看，第一行不妨说是三步，可是，第二、三行却似为两步，第四行又似为四步，这里有什么规律可言呢？在讲究音步的西洋诗里，有见过一段四行而步伐是这么凌乱的吗？这零乱如果不归罪于这四句优美的诗行，那就只好归罪于我们强行把西洋诗歌中的音步（或顿数）加之于中国诗行上这样的做法。

这时轮到我们研究自己民族形式的规律了。而事实上中国诗歌形式从来就都遵守着一条规律，那就是让每个诗行的半中腰都具有一个近于“逗”的作用，我们姑且称这个为“半逗律”，这样自然就把每一个诗行分为近于均匀的两半；不论诗行的长短如何，这上下两半相差总不出一字，或者完全相等。例如四言是“二·二”，五言是“二·三”，七言是“四·三”，以至于《楚辞》里看来是无法计算音步（或顿数）的极不整齐的句法，例如《涉江》：

余幼好此奇服兮年既老而不衰，
带长铗之陆离兮冠切云之崔巍。
被明月兮佩宝璐，
世溷浊而莫余知兮吾方高驰而不顾。

如果按照“半逗律”看来，它乃是“六·六”“六·六”“三·三”“七·七”，正是眉目清醒非常规矩的。在这里我们也就可以明白六言诗行为什么在中国古代诗歌中特别不发达。六言诗例如：

瓜步寒潮送客，
杨柳暮雨沾衣。
故山南望何处，
秋草连天独归。

——刘长卿《送陆澧还吴中》

如果按音步（或顿数）的规律，它恰好是整齐的三个音步，应该是最理想的音步（或顿数）诗行；可是按“半逗律”的要求，它却无法分为均匀的上下两半，无论分为“二·四”或是“四·二”都是极不均匀的，因此这个诗行实际上也就没有什么前途。然则中国诗歌形式，究竟是建筑在音步或顿数上，还是建筑在“半逗律”上，岂不了如指掌吗？

有人也许会想“半逗律”既然把一个诗行分为均匀的上下两半，是否也可以作为两音步或两顿的诗行看呢？这无非还是迷恋于西洋诗的音步和顿数而已。实际上西洋诗的每一音步（或顿），其结构在任何诗行中都永远是固定不变的；而正由于每一音步（或顿）是固定的，所以诗行的不同就在于音步的数目（也即顿数）的变化上；而中国的几言诗则永远都是根据“半逗律”分为上下两半，因此也就并无数目上的变化可言。音步乃是每顿两个音之间固定不变的轻重格式，西洋诗以此为尺度来建立诗行。尺度是一种度量衡，本身如果并不固定不变，那也就失去了尺度的作用。几言乃是长短相同的每句中两个音组之间固定不变的上下格式，这个格式一旦变了，也就改变了这个诗行的性质。它们所显示的乃是全然不同的两种规律、两种结构、两件事物，是无法移植或混为一谈的。

“半逗律”乃是中国诗行基于自己的语言特征所遵循的基本规律，这也就是中国诗歌民族形式上的普遍特征。

五、典型诗行与过渡形式

四言、五言、七言都曾经在中国诗歌史上产生过普遍的作用，无数优秀的诗篇正是通过这样的诗行而出现的，这也就是典型的诗行。很多人提出过这样的疑问，认为《楚辞》既然在《诗经》之后自成一个时代，为什么建安以来诗歌的繁荣时期，不是继承着《楚辞》而又采用的是与《诗经》十分相近的五言诗行呢？而楚辞这一种诗歌形式，又似乎只是凭借着屈原天才的成就而昙花一现，屈原之后没有多少诗人，屈原的作品之外也没有多少作品，不但比起后来的五、七言觉得十分冷落，就其比起以前的《诗经》来也显然不够繁荣。

这些事实，究竟是为什么呢？这里关键性的问题就在于：楚辞虽然掌握了中国诗歌形式的基本规律（而且还可以说是突出地运用了“半逗律”），可是并没有产生出一种典型的诗行，因此它就缺少普遍性，也就不能像四言、五言、七言那么繁荣。这普遍性乃是——一个诗行的出现就意味着千百万诗行的行将出现，这正是一种典型的力量。在《楚辞》里就其诗行来说，只有《招魂》的乱辞与《九歌》中的一些“×××兮×××”诗行是接近于典型的，这也就是后来七言诗行的远祖。然则要建立新的诗行，不但是要遵循民族形式中的基本规律，还得在这基本规律之上创造出典型的诗行来，而这典型诗行的传统形式就是“几言”，楚辞是缺少“几言”这一形式的，它因此也就缺少典型诗行。这就是中国诗歌民族形式的第二条规律。那么新诗要不要典型诗行呢？

典型诗行乃是建立诗行的理想目标，它可能是一个也可能是两三个，过去我曾经推荐过九言（五·四）诗行，并且我相信十言（五·五）、十一言（六·五）也都很有希望，这个都不在本文里详说。现在我愿意推荐一种走向典型诗行的过渡形式，正像楚辞一样，只遵循“半逗律”先取得基本节奏，建立起一般的节奏诗行来，我们不妨称这个为“节奏自由诗”，也就是说，“半逗律”是主要的，而“几言”上还是自由的。例如：

春天的蓝水奔流下山，　　　（五·四）
河的两岸生出了青草；　　　（四·五）

再没有人记起也没有人知道，（六·六）

冬天的风哪里去了？（四·四）

这里仿佛还是自由诗，实际上却是具有了“半逗律”的节奏诗行，这种节奏感将会有助于从自由诗发展而成为格律诗。实践比空论更为有益，我们如果能及早进入写作的实践，再从实践中取得进展，也许会比只一味在理论上争辩要来得更好些。

应当说明，自由诗我是从来不反对的，甚至于我从来就是喜爱散文诗的，这些都与本文并无矛盾。

（原载《新建设》1957年第5期）

诗的活力与诗的新原质

我们如果注意诗坛的变迁，就必然会发现一件事情，那便是诗的原质时常在那里改变；我们所称为“艺术的宝库”的那永不改变的大自然，在诗人的笔下也时常在改变。这样便造成从来的诗的历史。

其实任何一个新的诗潮，往往就具备一个新的形式，这虽然不能说是必要的，却似乎总是有比无好。五言诗在魏晋六朝出足了风头，到唐代虽依然健在，却不能不把风头让给了七言，便是最公平的例证。我们要新，便样样都新，而且样样也自然会推陈出新；这创造是一个时代的潮流，随便一个角落不免多少都会受到影响，这在内容方面自然就比形式方面更为重要。

诗的内容，原是取之于生活中最敏感的事物，“春花”“秋月”之所以常占有诗中相当的字数，正因为它原是最易感到的。然而这些敏感的事物，久而久之，便会形成一种滥调，一种无病的呻吟。于是新的敏感的事物，便又成为生活中的必要了。“苟日新，日日新，又日新。”新的诗风最直接的，莫过于新的事物上新的感情，这便是诗的不断的追求。

先就新的事物上说，音乐是最足以启发人的情绪的，中国本土的音乐可以琴为代表。《诗经》说："窈窕淑女，琴瑟友之。"孔子在武城闻弦歌之声，当然是琴瑟一类了；司马相如以琴心挑文君，文君夜奔相如，琴的效力更可以想见。可是"琴"之含有诗意，则一直要迟到建安以后，曹丕《燕歌行》说"援琴鸣弦发清商，短歌微吟不能长"，这是琴之开始有诗的感觉，之后到左思《招隐》"岩穴无结构，丘中有鸣琴"，"琴"才真正独立成为一个诗意的向往。陶渊明蓄素琴一张，抚以寄情，琴不必弹，就已先有了诗意，可算是"琴"中的佳话了。此后"琴"乃成为诗中敏感的事物，如庾信诗"琴声遍屋里，书卷满床头"，卢照邻诗"山水弹琴尽，风华酌酒频"乃都于诗中别具有不尽之意。然而这时另外一种新的乐器则又代之而兴，那便是胡人的羌笛，其魔力远过于琴之在诗中。"笛"的爱好起于北朝的《折杨柳》：

上马不捉鞭，反折杨柳枝。下马吹横笛，愁杀行客儿。

从此之后只要碰见笛声，便似乎无往而不成为好句，如王昌龄的"烽火城西百尺楼，黄昏独坐海风秋。更吹羌笛关山月，无那金闺万里愁"，王之涣的"黄河远上白云间，一片孤城万仞山。羌笛何须怨杨柳，春风不度玉门关"，王维的"长安少年游侠客，夜上戍楼看太白。陇头明月迥临关，陇上行人夜吹笛"，都是一代的佳作，至于"扬州时有下江兵，兰陵镇前吹笛声。夜火人归富春郭，秋风鹤唳石头城"，那笛声正是贯穿了整个情绪的。而李益的《夜上受降城闻笛》"回乐峰前沙似雪，受降城外月如霜。不知何处吹芦管，一夜征人尽望乡"，惊心动魄，一字千金，

"笛"在此成了诗坛的骄子。我们如果说"琴"是伴随着五言的，"笛"便更是七言的知音了，它非但是一个新形式、新事物，而且正是一个新感情。它出现的时候，往往也便是诗意出现的时候，它与诗是一而二、二而一的，它所以正是诗的一个原质。

再以新的感情来说，《小雅·采薇》说"昔我往矣，杨柳依依。今我来思，雨雪霏霏"，然而这对于杨柳似乎还只是一时的偶遇；之后汉人虽然折柳送别，《三辅黄图》说"灞桥在长安东，跨水作桥，汉人送客至此桥，折柳赠别"，而"柳"的好诗却始终还没有被发现。建安以来，首先被歌咏的其实是"桑""槐""松""柏""白杨"之类，《古诗十九首》中的"青青河畔草，郁郁园中柳"，也并没有唤起普遍的爱好。之后陆机《拟古》乃有"凉风绕曲房，寒蝉鸣高柳"，陶渊明《拟古》有"荣荣窗下兰，密密堂前柳"，而陶的《五柳先生传》，似乎对于"柳"的感情也不无好处。可是"柳"的真正被认识，则仍有待于北人的《折杨柳》歌辞：

遥看孟津河，杨柳郁婆娑。我是虏家儿，不解汉儿歌。

这袅娜多姿的杨柳，反而是强悍的北歌最先了解它。而《折杨柳》的歌辞不久便成为文坛新的爱好，梁简文帝、梁元帝等都有《折杨柳》的拟作。之后薛道衡的《昔昔盐》说："垂柳覆金堤，蘼芜叶复齐。"无名氏的《送别诗》：

杨柳青青着地垂，杨花漫漫搅天飞。柳条折尽花飞尽，借问行人归不归。

"柳"的真正的感情，从此被人认识。到了刘希夷的"佳人眠洞房，回首见垂杨"、宋之问的"旦别河桥杨柳风，夕卧伊川桃李月”，这新的感情中的诗意已尽在不言中了。

其实我们若真要想说明这原质的变迁，则莫过于直接看大自然的现象，那么建安以来的诗人就都莫不善于写“风”，如“枯桑知天风”“高台多悲风”“胡马依北风”“白杨多悲风”“惊风飘白日”“朔风劲且哀”，等等，信手拈来便都成为好句。而对于“雨”则绝少佳作，隋唐前夕出现了“夜雨滴空阶，晓灯暗离室”“江暗雨欲来，浪白风初起”，雨才在诗中初露头角。这样直到唐王昌龄诗“寒雨连江夜入吴，平明送客楚山孤。洛阳亲友如相问，一片冰心在玉壶”，又“孤舟微月对枫林，分付鸣筝与客心。岭色千重万重雨，断弦收与泪痕深”，“雨”才正式在诗里有了地位，难道唐人以前都是晴天吗？可是从此之后，“风”的诗意虽还不减当年，而“雨”的新感情却越来越浓厚，如“雨中山果落，灯下草虫鸣”“雨中黄叶树，灯下白头人”“微云淡河汉，疏雨滴梧桐”“长乐钟声花外尽，龙池柳色雨中深”。到了杜牧的“清明时节雨纷纷，路上行人欲断魂”，“雨”的情味乃直欲深入每一个人的灵魂，而李贺有名句“况是青春日将暮，桃花乱落如红雨”，这样“雨”便又以一个新的姿势成为诗中的原质。

其实我们说风说雨仍然还是两件事物，我们正不妨只就一件事物来看它的变迁，则魏晋以来对于“落日”都称之为“白日”，如说“白日驰西陆”“白日沦西阿”“白日忽西匿”“遥遥征驾远，杳杳白日晚”“白日丽飞甍，参差皆可见”。这直到王之涣诗“白日依山尽，黄河入海流”，可算告一段落，而渐渐地则开始称之为“夕阳”了，如王维的诗“瀑布杉松常带雨，夕阳彩翠忽成岚”，孟浩然诗“夕阳度西岭，群壑倏已暝”，刘长卿诗“万里通秋雁，千峰共夕阳”，而那有名的绝句：

苍苍竹林寺，杳杳钟声晚。荷笠带斜阳，青山独归远。

“落日”的诗意乃全换了一番面目，这样直到李商隐说“夕阳无限好，只是近黄昏”，于是“夕阳”“斜阳”从此又成为一个诗中的原质。这样我们在本来不大注意的方面，往往会产生出从来没有过的新事件。如“关”在唐以前绝少入诗，而到了唐代凡有“关”几乎就都成为好诗，“秦时明月汉时关”，这么好的诗，何以要直等唐人才说得出？此外则“春风不度玉门关”“西出阳关无故人”“边霜昨夜堕关榆”“日照潼关四扇开”，句句都成为绝唱。

然而相反地，我们所最爱好的事物，却往往不一定有诗意。六朝人都好饮酒，六朝却并没有写出什么有诗意的“酒”来，陶渊明是被称为篇篇有“酒”的，应该有好诗了，而那些以酒为题的《饮酒》诗里的好句，如“采菊东篱下，悠然见南山”等也并与“酒”无涉。

酒与人那么熟识，却长期地只是作为一个题目、一件生活中美好的享受而出现，如“欢言酌春酒，摘我园中蔬”“清歌散新声，绿酒开芳颜”，虽都不失为好句，酒却没有比本身更多出些什么。可是，王翰说“葡萄美酒夜光杯，欲饮琵琶马上催”，王维说“劝君更尽一杯酒，西出阳关无故人”，李白说“抽刀断水水更流，举杯消愁愁更愁”“巴陵无限酒，醉杀洞庭秋”，杜甫说“检书烧烛短，看剑引杯长”，这时酒就仿佛成了一种诗意的催化剂，一切的默契都尽在不言中了，连《将进酒》也因此成了知名的乐府诗。此后杜牧的“借问酒家何处有，牧童遥指杏花村”，韦庄的“珍重主人心，酒深情亦深”，“酒”之成为诗中的新原质便早已不在话下了。

唐人并非个个都是天才，但是诗人辈出，正因为那一个时期诗的新原质发现得最多，即以方才所举的几件来说，王维的《渭城曲》已经非是好诗不可了，因为“雨”“柳”“酒”“关”每一句里都占一个新原质去。何况新原质又绝非止于这几件，而这些原质都是当时生活中所习见的事物。设若我们生在唐代，又设若那时新原质正被发现，则我们信手拈来，难道就碰不见一两句好诗吗？可是无奈这么方便的时代，却不会凭空就来，这些新原质若没有人去发现，便永远不会被发现；唐人的确占了点便宜，因为六朝人不断地在那里发现，到了唐代恰好达到发现的高峰。可是我们等待什么人先发现呢？我们今日既无法占前人的便宜，便只好慷慨点留点便宜让后人占，何况太便宜了也没有好处。

宋人承唐人的余泽，一切太现成了，酒啊，雨啊，柳啊，笛啊，山啊，水啊，斜阳啊，芳草啊，反而搅作一团，施展不开。词所以只是诗余，何况词自身也还有几件法宝，如“暝色入高楼”的“楼”，“骑马倚斜桥”的“桥”，“满眼游丝兼落絮”的“絮”，“极目烟中百尺楼”“烟中列岫青无数”的“烟”，此外如“秋千”“阑干”等等，才支持了词的一段生命；然而究竟吃现成吃得太多，所以局面终于有限。隋李谔上书说：“连篇累牍，不出月露之形；积案盈箱，唯是风云之状。”而唐人的好处就在并不只以这“风云”“月露”为诗的原质，唐人是完成那六朝未完成而将要完成的事物，所以能恰到好处。

我们今日虽不能如唐人之占了六朝的便宜，也还不至于如宋人之吃了唐人的亏。何况我们今日正是一个变迁的时代，一切事物本已非变不可。如从前人常吃的“酒”，变成了现在的“纸烟”；从前人常骑的“马”，变成了现在的“脚踏车”，这些变迁正是发现诗的新原质最好的场合。例如都市里电车、电灯、电话种种的电线纵横交错，就有一位诗人说：

浮沉的电线如同是一支乐谱

这又是多么可喜的一种感情？我们必须让这世界上一切的事物都有着生命上共同的呼吸，这样我们才不因为物质的文明而落于机械式的烦躁无味。我们现在正因为科学进步得太快，文艺似乎措手不及，于是生活中失去了生命的喜悦与凭借，我们几乎盲目地随着物质条件走。我们应当如何让人生中常有新的感情，常因为那情绪的潮汐而充沛，这正是今日一切的主题。

诗的新原质的感情是一个较悠久的感情，它将带我们走一段较长的路。我们今日应是这开路的工作者，我们似乎没有现成的道路可走，然而我们却正在步入一个新的时代，许多事物又全非昔日的面目；正如从前在诗中一向被认为使人离别悲伤的“路”，今日已因为交通的发达，变为可以使人聚首喜悦的“路”了。这都是一些新的事件，那么现在让我来引一段诗吧：

春天的锄头是土的声音，
春天的脚步是路的声音。
你要探问那修路的人吗？
春天第一次收在你信里。

我们写诗因此就正如写诗的历史，因为我们每发现一个新的原质，就等于写了一句诗的新的历史。一个放射性的原质固然不能就造成一个原子时代，然而原子时代则正由这些新原质的不断发现而成立。它们分开来似乎点点滴滴，组合起来就是一个力量。这是一个历史的力量，就正说明了诗的本质。

我们如果以为宇宙是一个漫长的历史，则人类的历史相形之下当然短暂得很。然而人类的历史虽然短暂，而人类之创造这一个历史，却与宇宙之创造宇宙的历史并无不同，它都需要一个力量，这力量是从开始时便已决定了的。正如一个种子之发芽生长，虽然因其环境的不同而有所变更，而其筹备这一件事的力量却是并无变更的。我很想说明这一点力量，这便是诗的活力。

设若我们把任何一个历史和一本戏剧或小说比较起来，这后者当然是渺小得多，它们都是一个有头有尾的故事，然而前者并没有完成，后者反而完成了。任何的历史不过历史自身中的一段，然而一本伟大的故事却就是一个完成，它所以是完整的而且独立的。诗如果不妨说是最短的故事，那么也不妨说诗就是那最完全的历史。

从原始人进步到文明，这需要一个漫长的时间，然而在原始人的心目中必早有一个力的面向，正如飞蛾扑火一样，这光明的力量，才引导着野蛮人走进文明；野蛮人赤手空拳走进这文明的世界，这力量何等地雄厚，他只凭着天赋明亮的眼、聪敏的耳，与灵活的知觉，揭开了那文明的序幕。这动人的事件，便是一切艺术最高的说明与一切繁琐的艺术之所以终于缺少成就的缘故。历史上所谓文化较古的国家往往多难免于可悲的、衰老的命运，这便是我们必须寻回那草创力的时候，在那里我们寻到了诗的本质，那也正是诗的新原质之所以产生的缘故。

在漫长历史的发展中，这历史虽然是一条线，其力量最初则只在一点上，这条线拉得愈长创造力也就愈弱，这条线变得愈短创造力就愈强，如果这条线短到只是一个点，这就是创造力本身，它如同光之聚于一个点上，这样艺术家把历史聚为一个焦点，戏剧小说也就是这样把整个历史缩短到一个故事上。诗所以是一切艺术最高的形式，因为它真正就是那点发光的化身。

然而点总是要发展为线的，艺术的价值所以正要补救那自然的不足——它因此被解释为一种人工——在历史已经发展为线的时候，使其重新又聚为一个点，这一个点原来聚在原始时代，现在则让它聚在任何时代，诗所以是无尽的语言，因为它原是用无尽的历史为背景的。

我们如果没有原始的爱好，也就没有最进步的文化，因为它们所需要的同为一个历史的起点，文艺因此并不等待时代，而是创造时代，诗因此是一个崇高的时代的感情。七年前，我曾经过一个叫作“河田”的小镇，这个地方所有的山都是童山濯濯，山上的土壤因为没有林木保护的缘故，已经渐渐沙漠化了，所以远望去就如一个个不毛的秃顶。我从旁经过时，偶尔看见山上有几株矮小的松树，大概是农林机关特为种植的，那样子就像发育不良的一群可怜的孩子，对于这情景我留下非常深的印象。那简直是一场搏斗，那几株矮小的松树如果救不了这座荒山，那几株矮小的松树也就完了。这就是我们今日文化的现象。

我不想一味夸耀我们两千多年的文明。事实上我们所常说的文明古国，正是我们今天所面临的一个难题。文明古国一方面是拥有着无可争辩的光辉历史，一方面却难免于容易老化，世界上最早的文明古国有几个还能迄今不衰仍居于世界先进的行列呢？

我们今天正是走在这古老历史要更新的阶段，诗因此必须以全力争取这时代，如同那矮小的松树要种植在沙漠化的童山上一样。“大漠孤烟直，长河落日圆”，诗所以是一种生命的呼唤，使一切缺少生命的都获得那生命的源泉，在一切最无情趣的地方唤醒那生命的感情。诗的活力是一个全部历史的创造，必须从那最平凡的做起而直达到那最崇高的，诗因此是宇宙的代言人，这便是新的原质陆续出现的时候。我们将怎样保有这诗的活力，且将如何追寻那新的原质，这便是又一个诗的时代的来临。

（原载《文学杂志》第2卷第9期，1948年2月）